대화로 배우는 한국어

Монгол хэл(몽골어)
орчуулагдсан хувилбар(번역판)

• 대화 (нэр үг) : ярилцлага, яриа
өөд өөдөөсөө хандан ярилцах явдал. мөн тухайн яриа.

• 로 : -аар (-ээр, -оор, -өөр)
ямар нэгэн үйл хэргийн арга барилыг илэрхийлж буй нөхцөл.

• 배우다 (үйл үг) : сурах, сурч авах
шинэ мэдлэг олж авах.

• -는 : Тохирох үг хэллэг байхгүй байна
өмнөх үгийг тодотгол гишүүний үүрэгтэй болгож, хэрэг явдал буюу үйлдэл нь
одоо өрнөж байгааг илэрхийлдэг нөхцөл.

• 한국어 (нэр үг) : солонгос хэл
солонгост хэрэглэдэг хэл.

※ 이 책의 폰트는 '함초롬 바탕체'를 사용하였습니다.

< 저자(зохиогч) >

㈜한글2119연구소

· 연구개발전담부서

· ISO 9001 : 품질경영시스템 인증

· ISO 14001 : 환경경영시스템 인증

· 이메일(и-мэйл) : gjh0675@naver.com

< 동영상(дүрс бичлэг) 자료(түүхий эд) >

HANPUK_монгол хэл(орчуулга)
https://www.youtube.com/@HANPUK_Mongolian

HANPUK

제 2024153361 호

연구개발전담부서 인정서

1. 전담부서명: 연구개발전담부서

   [소속기업명: (주)한글2119연구소]

2. 소 재 지: 인천광역시 부평구 마장로264번길 33
   상가동 제지하층 제2호 (산곡동, 뉴서울아파트)

3. 신고 연월일: 2024년 05월 02일

과학기술정보통신부

「기초연구진흥 및 기술개발지원에 관한 법률」제14조의
2제1항 및 같은 법 시행령 제27조제1항에 따라 위와 같이
기업의 연구개발전담부서로 인정합니다.

2024년 5월 13일

 한국산업기술진흥협회장

G-CERTI *certificate*

hereby certifies that

Hangul 2119 Research Institute Co., Ltd.

Rm. 2, Lower level, Sangga-dong, 33, Majang-ro 264beon-gil, Bupyeong-gu, Incheon, Korea

meets the Standard Requirements & Scope as following

ISO 9001:2015
Quality Management Systems

Creation of Media Content, Publication of Korean Paper and Electronic Textbooks, Production and Release of Albums for Korean Language Education

Certificate No: GIS-6934-QC	Code	: 08, 39
Initial Date : 2024-05-21	Issue Date	: 2024-05-21
Expiry Date : 2027-05-20	Valid Period	: 2024-05-21 ~ 2027-05-20

Signed for and on behalf of GCERTI
President I.K Cho

G-CERTI *Certificate*

hereby certifies that

Hangul 2119 Research Institute Co., Ltd.

Rm. 2, Lower level, Sangga-dong, 33, Majang-ro 264beon-gil, Bupyeong-gu, Incheon, Korea

meets the Standard Requirements & Scope as following

ISO 14001:2015
Environmental Management Systems

Creation of Media Content, Publication of Korean Paper and Electronic Textbooks, Production and Release of Albums for Korean Language Education

Certificate No: GIS-6934-EC   **Code**   **: 08, 39**
Initial Date   : 2024-05-21   **Issue Date   : 2024-05-21**
Expiry Date   : 2027-05-20   **Valid Period : 2024-05-21 ~ 2027-05-20**

Signed for and on behalf of GCERTI
President I.K.Cho

MSCB-113

IAS ACCREDITED
Management Systems
Certification Body

< 목차(гарчиг) >

< 대화(ярилцлага) > - 1

배고플 텐데 왜 밥을 많이 남겼어?
배고플 텐데 왜 바블 마니 남겨써?
baegopeul tende wae babeul mani namgyeosseo?

사실은 조금 전에 간식으로 빵을 먹었거든요.
사시른 조금 저네 간시그로 빵을 머걷꺼드뇨.
sasireun jogeum jeone gansigeuro ppangeul meogeotgeodeunyo.

< 설명(тайлбар) / 번역(орчуулга) >

배고프+[ㄹ 텐데] 왜 밥+을 많이 남기+었+어?
　　배고플 텐데　　　　　　　　　남겼어

- 배고프다 (тэмдэг нэр) : 배 속이 빈 것을 느껴 음식이 먹고 싶다.
  гэдэс өлсөх
  хоол тэжээл идэхийг хүсч байгаагаа мэдрэх.

- -ㄹ 텐데 : 앞에 오는 말에 대하여 말하는 사람의 강한 추측을 나타내면서 그와 관련되는 내용을 이어
  　　　　　　말할 때 쓰는 표현.
  Тохирох үг хэллэг байхгүй байна
  ямар нэг зүйлийн талаарх ярьж буй хүний хүчтэй таамгыг илэрхийлэнгээ түүнтэй
  холбоотой утгыг дэвшүүлэхэд хэрэглэдэг илэрхийлэл.

- 왜 (дайвар үг) : 무슨 이유로. 또는 어째서.
  яагаад, ямар учраас
  ямар шалтгаанаар. мөн яагаад.

- 밥 (нэр үг) : 쌀과 다른 곡식에 물을 붓고 물이 없어질 때까지 끓여서 익힌 음식.
  агшаасан будаа
  цагаан будаа болон өөр тариа будаанд ус хийж, ус нь ширгэтэл буцалгаж болгосон
  будаа.

- 을 : 동작이 직접적으로 영향을 미치는 대상을 나타내는 조사.
  -ыг/-ийг/-г
  үйл хөдлөл шууд нөлөөлж буй тусагдахууныг илэрхийлэх нөхцөл.

- **많이 (дайвар Үг)** : 수나 양, 정도 등이 일정한 기준보다 넘게.

  их, олон

  тоо, хэр хэмжээ мэтийн зүйл тодорхой нэг түвшингөөс хэтэрсэн.

- **남기다 (Үйл Үг)** : 다 쓰지 않고 나머지가 있게 하다.

  Үлдээх

  бүгдийг нь хэрэглэхгүй үлдээх.

- **-었-** : 어떤 사건이 과거에 완료되었거나 그 사건의 결과가 현재까지 지속되는 상황을 나타내는 어미.

  Тохирох Үг хэллэг байхгүй байна

  ямар нэгэн хэрэг явдал өнгөрсөн үед болж өнгөрсөн буюу тухайн үйлийн үр дүн өнөөг хүртэл үргэлжилж буй нөхцөл байдлыг илэрхийлдэг нөхцөл.

- **-어** : (두루낮춤으로) 어떤 사실을 서술하거나 **물음**, 명령, 권유를 나타내는 종결 어미.

  Тохирох Үг хэллэг байхгүй байна

  (хүндэтгэлийн бус энгийн үг хэллэг) ямар нэгэн зүйлийг дүрслэх буюу асуулт, тушаал, зөвлөмж зэргийг илэрхийлдэг төгсгөх нөхцөл. <асуулт>

사실+은 조금 전+에 간식+으로 빵+을 먹+었+거든요.

- **사실 (нэр Үг)** : 겉으로 드러나지 않은 일을 솔직하게 말할 때 쓰는 말.

  Үнэндээ

  ил шулуун нуулгүй хэлэх гэсэн үедээ хэлэх үг

- **은** : 문장 속에서 어떤 대상이 화제임을 나타내는 조사.

  Тохирох Үг хэллэг байхгүй байна

  өгүүлбэрт ямар зүйл ярианы сэдэв болж буйг илэрхийлдэг нөхцөл.

- **조금 (нэр Үг)** : 짧은 시간 동안.

  дөнгөж сая, удалгүй, жаахан

  богино хугацаанд.

- **전 (нэр Үг)** : 일정한 때보다 앞.

  -аас өмнө, -аас урьд

  тухайн цаг мөчөөс өмнөх үе.

- **에** : 앞말이 시간이나 때임을 나타내는 조사.

  -д/-т

  өмнөх үг цаг хугацаа болохыг илэрхийлж буй нөхцөл.

- **간식 (нэр Үг)** : 식사와 식사 사이에 간단히 먹는 음식.

  хөнгөн хоол, зууш

  хоолноос хоолны хооронд хөнгөн зууш болгон иддэг зүйл.

- 3 -

• 으로 : 신분이나 자격을 나타내는 조사.
  -аар (-ээр, -оор, -өөр)
  байр суурь буюу эрх чадварыг илэрхийлж буй нөхцөл.

• 빵 (нэр үг) : 밀가루를 반죽하여 발효시켜 찌거나 구운 음식.
  талх
  гурилыг зуурч эсгээд, жигнэх болон хайрч хийсэн хүнсний бүтээгдэхүүн.

• 을 : 동작이 직접적으로 영향을 미치는 대상을 나타내는 조사.
  -ыг/-ийг/-г
  Үйл хөдлөл шууд нөлөөлж буй тусагдахууныг илэрхийлэх нөхцөл.

• 먹다 (үйл үг) : 음식 등을 입을 통하여 배 속에 들여보내다.
  идэх
  хоол хүнс зэргийг амаар дамжуулан гэдсэндээ хийх.

• -었- : 사건이 과거에 일어났음을 나타내는 어미.
  Тохирох үг хэллэг байхгүй байна
  Үйл явдал өнгөрсөн үед болсныг илэрхийлдэг төгсгөх нөхцөл.

• -거든요 : (두루높임으로) 앞의 내용에 대해 말하는 사람이 생각한 이유나 원인, 근거를 나타내는 표현.
  Тохирох үг хэллэг байхгүй байна
  (хүндэтгэлийн энгийн үг хэллэг) өмнөх агуулгын талаар өгүүлж байгаа хүний
  бодсон учир шалтгаан, үндэслэлийг илэрхийлнэ.

< 대화(ярилцлага) > - 2

제가 지금 돈이 얼마 없거든요. 회비를 다음에 드려도 될까요?
제가 지금 도니 얼마 업꺼드뇨. 회비를 다으메 드려도 될까요?
jega jigeum doni eolma eopgeodeunyo. hoebireul daeume deuryeodo doelkkayo?

네. 그럼 다음 주 모임에 오실 때 주세요.
네. 그럼 다음 주 모이메 오실 때 주세요.
ne. geureom daeum ju moime osil ttae juseyo.

< 설명(тайлбар) / 번역(орчуулга) >

제+가 지금 돈+이 얼마 없+거든요.

회비+를 다음+에 드리+[어도 되]+ㄹ까요?
드려도 될까요

- 제 (төлөөний Үг) : 말하는 사람이 자신을 낮추어 가리키는 말인 '저'에 조사 '가'가 붙을 때의 형태.
  би
  ярьж буй хүн өөрийгөө доошлуулж хэлдэг Үг '저' дээр нөхцөл '가' залгасан хэлбэр.

- 가 : 어떤 상태나 상황에 놓인 대상이나 동작의 주체를 나타내는 조사.
  Тохирох Үг хэллэг байхгүй байна
  ямар нэгэн төлөв, байдлын субьект, мөн Үйл хөдлөлийн эзэн болохыг илэрхийлэх нөхцөл.

- 지금 (дайвар Үг) : 말을 하고 있는 바로 이때에. 또는 그 즉시에.
  одоо, одоо цагт
  юм ярьж буй яг одоо цаг Үед. мөн тэр даруй.

- 돈 (нэр Үг) : 물건을 사고팔 때나 일한 값으로 주고받는 동전이나 지폐.
  мөнгө
  эд зүйл худалдан авах буюу зарахад, мөн ажлын хөлсөнд өгч авалцдаг зоос болон цаасан дэвсгэрт.

• 이 : 어떤 상태나 상황의 대상이나 동작의 주체를 나타내는 조사.

  Тохирох үг хэллэг байхгүй байна

  ямар нэгэн төлөв, байдлын субьект, мөн үйл хөдлөлийн эзэн болохыг илэрхийлэх нөхцөл.

• 얼마 (нэр үг) : 밝힐 필요가 없는 적은 수량, 값, 정도.

  нэг их биш, тийм ч их биш

  заавал хэлж мэдэгдэх шаардлагагүй бага үнэ, тоо хэмжээ, хэм хэмжээ.

• 없다 (тэмдэг нэр) : 어떤 물건을 가지고 있지 않거나 자격이나 능력 등을 갖추지 않은 상태이다.

  байхгүй

  ямар нэгэн эд зүйл байхгүй юм уу, эрх болон чадвар зэргийг эзэмшээгүй байдал.

• -거든요 : (두루높임으로) 앞으로 이어질 내용의 전제를 이야기하면서 뒤에 이야기가 계속 이어짐을 나타내는 표현.

  Тохирох үг хэллэг байхгүй байна

  (хүндэтгэлийн энгийн үг хэллэг) цаашид болох зүйлийн талаар өгүүлэнгээ хойдох яриа үргэлжлэн болохыг илэрхийлнэ.

• 회비 (нэр үг) : 모임에서 사용하기 위하여 그 모임의 회원들이 내는 돈.

  гишүүний татвар, төлбөр

  хурал цуглаанд хэрэглэхийн тулд уг хурал цуглааны гишүүдийн төлдөг мөнгө.

• 를 : 동작이 직접적으로 영향을 미치는 대상을 나타내는 조사.

  -ыг/-ийг/-г

  үйл хөдлөл шууд нөлөөлж буй тусагдахууныг илэрхийлэх нөхцөл.

• 다음 (нэр үг) : 시간이 지난 뒤.

  дараа

  цаг хугацаа өнгөрсний дараа.

• 에 : 앞말이 시간이나 때임을 나타내는 조사.

  -д/-т

  өмнөх үг цаг хугацаа болохыг илэрхийлж буй нөхцөл.

• 드리다 (үйл үг) : (높임말로) 주다. 무엇을 다른 사람에게 건네어 가지게 하거나 사용하게 하다.

  өргөх, барих

  (хүндэтгэлт үг) өгөх. ямар нэгэн зүйлийг хэн нэгэнд өгөх байдал

• -어도 되다 : 어떤 행동에 대한 허락이나 허용을 나타낼 때 쓰는 표현.

  Тохирох үг хэллэг байхгүй байна

  ямар нэг үйл хөдлөлийн талаарх зөвшөөрөл болон хүлээн зөвшөөрөх утгыг илэрхийлэхэд хэрэглэдэг илэрхийлэл.

• -ㄹ까요 : (두루높임으로) 듣는 사람에게 의견을 묻거나 제안함을 나타내는 표현.

Тохирох Үг хэллэг байхгүй байна

(хүндэтгэлийн энгийн үг хэллэг) сонсч буй хүний санаа бодлыг асуух буюу сонсч буй хүнд аливаа зүйлийг санал болгоход хэрэглэдэг илэрхийлэл.

네.

그럼 다음 주 모임+에 오+시+[ㄹ 때] 주+세요.
오실 때

• 네 (аялга Үг) : 윗사람의 물음이나 명령 등에 긍정하여 대답할 때 쓰는 말.

тийм, тиймээ, за, мэдлээ, ойлголоо, тэгье

ахмад хүний асуулт, хүсэлт даалгавар зэргийг зөвшөөрөн сонсож хариулах үг.

• 그럼 (дайвар Үг) : 앞의 내용을 받아들이거나 그 내용을 바탕으로 하여 새로운 주장을 할 때 쓰는 말.

тэгвэл, тийм бол

өмнө өгүүлсэн зүйлийг хүлээн зөвшөөрөх буюу уг зүйлд тулгуурлан шинэ бодол санаа илэрхийлэхэд хэрэглэдэг үг.

• 다음 (нэр Үг) : 이번 차례의 바로 뒤.

дараагийн, дараачийн, дараах

ямар нэгэн дэс дараалалын яг ардах.

• 주 (нэр Үг) : 월요일부터 일요일까지의 칠 일 동안.

долоо хоног

даваа гарагаас ням гараг хүртэлх долоон хоног.

• 모임 (нэр Үг) : 어떤 일을 하기 위하여 여러 사람이 모이는 일.

цуглаан, уулзалт

ямар нэг зүйл хийхийн тулд олуул цугларах явдал.

• 에 : 앞말이 목적지이거나 어떤 행위의 진행 방향임을 나타내는 조사.

-руу/-рүү, -луу/-лүү

өмнөх үг зорьсон газар буюу ямар нэгэн үйлийн чиглэлийг зааж байгаа болохыг илэрхийлж буй нөхцөл.

• 오다 (Үйл Үг) : 어떤 목적이 있는 모임에 참석하기 위해 다른 곳에 있다가 이곳으로 위치를 옮기다.

ирэх

ямар нэгэн зорилго бүхий уулзалтад оролцохын тулд өөр газраас наашаа байршлаа шилжүүлэх.

- -시- : 어떤 동작이나 상태의 주체를 높이는 뜻을 나타내는 어미.
  Тохирох Үг хэллэг байхгүй байна
  ямар нэгэн Үйлдэл буюу байдлын эзэн биеийг хҮндэтгэх утгыг илэрхийлдэг нөхцөл.

- -ㄹ 때 : 어떤 행동이나 상황이 일어나는 동안이나 그 시기 또는 그러한 일이 일어난 경우를 나타내는 표현.
  Тохирох Үг хэллэг байхгүй байна
  ямар нэгэн Үйл хөдлөл буюу нөхцөл байдал Үргэлжилсээр, тухайн Үйл хэрэг болсон тохиолдлыг илэрхийлнэ.

- **주다 (Үйл Үг)** : 물건 등을 남에게 건네어 가지거나 쓰게 하다.
  өгөх
  эд юм зэргийг бусдад дамжуулан өгөх ба хэрэглҮҮлэх.

- -세요 : (두루높임으로) 설명, 의문, 명령, **요청**의 뜻을 나타내는 종결 어미.
  Тохирох Үг хэллэг байхгүй байна
  (хҮндэтгэлийн энгийн Үг хэллэг) тайлбар, асуулт, тушаал, хҮсэлтийн утгыг илэрхийлдэг төгсгөх нөхцөл. **<хҮсэлт>**

< 대화(ярилцлага) > - 3

내가 급한 사정이 생겨서 못 가게 된 공연 티켓이 있는데 네가 갈래?
내가 그판 사정이 생겨서 몯 가게 된 공연 티케시 인는데 네가 갈래?
naega geupan sajeongi saenggyeoseo mot gage doen gongyeon tikesi inneunde nega gallae?

정말? 그러면 나야 고맙지.
정말? 그러면 나야 고맙찌.
jeongmal? geureomyeon naya gomapji.

< 설명(тайлбар) / 번역(орчуулга) >

내+가 급하+ㄴ 사정+이 생기+어서 못 가+[게 되]+ㄴ 공연 티켓+이 있+는데
　　　 급한 　　　 생겨서 　　　 가게 된

네+가 가+ㄹ래?
　　　 갈래

- 내 (төлөөний үг) : '나'에 조사 '가'가 붙을 때의 형태.
  би
  төлөөний үг "나" дээр нэрлэхийн тийн ялгалын нөхцөл "가" залгахад хувирсан хэлбэр.

- 가 : 어떤 상태나 상황에 놓인 대상이나 동작의 주체를 나타내는 조사.
  Тохирох үг хэллэг байхгүй байна
  ямар нэгэн төлөв, байдлын субьект, мөн үйл хөдлөлийн эзэн болохыг илэрхийлэх нөхцөл.

- 급하다 (тэмдэг нэр) : 사정이나 형편이 빨리 처리해야 할 상태에 있다.
  яаралтай, түргэн
  нөхцөл байдал, учир шалтгаан нь хурдан шийдвэрлэх шаардлагатай нөхцөл байдалд байх.

- -ㄴ : 앞의 말이 관형어의 기능을 하게 만들고 현재의 상태를 나타내는 어미.
  Тохирох үг хэллэг байхгүй байна
  өмнөх үгийг тодотгол гишүүний үүрэгтэй болгож, одоогийн байдлыг илэрхийлдэг нөхцөл.

- 9 -

• 사정 (нэр үг) : 일의 형편이나 이유.
байдал, нөхцөл байдал
ажил төрлийн төлөв байдал ба учир шалтгаан.

• 이 : 어떤 상태나 상황의 대상이나 동작의 주체를 나타내는 조사.
Тохирох үг хэллэг байхгүй байна
ямар нэгэн төлөв, байдлын субьект, мөн үйл хөдлөлийн эзэн болохыг илэрхийлэх нөхцөл.

• 생기다 (үйл үг) : 사고나 일, 문제 등이 일어나다.
үүсэх
аюул осол, ажил хэрэг, асуудал саад үүсэх.

• -어서 : 이유나 근거를 나타내는 연결 어미.
Тохирох үг хэллэг байхгүй байна
учир шалтгаан буюу үндэслэлийг илэрхийлдэг холбох нөхцөл.

• 못 (дайвар үг) : 동사가 나타내는 동작을 할 수 없게.
-гүй байх
үйл үг илэрхийлж буй хөдөлгөөнийг хийж чадахгүй байх.

• 가다 (үйл үг) : 어떤 목적을 가진 모임에 참석하기 위해 이동하다.
оролцох, зорьж очих
ямар нэг зорилго бүхий цуглаанд оролцохоор явах.

• -게 되다 : 앞의 말이 나타내는 상태나 상황이 됨을 나타내는 표현.
Тохирох үг хэллэг байхгүй байна
өмнөх үгийн илэрхийлж буй нөхцөл байдал үүсэх буюу тийм байдалд хүрэх явдлыг илэрхийлдэг үг хэллэг.

• -ㄴ : 앞의 말이 관형어의 기능을 하게 만들고 사건이나 동작이 완료되어 그 상태가 유지되고 있음을 나타내는 어미.
Тохирох үг хэллэг байхгүй байна
өмнөх үгийг тодотгол гишүүний үүрэгтэй болгож, хэрэг явдал буюу үйлдэл нь бүрэн төгс болсон, тухайн байдал үргэлжилж буйг илэрхийлдэг нөхцөл.

• 공연 (нэр үг) : 음악, 무용, 연극 등을 많은 사람들 앞에서 보이는 것.
тоглолт
хөгжим, бүжиг, жүжиг зэргийг олон хүний өмнө үзүүлэх явдал.

• 티켓 (нэр үг) : 입장권, 승차권 등의 표.
тасалбар
орох тасалбар, унааны тасалбар зэрэг тасалбар.

- 이 : 어떤 상태나 상황의 대상이나 동작의 주체를 나타내는 조사.
  Тохирох Үг хэллэг байхгүй байна
  ямар нэгэн төлөв, байдлын субьект, мөн Үйл хөдлөлийн эзэн болохыг илэрхийлэх нөхцөл.

- 있다 (тэмдэг нэр) : 어떤 물건을 가지고 있거나 자격이나 능력 등을 갖춘 상태이다.
  Тохирох Үг хэллэг байхгүй байна
  ямар нэгэн эд зүйл болон чадамжтай болохыг заасан байдал.

- -는데 : 뒤의 말을 하기 위하여 그 대상과 관련이 있는 상황을 미리 말함을 나타내는 연결 어미.
  Тохирох Үг хэллэг байхгүй байна
  арын агуулгыг ярихын тулд тухайн зүйлтэй холбоотой нөхцөл байдлыг урьдчилан хэлж буйг илэрхийлдэг холбох нөхцөл.

- 네 (төлөөний Үг) : '너'에 조사 '가'가 붙을 때의 형태.
  чи
  төлөөний Үг "너" дээр нэрлэхийн тийн ялгалын нөхцөл "가" залгахад хувирсан хэлбэр.

- 가 : 어떤 상태나 상황에 놓인 대상이나 동작의 주체를 나타내는 조사.
  Тохирох Үг хэллэг байхгүй байна
  ямар нэгэн төлөв, байдлын субьект, мөн Үйл хөдлөлийн эзэн болохыг илэрхийлэх нөхцөл.

- 가다 (Үйл Үг) : 어떤 목적을 가진 모임에 참석하기 위해 이동하다.
  оролцох, зорьж очих
  ямар нэг зорилго бүхий цуглаанд оролцохоор явах.

- -ㄹ래 : (두루낮춤으로) 앞으로 어떤 일을 하려고 하는 자신의 의사를 나타내거나 그 일에 대하여 듣는 사람의 의사를 물어봄을 나타내는 종결 어미.
  Тохирох Үг хэллэг байхгүй байна
  (хүндэтгэлийн бус энгийн Үг хэллэг) цаашид ямар нэгэн зүйл хийж гэж байгаа өөрийн санал бодлыг илэрхийлэх буюу тухайн зүйлийн талаар сонсч буй хүний санал бодлыг асууж байгааг илэрхийлдэг төгсгөх нөхцөл.

정말?

그러면 나+야 고맙+지.

- 정말 (дайвар Үг) : 거짓이 없이 진짜로.
  Үнэхээр
  худал хуурмаг зүйлгүй нээрээ.

• 그러면 (дайвар үг) : 앞의 내용이 뒤의 내용의 조건이 될 때 쓰는 말.

тэгвэл, тийм бол

өмнөх агуулга нь дараагийн агуулгын нөхцөл нь болох үед хэрэглэдэг үг.

• 나 (төлөөний үг) : 말하는 사람이 친구나 아랫사람에게 자기를 가리키는 말.

би

өгүүлэгч этгээд найз буюу өөрөөсөө дүү хүнтэй ярихад өөрийг заасан үг.

• 야 : 강조의 뜻을 나타내는 조사.

ч, л, ч бол

чухалчилж буй утгыг илэрхийлдэг нөхцөл.

• 고맙다 (тэмдэг нэр) : 남이 자신을 위해 무엇을 해주어서 마음이 흐뭇하고 보답하고 싶다.

баярлах

өөр хүн өөрийнх нь төлөө ямар нэгэн зүйлийг хийж өгсөнд талархан баярлаж ачийг хариулах сэтгэл төрөх.

• -지 : (두루낮춤으로) 말하는 사람이 자신에 대한 이야기나 자신의 생각을 친근하게 말할 때 쓰는 종결 어미.

Тохирох үг хэллэг байхгүй байна

(хүндэтгэлийн бус энгийн үг хэллэг) өгүүлэгч өөрийнхөө тухай ярих буюу өөрийн бодлыг дотноор хэлэхэд хэрэглэхэд төгсгөх нөхцөл.

< 대화(ярилцлага) > - 4

저녁때 손님이 오신다고 불고기에다가 잡채까지 준비하게요?
저녁때 손니미 오신다고 불고기에다가 잡채까지 준비하게요?
jeonyeokttae sonnimi osindago bulgogiedaga japchaekkaji junbihageyo?

그럼, 그 정도는 준비해야지.
그럼, 그 정도는 준비해야지.
geureom, geu jeongdoneun junbihaeyaji.

< 설명(тайлбар) / 번역(орчуулга) >

저녁때 손님+이 <u>오+시+ㄴ다고</u> 불고기+에다가 잡채+까지 준비하+게요?
오신다고

- 저녁때 (нэр Үг) : 저녁밥을 먹는 때.
  оройн хоолны Үе
  оройн хоол идэх Үе.

- 손님 (нэр Үг) : (높임말로) 다른 곳에서 찾아온 사람.
  зочин, гийчин
  (хҮндэтгэлт Үг) тухайн газарт зорьж ирсэн хҮндтэй нэгэн

- 이 : 어떤 상태나 상황의 대상이나 동작의 주체를 나타내는 조사.
  Тохирох Үг хэллэг байхгҮй байна
  ямар нэгэн төлөв, байдлын субьект, мөн Үйл хөдлөлийн эзэн болохыг илэрхийлэх нөхцөл.

- 오다 (Үйл Үг) : 무엇이 다른 곳에서 이곳으로 움직이다.
  ирэх
  ямар нэгэн зҮйл нэг газраас наашаа хөдлөх.

- -시- : 어떤 동작이나 상태의 주체를 높이는 뜻을 나타내는 어미.
  Тохирох Үг хэллэг байхгҮй байна
  ямар нэгэн Үйлдэл буюу байдлын эзэн биеийг хҮндэтгэх утгыг илэрхийлдэг нөхцөл.

- -ㄴ다고 : 어떤 행위의 목적, 의도를 나타내거나 어떤 상황의 이유, 원인을 나타내는 연결 어미.
  Тохирох Үг хэллэг байхгүй байна
  ямар нэгэн үйлдэл, санаа зорилгыг илэрхийлэх буюу ямар нэгэн нөхцөл байдлын
  учир шалтгаан, үндэслэлийг илэрхийлдэг холбох нөхцөл.

- **불고기 (нэр үг)** : 얇게 썰어 양념한 돼지고기나 쇠고기를 불에 구운 한국 전통 음식.
  бүлгуги, амталж шарсан мах
  гахай, үхрийн махыг нимгэн хэрчиж амтлагчаар амтлаад гал дээр шарж болгосон
  солонгос үндэсний хоол.

- 에다가 : 더해지는 대상을 나타내는 조사.
  -д/-т
  нэмэгдэж буй объектыг илэрхийлж буй нөхцөл.

- **잡채 (нэр үг)** : 여러 가지 채소와 고기 등을 가늘게 썰어 기름에 볶은 것을 당면과 섞어 만든 음식.
  жабчэ, пүнтүүзтэй хуурга
  олон төрлийн хүнсний ногоо болон мах зэргийг нарийхан хэрчиж, тосонд хуурсны
  дараа пүнтүүзтэй хольж хийсэн хоол.

- 까지 : 현재의 상태나 정도에서 그 위에 더함을 나타내는 조사.
  хүртэл
  одоогийн байдал ба хэмжээнээс түүнээс илүү болохыг илэрхийлдэг нөхцөл.

- **준비하다 (үйл үг)** : 미리 마련하여 갖추다.
  бэлтгэх, базаах, төхөөрөх
  урьдчилан бэлтгэн авах.

- -게요 : (두루높임으로) 앞의 내용이 그러하다면 뒤의 내용은 어떠할 것이라고 추측해 물음을 나타내는
  표현.
  Тохирох үг хэллэг байхгүй байна
  (хүндэтгэлийн энгийн үг хэллэг) өмнөх агуулга тийм юм бол хойдох агуулга ямар
  байхыг таамаглан асууж буйн илэрхийлэл.

그럼, 그 정도+는 <u>준비하+여야지</u>.
준비해야지

- **그럼 (аялга үг)** : 말할 것도 없이 당연하다는 뜻으로 대답할 때 쓰는 말.
  тэгэлгүй яахав, мэдээж
  ярих ч хэрэггүй мэдээж гэсэн утгаар хариулахад хэрэглэдэг үг.

- **그 (тодотгол үг)** : 앞에서 이미 이야기한 대상을 가리킬 때 쓰는 말.
  тэр, нөгөө
  өмнө нь ярьж дурдсан зүйлийг заах үед хэрэглэдэг үг.

- **정도 (нэр үг)** : 사물의 성질이나 가치를 좋고 나쁨이나 더하고 덜한 정도로 나타내는 분량이나 수준.
  хэм хэмжээ
  юмны шинж чанар, үнэ цэнийн сайн муу, илүү дутуу байдлыг илэрхийлдэг хэмжээ юмуу түвшин.

- **는** : 강조의 뜻을 나타내는 조사.
  Тохирох үг хэллэг байхгүй байна
  хүч нэмж буйг илэрхийлдэг нөхцөл.

- **준비하다 (үйл үг)** : 미리 마련하여 갖추다.
  бэлтгэх, базааах, төхөөрөх
  урьдчилан бэлтгэн авах.

- **-여야지** : (두루낮춤으로) 말하는 사람의 결심이나 의지를 나타내는 종결 어미.
  өгүүлэгчийн өөрийн шийдвэр хүсэл зоригийг илтгэх утгатай төгсгөх нөхцөл
  (хүндэтгэлийн бус энгийн үг хэллэг) өгүүлэгчийн өөрийн шийдвэр хүсэл зоригийг илтгэх утгатай төгсгөх нөхцөл.

< 대화(ярилцлага) > - 5

장사가 잘됐으면 제가 그만뒀게요?
장사가 잘돼쓰면 제가 그만뒬께요?
jangsaga jaldwaesseumyeon jega geumandwotgeyo?

요즘은 장사하는 사람들이 다 어렵다고 하더라고요.
요즈믄 장사하는 사람드리 다 어렵따고 하더라고요.
yojeumeun jangsahaneun saramdeuri da eoryeopdago hadeoragoyo.

< 설명(тайлбар) / 번역(орчуулга) >

장사+가 잘되+었으면 제+가 그만두+었+게요?
　　　　잘됐으면　　　　　그만뒀게요

- **장사 (нэр Үг)** : 이익을 얻으려고 물건을 사서 팖. 또는 그런 일.
  худалдаа, наймаа, арилжаа
  ашиг олох зорилгоор эд барааг худалдан авч зарах явдал. мөн тийм ажил.

- **가** : 어떤 상태나 상황에 놓인 대상이나 동작의 주체를 나타내는 조사.
  Тохирох Үг хэллэг байхгүй байна
  ямар нэгэн төлөв, байдлын субьект, мөн үйл хөдлөлийн эзэн болохыг илэрхийлэх нөхцөл.

- **잘되다 (Үйл Үг)** : 어떤 일이나 현상이 좋게 이루어지다.
  бүтэх, сайн болох
  ямар нэг үйл хэрэг сайнаар бүтэх.

- **-었으면** : 현재 그렇지 않음을 표현하기 위해 실제 상황과 반대되는 가정을 할 때 쓰는 표현.
  Тохирох Үг хэллэг байхгүй байна
  одоо тийм биш гэдгийг илэрхийлэхийн тулд бодит байдалтай эсрэгцүүлэн таамаглахад хэрэглэдэг илэрхийлэл.

- **제 (төлөөний Үг)** : 말하는 사람이 자신을 낮추어 가리키는 말인 '저'에 조사 '가'가 붙을 때의 형태.
  би
  ярьж буй хүн өөрийгөө доошлуулж хэлдэг Үг '저' дээр нөхцөл '가' залгасан хэлбэр.

• 가 : 어떤 상태나 상황에 놓인 대상이나 동작의 주체를 나타내는 조사.

Тохирох үг хэллэг байхгүй байна

ямар нэгэн төлөв, байдлын субьект, мөн үйл хөдлөлийн эзэн болохыг илэрхийлэх нөхцөл.

• 그만두다 (Үйл Үг) : 하던 일을 중간에 그치고 하지 않다.

зогсоох, орхих, хаях, болих

хийж байсан ажлаа дундаас нь зогсоож болих.

• -었- : 어떤 사건이 과거에 완료되었거나 그 사건의 결과가 현재까지 지속되는 상황을 나타내는 어미.

Тохирох үг хэллэг байхгүй байна

ямар нэгэн хэрэг явдал өнгөрсөн үед болж өнгөрсөн буюу тухайн үйлийн үр дүн өнөөг хүртэл үргэлжилж буй нөхцөл байдлыг илэрхийлдэг нөхцөл.

• -게요 : (두루높임으로) 앞의 내용이 사실이라면 당연히 뒤의 내용이 이루어지겠지만 실제로는 그렇지 않음을 나타내는 표현.

Тохирох үг хэллэг байхгүй байна

(хүндэтгэлийн энгийн үг хэллэг) өмнөх агуулга үнэн бол хойдох үгийн агуулга ч гэсэн биелэгдэх боловч бодитоор тийм биш болохыг илэрхийлнэ.

요즘+은 장사하+는 사람+들+이 다 어렵+다고 하+더라고요.

• 요즘 (нэр үг) : 아주 가까운 과거부터 지금까지의 사이.

саяхан, сүүлийн үе, ойрмогхон

өнгөрөөд удаагүй байгаа цагаас одоог хүртлэх хугацааны хооронд.

• 은 : 문장 속에서 어떤 대상이 화제임을 나타내는 조사.

Тохирох үг хэллэг байхгүй байна

өгүүлбэрт ямар зүйл ярианы сэдэв болж буйг илэрхийлдэг нөхцөл.

• 장사하다 (Үйл Үг) : 이익을 얻으려고 물건을 사서 팔다.

наймаа хийх, арилжаа хийх, худалдаа хийх

ашиг олох зорилгоор эд бараа худалдан авч зарах.

• -는 : 앞의 말이 관형어의 기능을 하게 만들고 사건이나 동작이 현재 일어남을 나타내는 어미.

Тохирох үг хэллэг байхгүй байна

өмнөх үгийг тодотгол гишүүний үүрэгтэй болгож, хэрэг явдал буюу үйлдэл нь одоо өрнөж байгааг илэрхийлдэг нөхцөл.

• 사람 (нэр үг) : 특별히 정해지지 않은 자기 외의 남을 가리키는 말.

хүн

онцгойлон тогтоогүй өөрөөсөө гаднах бусдыг заадаг үг.

• 들 : '복수'의 뜻을 더하는 접미사.
Тохирох Үг хэллэг байхгүй байна
олон тооны утга нэмдэг дагавар.

• 이 : 어떤 상태나 상황의 대상이나 동작의 주체를 나타내는 조사.
Тохирох Үг хэллэг байхгүй байна
ямар нэгэн төлөв, байдлын субьект, мөн Үйл хөдлөлийн эзэн болохыг илэрхийлэх
нөхцөл.

• 다 (дайвар Үг) : 남거나 빠진 것이 없이 모두.
бҮгд, цөм, бҮх, булт
Үлдэж гээгдсэн зҮйлгҮй бҮгд.

• 어렵다 (тэмдэг нэр) : 곤란한 일이나 고난이 많다.
хэцҮҮ, хҮнд, төвөгтэй, ээдрээтэй
төвөгтэй ажил ба бэрхшээл ихтэй байх.

• -다고 : 다른 사람에게서 들은 내용을 간접적으로 전달하거나 주어의 생각, 의견 등을 나타내는 표현.
Тохирох Үг хэллэг байхгүй байна
бусдаас сонссон зҮйлийг дам дамжуулах буюу эзэн биеийн бодол, санаа оноо зэргийг
илэрхийлдэг Үг хэллэг.

• 하다 (Үйл Үг) : 무엇에 대해 말하다.
гэх
ямар нэгэн юмны талаар ярих.

• -더라고요 : (두루높임으로) 과거에 경험하여 새로 알게 된 사실에 대해 지금 상대방에게 옮겨 전할 때
쓰는 표현.
Тохирох Үг хэллэг байхгүй байна
(хҮндэтгэлийн энгийн Үг хэллэг) өмнө нь биеэр Үзэж шинээр мэдсэн зҮйлийн талаар
одоо эсрэг талдаа дамжуулахад хэрэглэдэг илэрхийлэл.

< 대화(ярилцлага) > - 6

우리 가족 중에서 누가 가장 늦게 일어나게요?
우리 가족 중에서 누가 가장 늗께 이러나게요?
uri gajok jungeseo nuga gajang neutge ireonageyo?

보나 마나 너겠지, 뭐.
보나 마나 너겓찌, 뭐.
bona mana neogetji, mwo.

< 설명(тайлбар) / 번역(орчуулга) >

우리 가족 중+에서 <u>누(구)+가</u> 가장 늦+게 일어나+게요?
누가

- **우리 (төлөөний Үг)** : 말하는 사람이 자기보다 높지 않은 사람에게 자기와 관련된 것을 친근하게 나타
낼 때 쓰는 말.

  манай
  ярьж байгаа хүн өөрөөсөө дүүмэд хүнд өөртэйгөө холбоотой зүйлийн талаар
  дотночлон хэлж ярихдаа хэрэглэдэг үг.

- **가족 (нэр Үг)** : 주로 한 집에 모여 살고 결혼이나 부모, 자식, 형제 등의 관계로 이루어진 사람들의 집
단. 또는 그 구성원.

  гэр бүл
  нэг гэрт хамт амьдарч буй эцэг эх, үр хүүхэд, ах дүү гэх мэт ямар нэгэнхарилцаатай
  бүлэг хүмүүс.

- **중 (нэр Үг)** : 여럿 가운데.

  дунд, дотор
  олон юмны дундах.

- **에서** : 여럿으로 이루어진 일정한 범위의 안.

  Тохирох Үг хэллэг байхгүй байна
  олон хэсгээс бүрдсэн тодорхой хүрээн доторхи.

- **누구 (төлөөний Үг)** : 모르는 사람을 가리키는 말.

  хэн
  танихгүй хүнийг нэрлэн заасан үг.

- 가 : 어떤 상태나 상황에 놓인 대상이나 동작의 주체를 나타내는 조사.
  Тохирох Үг хэллэг байхгүй байна
  ямар нэгэн төлөв, байдлын субьект, мөн үйл хөдлөлийн эзэн болохыг илэрхийлэх нөхцөл.

- 가장 (дайвар үг) : 여럿 가운데에서 제일로.
  хамгийн
  олон дундаас тэргүүнд. нэгдүгээрт. хамгаас

- 늦다 (тэмдэг нэр) : 기준이 되는 때보다 뒤져 있다.
  хоцрох, оройтох
  хэмжээс болсон үеэс хоцрох.

- -게 : 앞의 말이 뒤에서 가리키는 일의 목적이나 결과, 방식, 정도 등이 됨을 나타내는 연결 어미.
  Тохирох үг хэллэг байхгүй байна
  өмнөх агуулга ард нь зааж буй байдал, зорилго, үр дүн, арга барил, хэмжээ зэрэг болохыг илэрхийлдэг холбох нөхцөл.

- 일어나다 (үйл үг) : 잠에서 깨어나다.
  босох
  нойрноос сэрэх.

- -게요 : (두루높임으로) 듣는 사람에게 한 번 추측해서 대답해 보라고 물을 때 쓰는 표현.
  Тохирох үг хэллэг байхгүй байна
  (хүндэтгэлийн энгийн үг хэллэг) сонсч буй хүнийг таамаглан хариул гэсэн утгаар асуухад хэрэглэдэг илэрхийлэл.

보+[나 마나] 너+(이)+겠+지, 뭐.
너겠지

- 보다 (үйл үг) : 눈으로 대상의 존재나 겉모습을 알다.
  үзэх, харах
  нүдээрээ ямар нэг зүйлийн оршин байгааг нь болон гадаад төрхийг нь харж мэдэх.

- -나 마나 : 그렇게 하나 그렇게 하지 않으나 다름이 없는 상황임을 나타내는 표현.
  Тохирох үг хэллэг байхгүй байна
  тэгж хийсэн ч хийгээгүй ч адилхан болохыг илэрхийлдэг үг хэллэг.

- 너 (төлөөний үг) : 듣는 사람이 친구나 아랫사람일 때, 그 사람을 가리키는 말.
  чи
  сонсогч нь найз буюу дүү байх тохиолдолд, тухайн хүнийг заадаг үг.

• 이다 : 주어가 지시하는 대상의 속성이나 부류를 지정하는 뜻을 나타내는 서술격 조사.

Тохирох Үг хэллэг байхгүй байна

эзэн биеийн зааж буй обьектын шинж чанар, төрөл зүйлийг тодорхойлох утгыг илэрхийлэх өгүүлэхүүний тийн ялгалын нөхцөл.

• -겠- : 미래의 일이나 추측을 나타내는 어미.

Тохирох Үг хэллэг байхгүй байна

ирээдүйн явдал буюу таамаглалыг илэрхийлдэг нөхцөл.

• -지 : (두루낮춤으로) 말하는 사람이 자신에 대한 이야기나 사신의 생각올 친근하게 말할 때 쓰는 종결 어미.

Тохирох Үг хэллэг байхгүй байна

(хүндэтгэлийн бус энгийн үг хэллэг) өгүүлэгч өөрийнхөө тухай ярих буюу өөрийн бодлыг дотноор хэлэхэд хэрэглэхэд төгсгөх нөхцөл.

• 뭐 (аялга үг) : 사실을 말할 때, 상대의 생각을 가볍게 반박하거나 새롭게 일깨워 주는 뜻으로 하는 말.

Үгүй ер

Үнэн хэрэг явдлын тухай ярихдаа, нөгөө хүнийхээ бодлыг хөнгөн няцаах буюу шинээр ойлгуулах гэсэн утгаар хэлдэг үг.

< 대화(ярилцлага) > - 7

저 앞 도로에서 무슨 일이 생겼나 봐요. 길이 이렇게 막히게요.
저 압 도로에서 무슨 이리 생견나 봐요. 기리 이러케 마키게요.
jeo ap doroeseo museun iri saenggyeonna bwayo. giri ireoke makigeyo.

사고라도 난 모양이네.
사고라도 난 모양이네.
sagorado nan moyangine.

< 설명(тайлбар) / 번역(орчуулга) >

저 앞 도로+에서 무슨 일+이 <u>생기+었+[나 보]+아요</u>.
생겼나 봐요

길+이 이렇+게 막히+게요.

- 저 (тодотгол Yг) : 말하는 사람과 듣는 사람에게서 멀리 떨어져 있는 대상을 가리킬 때 쓰는 말.
  тэр
  өгүүлэгч этгээд буюу сонсогч этгээдээс хол байгаа зүйлийг заан нэрлэхэд хэрэглэдэг Yг.

- 앞 (нэр Yг) : 향하고 있는 쪽이나 곳.
  өмнө
  чиглэж буй зүг ба газар.

- 도로 (нэр Yг) : 사람이나 차가 잘 다닐 수 있도록 만들어 놓은 길.
  зам, харгуй, машины зам, явган зам
  хүн болон машин техник явж болохуйцаар хийгдсэн зам.

- 에서 : 앞말이 행동이 이루어지고 있는 장소임을 나타내는 조사.
  -аас(-ээс, -оос, -өөс)
  өмнөх Yг нь үйлдэл нь биелж буй газар болохыг илэрхийлдэг нөхцөл.

- 무슨 (тодотгол Yг) : 확실하지 않거나 잘 모르는 일, 대상, 물건 등을 물을 때 쓰는 말.
  ямар
  баттай биш буюу сайн мэдэхгүй юм, ажил хэрэг, эд зүйл зэргийг асуухад хэрэглэдэг Yг.

- **일 (нэр Үг)** : 어떤 내용을 가진 상황이나 사실.

  зҮйл, явдал

  ямар нэг утга агуулга бҮхий нөхцөл байдал буюу Үнэн.

- **이** : 어떤 상태나 상황의 대상이나 동작의 주체를 나타내는 조사.

  Тохирох Үг хэллэг байхгҮй байна

  ямар нэгэн төлөв, байдлын субьект, мөн Үйл хөдлөлийн эзэн болохыг илэрхийлэх нөхцөл.

- **생기다 (Үйл Үг)** : 사고나 일, 문제 등이 일어나다.

  ҮҮсэх

  аюул осол, ажил хэрэг, асуудал саад ҮҮсэх.

- **-었-** : 어떤 사건이 과거에 완료되었거나 그 사건의 결과가 현재까지 지속되는 상황을 나타내는 어미.

  Тохирох Үг хэллэг байхгҮй байна

  ямар нэгэн хэрэг явдал өнгөрсөн Үед болж өнгөрсөн буюу тухайн Үйлийн Үр дҮн өнөөг хҮртэл Үргэлжилж буй нөхцөл байдлыг илэрхийлдэг нөхцөл.

- **-나 보다** : 앞의 말이 나타내는 사실을 추측함을 나타내는 표현.

  Тохирох Үг хэллэг байхгҮй байна

  өмнөх Үгийн илэрхийлж буй Үйлдэл буюу байдлыг таамаглаж буй явдлыг илэрхийлдэг Үг хэллэг.

- **-아요** : (두루높임으로) 어떤 사실을 서술하거나 질문, 명령, 권유함을 나타내는 종결 어미.

  Тохирох Үг хэллэг байхгҮй байна

  (хҮндэтгэлийн энгийн Үг хэллэг) ямар нэгэн зҮйлийг хҮҮрнэх, асуух, тушаах, уриалах явдлыг илэрхийлдэг төгсгөх нөхцөл. **<дҮрслэл>**

- **길 (нэр Үг)** : 사람이나 차 등이 지나다닐 수 있게 땅 위에 일정한 너비로 길게 이어져 있는 공간.

  зам

  хҮн, машин зэрэг өнгөрөн явж болохоор газар дээр тодорхой өргөн, уртаар Үргэлжилсэн орон зай.

- **이** : 어떤 상태나 상황의 대상이나 동작의 주체를 나타내는 조사.

  Тохирох Үг хэллэг байхгҮй байна

  ямар нэгэн төлөв, байдлын субьект, мөн Үйл хөдлөлийн эзэн болохыг илэрхийлэх нөхцөл.

- **이렇다 (тэмдэг нэр)** : 상태, 모양, 성질 등이 이와 같다.

  ийм байх, ийм, ингэх

  байдал, дҮр төрх, шинж чанар зэрэг ҮҮнтэй адил байх.

• -게 : 앞의 말이 뒤에서 가리키는 일의 목적이나 결과, 방식, 정도 등이 됨을 나타내는 연결 어미.
Тохирох Үг хэллэг байхгүй байна
өмнөх агуулга ард нь зааж буй байдал, зорилго, үр дүн, арга барил, хэмжээ зэрэг болохыг илэрхийлдэг холбох нөхцөл.

• 막히다 (Үйл Үг) : 길에 차가 많아 차가 제대로 가지 못하게 되다.
зам бөглөрөх
зам дээр олон машин бөөгнөрснөөс машинууд явж чадахгүй зогсох.

• -게요 : (두루높임으로) 앞 문장의 내용에 대한 근거를 제시할 때 쓰는 표현.
Тохирох Үг хэллэг байхгүй байна
(хүндэтгэлийн энгийн үг хэллэг) өмнөх өгүүлбэрийн агуулгад үндэслэн хэлэхэд хэрэглэнэ.

사고+라도 나+[ㄴ 모양이]+네.
난 모양이네

• 사고 (нэр Үг) : 예상하지 못하게 일어난 좋지 않은 일.
аваар, осол
санаанд ороогүй байтал үүссэн таагүй явдал.

• 라도 : 유사한 것을 예로 들어 설명할 때 쓰는 조사.
-сан (-сэн, -сон, -сөн) юм шиг
төстэй зүйлийг жишээ татан тайлбарлаж буйг илэрхийлдэг нөхцөл.

• 나다 (Үйл Үг) : 어떤 현상이나 사건이 일어나다.
гарах, болох, тохиолдох
ямар нэг үзэгдэл ба үйл явдал болох.

• -ㄴ 모양이다 : 다른 사실이나 상황으로 보아 현재 어떤 일이 일어났거나 어떤 상태라고 추측함을 나타내는 표현.
Тохирох Үг хэллэг байхгүй байна
өөр зүйл буюу нөхцөл байдлаас үзэхэд, одоогийн байдлыг ямархуу байгааг таамаглах буюу багцаалах явдлыг илэрхийлдэг үг хэллэг.

• -네 : (아주낮춤으로) 지금 깨달은 일에 대하여 말함을 나타내는 종결 어미.
Тохирох Үг хэллэг байхгүй байна
(огт хүндэтгэлгүй үг хэллэг) одоо ойлгож ухаарсан зүйлийнхээ талаар ярьж байгааг илэрхийлдэг төгсгөх нөхцөл.

< 대화(ярилцлага) > - 8

다음 달에 적금을 타면 뭐 하게요?
다음 다레 적끄믈 타면 뭐 하게요?
daeum dare jeokgeumeul tamyeon mwo hageyo?

그걸로 딸아이 피아노 사 주려고 해요.
그걸로 따라이 피아노 사 주려고 해요.
geugeollo ttarai piano sa juryeogo haeyo.

< 설명(тайлбар) / 번역(орчуулга) >

다음 달+에 적금+을 타+면 뭐 하+게요?

• 다음 (нэр Үг) : 어떤 차례에서 바로 뒤.
  дараагийн, дараах, дараа
  ямар нэгэн дэс дараалалд яг ардах.

• 달 (нэр Үг) : 일 년을 열둘로 나누어 놓은 기간.
  сар
  нэг жилийг арван хоёр хуваасан хугацаа.

• 에 : 앞말이 시간이나 때임을 나타내는 조사.
  -д/-т
  өмнөх Үг цаг хугацаа болохыг илэрхийлж буй нөхцөл.

• 적금 (нэр Үг) : 은행에 일정한 돈을 일정한 기간 동안 낸 다음에 찾는 저금.
  хадгаламжийн мөнгө
  банкинд тодорхой хэмжээний мөнгийг тодорхой хугацаанд хийсний дараа авдаг
  хуримтлал.

• 을 : 동작이 직접적으로 영향을 미치는 대상을 나타내는 조사.
  -ыг/-ийг/-г
  Үйл хөдлөл шууд нөлөөлж буй тусагдахууныг илэрхийлэх нөхцөл.

• 타다 (Үйл Үг) : 몫이나 상으로 주는 돈이나 물건을 받다.
  авах, хүртэх
  ногдол хувь, шагналд өгдөг мөнгө, эд зүйлийг авах.

- ·-면 : 뒤에 오는 말에 대한 근거나 조건이 됨을 나타내는 연결 어미.

  Тохирох Үг хэллэг байхгҮй байна

  ард ирэх агуулгын талаарх учир шалтгаан буюу болзол болохыг илэрхийлдэг холбох нөхцөл.

- ·뭐 (төлөөний Үг) : 모르는 사실이나 사물을 가리키는 말.

  юу

  мэдэхгҮй зҮйл буюу эд зҮйлийг заах Үг.

- ·하다 (Үйл Үг) : 어떤 행동이나 동작, 활동 등을 행하다.

  Үйлдэх, хийх, гҮйцэтгэх

  аливаа Үйл хөдлөл, хөдөлгөөн, ажиллагаа зэргийг гҮйцэтгэх.

- ·-게요 : (두루높임으로) 상대의 의도를 물을 때 쓰는 표현.

  Тохирох Үг хэллэг байхгҮй байна

  (хҮндэтгэлийн энгийн Үг хэллэг) харилцаж буй хҮний санаа бодлыг асуухад хэрэглэдэг илэрхийлэл.

그것(그거)+ㄹ로 딸아이 피아노 사+[(아) 주]+[려고 하]+여요.
그걸로   사 주려고 해요

- ·그것 (төлөөний Үг) : 앞에서 이미 이야기한 대상을 가리키는 말.

  тэр юм, тэр

  өмнө нь ярьсан объектыг заах Үг.

- ·ㄹ로 : 어떤 일의 수단이나 도구를 나타내는 조사.

  -аар (-ээр, -оор, -өөр)

  ямар нэгэн Үйл хэргийн арга зам буюу хэрэгсэл болохыг илэрхийлж буй нөхцөл.

- ·딸아이 (нэр Үг) : 남에게 자기 딸을 이르는 말.

  охин хҮҮхэд

  бусдад өөрийн охиныг нэрлэж хэлэх Үг.

- ·피아노 (нэр Үг) : 검은색과 흰색 건반을 손가락으로 두드리거나 눌러서 소리를 내는 큰 악기.

  төгөлдөр хуур

  хар болон цагаан өнгийн даруулыг хуруугаараа дарах юмуу товшин дуугаргадаг овор томтой хөгжмийн зэмсэг.

- ·사다 (Үйл Үг) : 돈을 주고 어떤 물건이나 권리 등을 자기 것으로 만들다.

  худалдаж авах

  Үнэ хөлс төлөн ямар нэгэн эд зҮйл, эрх мэдлийг өөрийн болгох.

- -아 주다 : 남을 위해 앞의 말이 나타내는 행동을 함을 나타내는 표현.

  Тохирох үг хэллэг байхгүй байна

  бусдад зориулж өмнөх үгийн илэрхийлж буй үйлдлийг хийх явдлыг илэрхийлдэг үг хэллэг.

- -려고 하다 : 앞의 말이 나타내는 행동을 할 의도나 의향이 있음을 나타내는 표현.

  Тохирох үг хэллэг байхгүй байна

  өмнөх үгийн илэрхийлж буй үйлдлийг хийх зорилго буйг илэрхийлдэг үг хэллэг.

- -여요 : (두루높임으로) 어떤 사실을 서술하거나 질문, 명령, 권유함을 나타내는 종결 어미.

  Тохирох үг хэллэг байхгүй байна

  (хүндэтгэлийн энгийн үг хэллэг) ямар нэгэн зүйлийг хүүрнэх, асуух, тушаах, уриалах явдлыг илэрхийлдэг төгсгөх нөхцөл. <дүрслэл>

< 대화(ярилцлага) > - 9

누가 책상을 치우라고 시켰어요?
누가 책상을 치우라고 시켜써요?
nuga chaeksangeul chiurago sikyeosseoyo?

제가 영수에게 치우게 했습니다.
제가 영수에게 치우게 핻씀니다.
jega yeongsuege chiuge haetseumnida.

< 설명(тайлбар) / 번역(орчуулга) >

누(구)+가 책상+을 치우+라고 시키+었+어요?
　　누가　　　　　　　　　　　시켰어요

- **누구 (төлөөний үг)** : 모르는 사람을 가리키는 말.
  хэн
  танихгүй хүнийг нэрлэн заасан үг.

- **가** : 어떤 상태나 상황에 놓인 대상이나 동작의 주체를 나타내는 조사.
  Тохирох үг хэллэг байхгүй байна
  ямар нэгэн төлөв, байдлын субьект, мөн үйл хөдлөлийн эзэн болохыг илэрхийлэх нөхцөл.

- **책상 (нэр үг)** : 책을 읽거나 글을 쓰거나 사무를 볼 때 앞에 놓고 쓰는 상.
  бичгийн ширээ
  ном унших, юм бичих, албан хэрэг явуулахад өмнөө тавьж хэрэглэдэг ширээ.

- **을** : 동작이 직접적으로 영향을 미치는 대상을 나타내는 조사.
  -ыг/-ийг/-г
  үйл хөдлөл шууд нөлөөлж буй тусагдахууныг илэрхийлэх нөхцөл.

- **치우다 (үйл үг)** : 물건을 다른 데로 옮기다.
  хумих, хураах, зайлуулах, холдуулах, үгүй болгох
  юмыг өөр тийш нь зайлуулах.

• -라고 : 다른 사람에게 들은 명령이나 권유 등의 내용을 간접적으로 전할 때 쓰는 표현.

Тохирох үг хэллэг байхгүй байна

бусдаас сонссон захирамж тушаал буюу хүсэлт зэргийг дам дамжуулахад хэрэглэдэг илэрхийлэл.

• 시키다 (Үйл үг) : 어떤 일이나 행동을 하게 하다.

даалгах, хийлгэх

ямар нэг ажил хэрэг болон үйлдэл хийхэд хүргэх.

• -었- : 사건이 과거에 일어났음을 나타내는 어미.

Тохирох үг хэллэг байхгүй байна

үйл явдал өнгөрсөн үед болсныг илэрхийлдэг төгсгөх нөхцөл.

• -어요 : (두루높임으로) 어떤 사실을 서술하거나 질문, 명령, 권유함을 나타내는 종결 어미.

Тохирох үг хэллэг байхгүй байна

(хүндэтгэлийн энгийн үг хэллэг) ямар нэгэн зүйлийг хүүрнэх, асуух, тушаах, уриалах явдлыг илэрхийлдэг төгсгөх нөхцөл. <асуулт>

제+가 영수+에게 <u>치우+[게 하]</u>+었+습니다.
치우게 했습니다

• 제 (төлөөний үг) : 말하는 사람이 자신을 낮추어 가리키는 말인 '저'에 조사 '가'가 붙을 때의 형태.

би

ярьж буй хүн өөрийгөө доошлуулж хэлдэг үг '저' дээр нөхцөл '가' залгасан хэлбэр.

• 가 : 어떤 상태나 상황에 놓인 대상이나 동작의 주체를 나타내는 조사.

Тохирох үг хэллэг байхгүй байна

ямар нэгэн төлөв, байдлын субьект, мөн үйл хөдлөлийн эзэн болохыг илэрхийлэх нөхцөл.

• 영수 (нэр үг) : нэр

• 에게 : 어떤 행동이 미치는 대상임을 나타내는 조사.

-д, -т

ямар нэгэн үйлдлийн нөлөөг авч буй зүйлийг илэрхийлдэг нөхцөл.

• 치우다 (Үйл үг) : 물건을 다른 데로 옮기다.

хумих, хураах, зайлуулах, холдуулах, үгүй болгох

юмыг өөр тийш нь зайлуулах.

- -게 하다 : 남에게 어떤 행동을 하도록 시키거나 물건이 어떤 작동을 하게 만듦을 나타내는 표현.
  Тохирох Үг хэллэг байхгүй байна
  бусдаар ямар нэгэн үйлдэл хийлгэхээр зааварлах буюу эд зүйлийг асааж хөдөлгөхөд хүргэх явдлыг илэрхийлдэг үг хэллэг.

- -였- : 사건이 과거에 일어났음을 나타내는 어미.
  Тохирох Үг хэллэг байхгүй байна
  үйл явдал өнгөрсөн цагт өрнөсныг илэрхийлдэг төгсгөх нөхцөл.

- -습니다 : (아주높임으로) 현재의 동작이나 상태. 사실을 정중하게 설명함을 나타내는 종결 어미.
  Тохирох Үг хэллэг байхгүй байна
  (дээдлэн хүндэтгэх үг хэллэг) одоогийн үйлдэл буюу байдлыг ёсорхог байдлаар тайлбарлах явдлыг илэрхийлдэг төгсгөх нөхцөл.

< 대화(ярилцлага) > - 10

어머니가 아직도 여행을 못 가게 하셔?
어머니가 아직또 여행을 몯 가게 하셔?
eomeoniga ajikdo yeohaengeul mot gage hasyeo?

응. 끝까지 허락을 안 해 주실 모양이야.
응. 끋까지 허라글 안 해 주실 모양이야.
eung. kkeutkkaji heorageul an hae jusil moyangiya.

< 설명(тайлбар) / 번역(орчуулга) >

어머니+가 아직+도 여행+을 못 <u>가</u>+[게 하]+시+어?
가게 하셔

- 어머니 (нэр Үг) : 자기를 낳아 준 여자를 이르거나 부르는 말.
  ээж, эх
  өөрийг нь төрҮҮлсэн эмэгтэйг нэрлэх болон дуудах Үг.

- 가 : 어떤 상태나 상황에 놓인 대상이나 동작의 주체를 나타내는 조사.
  Тохирох Үг хэллэг байхгҮй байна
  ямар нэгэн төлөв, байдлын субьект, мөн Үйл хөдлөлийн эзэн болохыг илэрхийлэх нөхцөл.

- 아직 (дайвар Үг) : 어떤 일이나 상태 또는 어떻게 되기까지 시간이 더 지나야 함을 나타내거나, 어떤 일이나 상태가 끝나지 않고 계속 이어지고 있음을 나타내는 말.
  хараахан
  аливаа явдал, нөхцөл байдал мөн хэрхэн өөрчлөгдөх хҮртэл хэдий хугацаа өнгөрөх хэрэгтэйг илэрхийлэх буюу дуусаагҮй Үргэлжилж байгааг илэрхийлдэг хэллэг.

- 도 : 놀라움, 감탄, 실망 등의 감정을 강조함을 나타내는 조사.
  ч
  гайхах, гайхашрах, урам хугарах зэрэг сэтгэлийн хөдөлгөөнийг онцолж буйг илэрхийлдэг нөхцөл.

- 여행 (нэр Үг) : 집을 떠나 다른 지역이나 외국을 두루 구경하며 다니는 일.
  аялал, жуулчлал
  гэрээ орхин, өөр газар нутаг, гадаад орон Үзэж сонирхон явах.

- 을 : 그 행동의 목적이 되는 일을 나타내는 조사.
  -аар (-ээр, -оор, -өөр)
  тухайн Үйлийн зорилго болох Үйлийг илэрхийлэх нөхцөл.

- 못 (дайвар Үг) : 동사가 나타내는 동작을 할 수 없게.
  -гҮй байх
  Үйл Үг илэрхийлж буй хөдөлгөөнийг хийж чадахгҮй байх.

- 가다 (Үйл Үг) : 어떤 목적을 가지고 일정한 곳으로 움직이다.
  очих, зорих
  ямар нэг зорилгоор тодорхой нэг газар руу хөдөлж явах.

- -게 하다 : 다른 사람의 어떤 행동을 허용하거나 허락함을 나타내는 표현.
  Тохирох Үг хэллэг байхгҮй байна
  бусад хҮний ямар нэгэн Үйлдлийг хҮлээн зөвшөөрөх буюу зөвшөөрөх явдлыг
  илэрхийлдэг Үг хэллэг.

- -시- : 어떤 동작이나 상태의 주체를 높이는 뜻을 나타내는 어미.
  Тохирох Үг хэллэг байхгҮй байна
  ямар нэгэн Үйлдэл буюу байдлын эзэн биеийг хҮндэтгэх утгыг илэрхийлдэг нөхцөл.

- -어 : (두루낮춤으로) 어떤 사실을 서술하거나 물음, 명령, 권유를 나타내는 종결 어미.
  Тохирох Үг хэллэг байхгҮй байна
  (хҮндэтгэлийн бус энгийн Үг хэллэг) ямар нэгэн зҮйлийг дҮрслэх буюу асуулт,
  тушаал, зөвлөмж зэргийг илэрхийлдэг төгсгөх нөхцөл. <асуулт>

응.

끝+까지 허락+을 안 하+[여 주]+시+[ㄹ 모양이]+야.
해 주실 모양이야

- 응 (аялга Үг) : 상대방의 물음이나 명령 등에 긍정하여 대답할 때 쓰는 말.
  за, тиймээ, тэгье
  харилцагч хҮн юм асуух, захиран хҮсэх Үгэнд зөвшөөрөн хариулах Үг.

- 끝 (нэр Үг) : 시간에서의 마지막 때.
  эцэс, төгсгөл
  цаг хугацааны сҮҮл хэсэг.

- 까지 : 어떤 범위의 끝임을 나타내는 조사.
  хҮртэл
  ямар нэгэн зҮйлийн төгсгөх болохыг илэрхийлдэг нөхцөл.

• **허락 (нэр Үг)** : 요청하는 일을 하도록 들어줌.
зөвшөөрөл
хҮсэж шаардсан Үйл хэргийг биелҮҮлж өгөх явдал.

• **을** : 동작이 직접적으로 영향을 미치는 대상을 나타내는 조사.
-ыг/-ийг/-г
Үйл хөдлөл шууд нөлөөлж буй тусагдахууныг илэрхийлэх нөхцөл.

• **안 (дайвар Үг)** : 부정이나 반대의 뜻을 나타내는 말.
эс, Үл, ҮгҮй, -гҮй
сөрөг буюу эсрэг утгыг илэрхийлдэг Үг.

• **하다 (Үйл Үг)** : 어떤 행동이나 동작, 활동 등을 행하다.
Үйлдэх, хийх, гҮйцэтгэх
аливаа Үйл хөдлөл, хөдөлгөөн, ажиллагаа зэргийг гҮйцэтгэх.

• **-여 주다** : 남을 위해 앞의 말이 나타내는 행동을 함을 나타내는 표현.
Тохирох Үг хэллэг байхгҮй байна
бусдад зориулж өмнөх Үгийн илэрхийлж буй Үйлдлийг хийх явдлыг илэрхийлдэг Үг хэллэг.

• **-시-** : 어떤 동작이나 상태의 주체를 높이는 뜻을 나타내는 어미.
Тохирох Үг хэллэг байхгҮй байна
ямар нэгэн Үйлдэл буюу байдлын эзэн биеийг хҮндэтгэх утгыг илэрхийлдэг нөхцөл.

• **-ㄹ 모양이다** : 다른 사실이나 상황으로 보아 앞으로 어떤 일이 일어나거나 어떤 상태일 것이라고 추측
함을 나타내는 표현.
Тохирох Үг хэллэг байхгҮй байна
өөр зҮйл буюу нөхцөл байдлаас Үзэхэд, ямар нэгэн зҮйл өрнөх буюу одоо ямар нэгэн байдалтай байна гэж таамаглах буюу багцаалах явдлыг илэрхийлдэг Үг хэллэг.

• **-야** : (두루낮춤으로) 어떤 사실에 대하여 서술하거나 물음을 나타내는 종결 어미.
Тохирох Үг хэллэг байхгҮй байна
(хҮндэтгэлийн бус энгийн Үг хэллэг) ямар нэгэн зҮйлийн талаар хҮҮрнэх буюу асуух явдлыг илэрхийлдэг төгсгөх нөхцөл. <дҮрслэл>

< 대화(ярилцлага) > - 11

할머니는 집에 계세요?
할머니는 지베 계세요(게세요)?
halmeonineun jibe gyeseyo(geseyo)?

응. 그런데 주무시고 계시니 깨우지 말고 좀 기다려.
응. 그런데 주무시고 계시니(게시니) 깨우지 말고 좀 기다려.
eung. geureonde jumusigo gyesini(gesini) kkaeuji malgo jom gidaryeo.

< 설명(тайлбар) / 번역(орчуулга) >

할머니+는 집+에 <u>계시+어요</u>?
계세요

- **할머니 (нэр Үг)** : 아버지의 어머니, 또는 어머니의 어머니를 이르거나 부르는 말.
  эмээ, эмэг эх
  аавын ээж. мөн ээжийн ээж.

- **는** : 문장 속에서 어떤 대상이 화제임을 나타내는 조사.
  Тохирох Үг хэллэг байхгүй байна
  өгүүлбэрт ярианы сэдэв болж буйг илэрхийлдэг нөхцөл.

- **집 (нэр Үг)** : 사람이나 동물이 추위나 더위 등을 막고 그 속에 들어 살기 위해 지은 건물.
  гэр, сууц, үүр
  хүн, амьтан халуун хүйтнээс хоргодох ба дотор нь амьдрахын тулд барьсан зүйл.

- **에** : 앞말이 어떤 장소나 자리임을 나타내는 조사.
  -д/-т
  өмнөх үг ямар нэгэн газар буюу байр болохыг илэрхийлж буй нөхцөл.

- **계시다 (Үйл Үг)** : (높임말로) 높은 분이나 어른이 어느 곳에 있다.
  байх
  (хүндэтгэлт үг) ахмад хүн буюу настай хүн өөр газар байх.

- **-어요** : (두루높임으로) 어떤 사실을 서술하거나 질문, 명령, 권유함을 나타내는 종결 어미.
  Тохирох Үг хэллэг байхгүй байна
  (хүндэтгэлийн энгийн үг хэллэг) ямар нэгэн зүйлийг хүүрнэх, асуух, тушаах, уриалах явдлыг илэрхийлдэг төгсгөх нөхцөл. <асуулт>

응.

그런데 주무시+[고 계시]+니 깨우+[지 말]+고 좀 기다리+어.
기다려

- 응 (аялга Yг) : 상대방의 물음이나 명령 등에 긍정하여 대답할 때 쓰는 말.
  за, тиймээ, тэгъе
  харилцагч хүн юм асуух, захиран хүсэх үгэнд зөвшөөрөн хариулах үг.

- 그런데 (дайвар Yг) : 이야기를 앞의 내용과 관련시키면서 다른 방향으로 바꿀 때 쓰는 말.
  гэхдээ
  яриаг өмнөх агуулгатай холбонгоо өөр тийш нь хандуулахад хэрэглэдэг үг.

- 주무시다 (Yйл Yг) : (높임말로) 자다.
  нойрсох
  (хүндэтгэлт үг) унтах.

- -고 계시다 : (높임말로) 앞의 말이 나타내는 행동이 계속 진행됨을 나타내는 표현.
  Тохирох үг хэллэг байхгүй байна
  (хүндэтгэлт үг) өмнөх үгийн илэрхийлж буй үйлдэл үргэлжилж буйг илэрхийлдэг үг хэллэг.

- -니 : 뒤에 오는 말에 대하여 앞에 오는 말이 원인이나 근거, 전제가 됨을 나타내는 연결 어미.
  Тохирох үг хэллэг байхгүй байна
  ард ирэх үгийн талаар өмнө ирэх үг нь учир шалтгаан буюу болзол болохыг илэрхийлдэг холбох нөхцөл.

- 깨우다 (Yйл Yг) : 잠들거나 취한 상태 등에서 벗어나 온전한 정신 상태로 돌아오게 하다.
  сэрээх
  унтах буюу согтсон байдлаас нь гаргаж өөрийн гэсэн ухаантай болгох.

- -지 말다 : 앞의 말이 나타내는 행동을 하지 못하게 함을 나타내는 표현.
  Тохирох үг хэллэг байхгүй байна
  өмнөх үгийн илэрхийлж буй үйлдлийг хийлгэхгүй байх явдлыг илэрхийлдэг үг хэллэг.

- -고 : 앞의 말과 뒤의 말이 차례대로 일어남을 나타내는 연결 어미.
  Тохирох үг хэллэг байхгүй байна
  өмнөх үйл ба арын үйл дэс дараалльн дагуу өрнөж байгааг илтгэдэг холбох нөхцөл.

- 좀 (дайвар Yг) : 시간이 짧게.
  жаахан, хэсэг, арай, бага зэрэг
  цаг хугацаа богинохон.

• **기다리다 (Үйл Үг)** : 사람, 때가 오거나 어떤 일이 이루어질 때까지 시간을 보내다.

хҮлээх

хҮн ирэх цаг Үе болох юмуу ямар нэг зҮйл бий болох хҮртэлх цаг хугацааг өнгөрҮҮлэх.

• **-어** : (두루낮춤으로) 어떤 사실을 서술하거나 물음, 명령, 권유를 나타내는 종결 어미.

Тохирох Үг хэллэг байхгҮй байна

(хҮндэтгэлийн бус энгийн Үг хэллэг) ямар нэгэн зҮйлийг дҮрслэх буюу асуулт, тушаал, зөвлөмж зэргийг илэрхийлдэг төгсгөх нөхцөл. **<тушаал>**

< 대화(ярилцлага) > - 12

여기서 산 가방을 환불하고 싶은데 어떻게 하면 되나요?
여기서 산 가방을 환불하고 시픈데 어떠케 하면 되나요?
yeogiseo san gabangeul hwanbulhago sipeunde eotteoke hamyeon doenayo?

네, 손님. 영수증은 가지고 계신가요?
네, 손님. 영수증은 가지고 계신가요(게신가요)?
ne, sonnim. yeongsujeungeun gajigo gyesingayo(gesingayo)?

< 설명(тайлбар) / 번역(орчуулга) >

여기+서 사+ㄴ 가방+을 환불하+[고 싶]+은데 어떻게 하+[면 되]+나요?
　　　　산

- **여기 (төлөөний үг)** : 말하는 사람에게 가까운 곳을 가리키는 말.
  энэ, энд
  ярьж байгаа хүн өөртөө ойр байгаа газрыг заан хэлэх үг.

- **서** : 앞말이 행동이 이루어지고 있는 장소임을 나타내는 조사.
  дээр, -д/-т
  Үйл хөдлөл болж байгаа орон байрыг илэрхийлдэг нөхцөл.

- **사다 (Үйл үг)** : 돈을 주고 어떤 물건이나 권리 등을 자기 것으로 만들다.
  худалдаж авах
  Үнэ хөлс төлөн ямар нэгэн эд зүйл, эрх мэдлийг өөрийн болгох.

- **-ㄴ** : 앞의 말이 관형어의 기능을 하게 만들고 사건이나 동작이 과거에 일어났음을 나타내는 어미.
  Тохирох үг хэллэг байхгүй байна
  өмнөх үгийг тодотгол гишүүний үүрэгтэй болгож, хэрэг явдал буюу үйлдэл нь өнгөрсөн үед өрнөсөн болохыг илэрхийлдэг нөхцөл.

- **가방 (нэр үг)** : 물건을 넣어 손에 들거나 어깨에 멜 수 있게 만든 것.
  цүнх
  эд зүйлсийг агуулж, гартаа барих буюу мөрөндөө үүрч явахаар хийгдсэн сав.

- **을** : 동작이 직접적으로 영향을 미치는 대상을 나타내는 조사.
  -ыг/-ийг/-г
  Үйл хөдлөл шууд нөлөөлж буй тусагдахууныг илэрхийлэх нөхцөл.

• **환불하다 (Үйл Yr)** : 이미 낸 돈을 되돌려주다.

мөнгийг нь эргYYлж өгөх

нэгэнт төлсөн мөнгийг буцааж өгөх.

• **-고 싶다** : 앞의 말이 나타내는 행동을 하기를 원함을 나타내는 표현.

Тохирох Yг хэллэг байхгYй байна

өмнөх Yгийн илэрхийлж буй Yйлдлийг хийхийг хYсэх явдлыг илэрхийлдэг Yг хэллэг.

• **-은데** : 뒤의 말을 하기 위하여 그 대상과 관련이 있는 상황을 미리 말함을 나타내는 연결 어미.

Тохирох Yг хэллэг байхгYй байна

арын Yгийг хэлэхийн тулд тухайн зYйлтэй холбоотой нөхцөл байдлыг урьдчилан хэлж буйг илэрхийлдэг холбох нөхцөл.

• **어떻게 (дайвар Yr)** : 어떤 방법으로. 또는 어떤 방식으로.

яаж, хэрхэн

ямар аргаар. мөн ямар арга хэлбэрээр.

• **하다 (Yйл Yr)** : 어떤 방식으로 행위를 이루다.

хийх

ямар нэгэн аргаар Yйлдлийг гYйцэтгэх.

• **-면 되다** : 조건이 되는 어떤 행동을 하거나 어떤 상태만 갖추어지면 문제가 없거나 충분함을 나타내는 표현.

Тохирох Yг хэллэг байхгYй байна

болзол шаардлага нь болж буй зYйлийг хийх болон ямар нэг нөхцөл байдал бYрдвэл асуудалгYй буюу хангалттай болохыг илэрхийлдэг Yг хэллэг.

• **-나요** : (두루높임으로) 앞의 내용에 대해 상대방에게 물어볼 때 쓰는 표현.

Тохирох Yг хэллэг байхгYй байна

(хYндэтгэлийн энгийн Yг хэллэг) өмнөх агуулгын талаар ярилцаж буй хYнээсээ асуухад хэрэглэнэ.

네, 손님.

영수증+은 가지+[고 계시]+ㄴ가요?
가지고 계신가요

• **네 (аялга Yr)** : 윗사람의 물음이나 명령 등에 긍정하여 대답할 때 쓰는 말.

тийм, тиймээ, за, мэдлээ, ойлголоо, тэгье

ахмад хYний асуулт, хYсэлт даалгавар зэргийг зөвшөөрөн сонсож хариулах Yг.

• **손님 (нэр үг)** : (높임말로) 여관이나 음식점 등의 가게에 찾아온 사람.
  Үйлчлүүлэгч
  (хүндэтгэлт үг) дэн буудал ба зоогийн газар үйлчлүүлэхээр ирсэн хүн.

• **영수증 (нэр үг)** : 돈이나 물건을 주고받은 사실이 적힌 종이.
  мөнгөний баримт, тасалбар
  мөнгө буюу бараа бүтээгдэхүүнийг өгч авсан явдлыг бичиж тэмдэглсэсэн цаас.

• **은** : 문장 속에서 어떤 대상이 화제임을 나타내는 조사.
  Тохирох үг хэллэг байхгүй байна
  өгүүлбэрт ямар зүйл ярианы сэдэв болж буйг илэрхийлдэг нөхцөл.

• **가지다 (үйл үг)** : 무엇을 손에 쥐거나 몸에 지니다.
  гартаа байлгах
  ямар нэг зүйлийг гартаа атгах буюу биедээ авч явах.

• **-고 계시다** : (높임말로) 앞의 말이 나타내는 행동의 결과가 계속됨을 나타내는 표현.
  Тохирох үг хэллэг байхгүй байна
  (хүндэтгэлт үг) өмнөх үгийн илэрхийлж буй үйлдлийн үр дүн үргэлжилж буйг
  илэрхийлдэг үг хэллэг.

• **-ㄴ가요** : (두루높임으로) 현재의 사실에 대한 물음을 나타내는 종결 어미.
  Тохирох үг хэллэг байхгүй байна
  (хүндэтгэлийн энгийн үг хэллэг)одоогийн нөхцөл байдлын талаар асууж байгааг
  илэрхийлдэг төгсгөх нөхцөл.

< 대화(ярилцлага) > - 13

숙제는 다 하고 나서 놀아라.
숙쩨는 다 하고 나서 노라라.
sukjeneun da hago naseo norara.

벌써 다 했어요. 저 놀다 올게요.
벌써 다 해써요. 저 놀다 올께요.
beolsseo da haesseoyo. jeo nolda olgeyo.

< 설명(тайлбар) / 번역(орчуулга) >

숙제+는 다 하+[고 나]+(아)서 놀+아라.
                하고 나서

- **숙제 (нэр Үг)** : 학생들에게 복습이나 예습을 위하여 수업 후에 하도록 내 주는 과제.
  гэрийн даалгавар, гэрийн ажил
  оюутан сурагчид хичээлээ давтах болон урьдчилан бэлтгэхийн тулд хичээлийн дараа хийхээр өгдөг даалгавар.

- **는** : 문장 속에서 어떤 대상이 화제임을 나타내는 조사.
  Тохирох Үг хэллэг байхгҮй байна
  өгҮҮлбэрт ярианы сэдэв болж буйг илэрхийлдэг нөхцөл.

- **다 (дайвар Үг)** : 남거나 빠진 것이 없이 모두.
  бҮгд, цөм, бҮх, булт
  Үлдэж гээгдсэн зҮйлгҮй бҮгд.

- **하다 (Үйл Үг)** : 어떤 행동이나 동작, 활동 등을 행하다.
  Үйлдэх, хийх, гҮйцэтгэх
  аливаа Үйл хөдлөл, хөдөлгөөн, ажиллагаа зэргийг гҮйцэтгэх.

- **-고 나다** : 앞에 오는 말이 나타내는 행동이 끝났음을 나타내는 표현.
  Тохирох Үг хэллэг байхгҮй байна
  өмнөх Үгийн илэрхийлж буй Үйлдэл дууссан болохыг илэрхийлдэг Үг хэллэг.

- **-아서** : 앞의 말과 뒤의 말이 순차적으로 일어남을 나타내는 연결 어미.
  Тохирох Үг хэллэг байхгҮй байна
  өмнөх Үг ба ардах Үг ээлж дараагаар бий болох явдлыг илэрхийлдэг холбох нөхцөл.

· **놀다 (Үйл Үг)** : 놀이 등을 하면서 재미있고 즐겁게 지내다.
  тоглох, зугаацах, хөгжилдөх, наадах, цагийг зугаатай өнгөрҮҮлэх
  тоглоом наадам тоглож сонирхолтой, хөгжилтэй өнгөрҮҮлэх.

· **-아라** : (아주낮춤으로) 명령을 나타내는 종결 어미.
  Тохирох Үг хэллэг байхгҮй байна
  (огт хҮндэтгэлгҮй Үг хэллэг) тушаалыг илэрхийлдэг төгсгөх нөхцөл.

벌써 다 <u>하+였+어요</u>.
　　　　했어요

저 놀+다 <u>오+ㄹ게요</u>.
　　　　올게요

· **벌써 (дайвар Үг)** : 이미 오래전에.
  хэдийнээ, аль хэдийнээ, бҮр
  аль хэдийн бҮр өмнө нь.

· **다 (дайвар Үг)** : 남거나 빠진 것이 없이 모두.
  бҮгд, цөм, бҮх, булт
  Үлдэж гээгдсэн зҮйлгҮй бҮгд.

· **하다 (Үйл Үг)** : 어떤 행동이나 동작, 활동 등을 행하다.
  Үйлдэх, хийх, гҮйцэтгэх
  аливаа Үйл хөдлөл, хөдөлгөөн, ажиллагаа зэргийг гҮйцэтгэх.

· **-였-** : 어떤 사건이 과거에 완료되었거나 그 사건의 결과가 현재까지 지속되는 상황을 나타내는 어미.
  Тохирох Үг хэллэг байхгҮй байна
  ямар нэгэн Үйл явдал өнгөрсөн цагт төгссөн буюу тухайн Үйл явдлын Үр дҮн өнөөг
  хҮртэл Үргэлжилж буй байдлыг илэрхийлдэг нөхцөл.

· **-어요** : (두루높임으로) 어떤 사실을 서술하거나 질문, 명령, 권유함을 나타내는 종결 어미.
  Тохирох Үг хэллэг байхгҮй байна
  (хҮндэтгэлийн энгийн Үг хэллэг) ямар нэгэн зҮйлийг хҮҮрнэх, асуух, тушаах, уриалах
  явдлыг илэрхийлдэг төгсгөх нөхцөл. <дҮрслэл>

· **저 (төлөөний Үг)** : 말하는 사람이 듣는 사람에게 자신을 낮추어 가리키는 말.
  би
  сонсож буй хҮнээ хҮндэтгэн өөрийгөө доошлуулж хэлэх Үг.

• 놀다 (Үйл Үг) : 놀이 등을 하면서 재미있고 즐겁게 지내다.

тоглох, зугаацах, хөгжилдөх, наадах, цагийг зугаатай өнгөрҮҮлэх

тоглоом наадам тоглож сонирхолтой, хөгжилтэй өнгөрҮҮлэх.

• -다 : 어떤 행동이나 상태 등이 중단되고 다른 행동이나 상태로 바뀜을 나타내는 연결 어미.

Тохирох Үг хэллэг байхгҮй байна

ямар нэгэн Үйл хөдлөл тҮр завсарлаж өөр Үйлдэл, байдлаар өөрчлөгдөж байгааг илэрхийлдэг холбох нөхцөл.

• 오다 (Үйл Үг) : 무엇이 다른 곳에서 이곳으로 움직이다.

ирэх

ямар нэгэн зҮйл нэг газраас наашаа хөдлөх.

• -ㄹ게요 : (두루높임으로) 말하는 사람이 어떤 행동을 할 것을 듣는 사람에게 약속하거나 의지를 나타내
          는 표현.

Тохирох Үг хэллэг байхгҮй байна

(хҮндэтгэлийн энгийн Үг хэллэг) өгҮҮлэгч ямар нэгэн Үйл хийхээ сонсч буй хҮндээ амлах буюу мэдэгдэж байгаагаа илэрхийлнэ.

< 대화(ярилцлага) > - 14

이번 달리기 대회에서 시우가 일 등 할 줄 알았는데.
이번 달리기 대회에서 시우가 일 등 할 쭐 아란는데.
ibeon dalligi daehoeeseo siuga il deung hal jul aranneunde.

그러게, 너무 욕심을 부리다 넘어지고 만 거지.
그리게, 너무 욕씨믈 부리다 너미지고 만 거지.
geureoge, neomu yoksimeul burida neomeojigo man geoji.

< 설명(тайлбар) / 번역(орчуулга) >

이번 달리기 대회+에서 시우+가 일 등 <u>하+[ㄹ 줄]</u> 알+았+는데.
할 줄

- **이번 (нэр Үг)** : 곧 돌아올 차례. 또는 막 지나간 차례.
  энэ удаагийн
  удахгҮй болох ээлж дараа. мөн дөнгөж сая өнгөрсөн дараалал.

- **달리기 (нэр Үг)** : 일정한 거리를 누가 빨리 뛰는지 겨루는 경기.
  гҮйлт
  тогтсон зайд хэн хурдан гҮйхийг шалгаруулдаг тэмцээн.

- **대회 (нэр Үг)** : 여러 사람이 실력이나 기술을 겨루는 행사.
  тэмцээн
  олон хҮн ур чадвараараа уралддаг Үйл ажиллагаа.

- **에서** : 앞말이 행동이 이루어지고 있는 장소임을 나타내는 조사.
  -аас(-ээс, -оос, -өөс)
  өмнөх Үг нь Үйлдэл нь биелж буй газар болохыг илэрхийлдэг нөхцөл.

- **시우 (нэр Үг)** : нэр

- **가** : 어떤 상태나 상황에 놓인 대상이나 동작의 주체를 나타내는 조사.
  Тохирох Үг хэллэг байхгҮй байна
  ямар нэгэн төлөв, байдлын субьект, мөн Үйл хөдлөлийн эзэн болохыг илэрхийлэх нөхцөл.

- 일 (тодотгол Үг) : 첫 번째의.
  нэгдҮгээр, нэг дэх
  эхний, анхны.

- 등 (нэр Үг) : 등급이나 등수를 나타내는 단위.
  байр, зэрэг, зэрэглэл
  юмны дэв дугаар, эзлэх байрыг илэрхийлсэн нэгж.

- 하다 (Үйл Үг) : 어떠한 결과를 이루어 내다.
  хҮрэх, гаргах
  ямар нэгэн Үр дҮнд хҮрэх.

- -ㄹ 줄 : 어떤 사실이나 상태에 대해 알고 있거나 모르고 있음을 나타내는 표현.
  Тохирох Үг хэллэг байхгҮй байна
  ямар нэгэн зҮйл буюу байдлыг илэрхийлдэг илэрхийлэл.

- 알다 (Үйл Үг) : 어떤 사실을 그러하다고 여기거나 생각하다.
  мэдэх, бодох
  ямар нэгэн бодит Үнэнийг тийм хэмээн Үзэх.

- -았- : 사건이 과거에 일어났음을 나타내는 어미.
  Тохирох Үг хэллэг байхгҮй байна
  Үйл явдал өнгөрсөн Үед болсныг илэрхийлдэг нөхцөл.

- -는데 : (두루낮춤으로) 듣는 사람의 반응을 기대하며 어떤 일에 대해 감탄함을 나타내는 종결 어미.
  Тохирох Үг хэллэг байхгҮй байна
  (хҮндэтгэлийн бус энгийн Үг хэллэг) сонсож буй хҮний хариу Үйлдэлд найдан ямар
  нэгэн зҮйлийн талаар гайхан шагширч буйг илэрхийлсэн төгсгөх нөхцөл.

그러게, 너무 욕심+을 부리+다 넘어지+[고 말(마)]+[ㄴ 것(거)]+(이)+지.
넘어지고 만 거지

- 그러게 (аялга Үг) : 상대방의 말에 찬성하거나 동의하는 뜻을 나타낼 때 쓰는 말.
  харин тийм
  өмнө нь ярьсан зҮйл Үнэн болохыг нөгөө хҮндээ онцлон хэлэх Үед хэрэглэдэг Үг.

- 너무 (дайвар Үг) : 일정한 정도나 한계를 훨씬 넘어선 상태로.
  дэндҮҮ, хэтэрхий, хэт
  тогтсон хэмжээ болон хязгаарыг маш их хэтэрсэн байдал.

- 욕심 (нэр Үг) : 무엇을 지나치게 탐내거나 가지고 싶어 하는 마음.
  шунал, сувдаг зан, хомхой шунал
  ямар нэг зҮйлд хэтэрхий ихээр шунах ба өөрийн болгох гэсэн сэтгэл.

- 을 : 동작이 직접적으로 영향을 미치는 대상을 나타내는 조사.

  -ыг/-ийг/-г

  Үйл хөдлөл шууд нөлөөлж буй тусгагдахууныг илэрхийлэх нөхцөл.

- **부리다 (Үйл Үг)** : 바람직하지 못한 행동이나 성질을 계속 드러내거나 보이다.

  гаргах, Үзүүлэх

  бҮтэхгҮй муу Үйлдэл болон ааш араншинг байнга гаргах.

- -다 : 앞에 오는 말이 뒤에 오는 말의 원인이나 근거가 됨을 나타내는 연결 어미.

  Тохирох Үг хэллэг байхгҮй байна

  өмнөх агуулга ардах агуулгын учир шалтгаан, Үндэслэл болохыг илэрхийлдэг холбох нөхцөл.

- **넘어지다 (Үйл Үг)** : 서 있던 사람이나 물체가 중심을 잃고 한쪽으로 기울어지며 쓰러지다.

  унах, нурах, ойчих

  босоо байсан хҮн болон эд зҮйл тэнцвэрээ алдан нэг тал руугаа хазайж унах.

- -고 말다 : 앞에 오는 말이 가리키는 행동이 안타깝게도 끝내 일어났음을 나타내는 표현.

  Тохирох Үг хэллэг байхгҮй байна

  өмнөх Үгийн илэрхийлж буй Үйлийн Үр дагаварт харамсч байгаа ч эцэст нь тийн болсныг илэрхийлдэг Үг хэллэг.

- -ㄴ 것 : 명사가 아닌 것을 문장에서 명사처럼 쓰이게 하거나 '이다' 앞에 쓰일 수 있게 할 때 쓰는 표현.

  Тохирох Үг хэллэг байхгҮй байна

  өгҮҮлбэрт нэр Үгийн ҮҮргээр орж өгҮҮлэгдэхҮҮн буюу тусгагдахуун гишҮҮний ҮҮрэг гҮйцэтгэх буюу '<ида>(байх)'-н өмнө ирэх боломжтой болгодог Үг хэллэг.

- 이다 : 주어가 지시하는 대상의 속성이나 부류를 지정하는 뜻을 나타내는 서술격 조사.

  Тохирох Үг хэллэг байхгҮй байна

  эзэн биеийн зааж буй обьектын шинж чанар, төрөл зҮйлийг тодорхойлох утгыг илэрхийлэх өгҮҮлэхҮҮний тийн ялгалын нөхцөл.

- -지 : (두루낮춤으로) 말하는 사람이 자신에 대한 이야기나 자신의 생각을 친근하게 말할 때 쓰는 종결 어미.

  Тохирох Үг хэллэг байхгҮй байна

  (хҮндэтгэлийн бус энгийн Үг хэллэг) өгҮҮлэгч өөрийнхөө тухай ярих буюу өөрийн бодлыг дотноор хэлэхэд хэрэглэхэд төгсгөх нөхцөл.

< 대화(ярилцлага) > - 15

감독님, 저희 모두가 마지막 경기에 거는 기대가 큽니다.
감동님, 저히 모두가 마지막 경기에 거는 기대가 큽니다.
gamdongnim, jeohi moduga majimak gyeonggie geoneun gidaega keumnida.

네. 마지막 경기는 꼭 승리하고 말겠습니다.
네. 마지막 경기는 꼭 승니하고 말겓씀니다.
ne. majimak gyeonggineun kkok seungnihago malgetseumnida.

< 설명(тайлбар) / 번역(орчуулга) >

감독+님, 저희 모두+가 마지막 경기+에 걸(거)+는 기대+가 크+ㅂ니다.
                                            거는   큽니다

- **감독 (нэр Үг)** : 공연, 영화, 운동 경기 등에서 일의 전체를 지휘하며 책임지는 사람.
  удирдаач
  тоглолт, кино, спортын тэмцээн зэргийг ерөнхийд нь удирдан зохион байгуулж,
  хариуцдаг хҮн.

- **님** : '높임'의 뜻을 더하는 접미사.
  Тохирох Үг хэллэг байхгҮй байна
  'хҮндэтгэх' хэмээх утга нэмдэг дагавар.

- **저희 (төлөөний Үг)** : 말하는 사람이 자기보다 높은 사람에게 자기를 포함한 여러 사람들을 가리키는
                                        말.
  бид
  өгҮҮлэгч этгээд өөрөөсөө ахмад хҮнд өөрийгөө оруулан олон хҮнийг заан нэрлэсэн
  Үг.

- **모두 (нэр Үг)** : 남거나 빠진 것이 없는 전체.
  бҮгд, бҮгдээрээ, цөмөөрөө, хамт, нийт
  Үлдэх буюу дутсан зҮйлгҮй бҮгд.

- **가** : 어떤 상태나 상황에 놓인 대상이나 동작의 주체를 나타내는 조사.
  Тохирох Үг хэллэг байхгҮй байна
  ямар нэгэн төлөв, байдлын субьект, мөн Үйл хөдлөлийн эзэн болохыг илэрхийлэх
  нөхцөл.

- **마지막 (нэр Үг)** : 시간이나 순서의 맨 끝.
  сүүлчийн, эцсийн, төгсгөлийн
  цаг хугацаа, дарааллын төгсгөл.

- **경기 (нэр Үг)** : 운동이나 기술 등의 능력을 서로 겨룸.
  тэмцээн, уралдаан
  биеийн тамир, ур чадвар мэт зүйлээр тэмцэлдэх явдал.

- **에** : 앞말이 어떤 행위나 감정 등의 대상임을 나타내는 조사.
  -д/-т
  өмнөх үг ямар нэгэн үйлдэл буюу сэтгэл хөдлөлийн тусагдахуун болохыг илэрхийлж буй үг.

- **걸다 (Үйл Үг)** : 앞으로의 일에 대한 희망 등을 품거나 기대하다.
  тавих, найдах, горьдох
  цаашид хийх зүйлийн талаарх хүсэл мөрөөдлийг сэтгэлдээ тээх юм уу хүсч найдах.

- **-는** : 앞의 말이 관형어의 기능을 하게 만들고 사건이나 동작이 현재 일어남을 나타내는 어미.
  Тохирох үг хэллэг байхгүй байна
  өмнөх үгийг тодотгол гишүүний үүрэгтэй болгож, хэрэг явдал буюу үйлдэл нь одоо өрнөж байгааг илэрхийлдэг нөхцөл.

- **기대 (нэр Үг)** : 어떤 일이 이루어지기를 바라며 기다림.
  найдвар, итгэл
  ямар нэгэн зүйл бүтэхийг хүсч хүлээх явдал.

- **가** : 어떤 상태나 상황에 놓인 대상이나 동작의 주체를 나타내는 조사.
  Тохирох үг хэллэг байхгүй байна
  ямар нэгэн төлөв, байдлын субьект, мөн үйл хөдлөлийн эзэн болохыг илэрхийлэх нөхцөл.

- **크다 (тэмдэг нэр)** : 어떤 일의 규모, 범위, 정도, 힘 등이 보통 수준을 넘다.
  далайцтай, их
  ямар нэгэн ажлын хүрээ, хэмжээ, хүч чадал зэрэг хүчтэй байх.

- **-ㅂ니다** : (아주높임으로) 현재의 동작이나 상태, 사실을 정중하게 설명함을 나타내는 종결 어미.
  Тохирох үг хэллэг байхгүй байна
  (дээдлэн хүндэтгэх үг хэллэг) одоогийн үйлдэл буюу байдлыг ёсорхог байдлаар тайлбарлах явдлыг илэрхийлдэг төгсгөх нөхцөл.

네.

마지막 경기+는 꼭 승리하+[고 말]+겠+습니다.

- 47 -

• 네 (аялга Үг) : 윗사람의 물음이나 명령 등에 긍정하여 대답할 때 쓰는 말.
тийм, тиймээ, за, мэдлээ, ойлголоо, тэгье
ахмад хүний асуулт, хүсэлт даалгавар зэргийг зөвшөөрөн сонсож хариулах үг.

• 마지막 (нэр Үг) : 시간이나 순서의 맨 끝.
сүүлчийн, эцсийн, төгсгөлийн
цаг хугацаа, дарааллын төгсгөл.

• 경기 (нэр Үг) : 운동이나 기술 등의 능력을 서로 겨룸.
тэмцээн, уралдаан
биеийн тамир, ур чадвар мэт зүйлээр тэмцэлдэх явдал.

• 는 : 문장 속에서 어떤 대상이 화제임을 나타내는 조사.
Тохирох Үг хэллэг байхгүй байна
өгүүлбэрт ярианы сэдэв болж буйг илэрхийлдэг нөхцөл.

• 꼭 (дайвар Үг) : 어떤 일이 있어도 반드시.
заавал, гарцаагүй
юу ч болж байсан заавал.

• 승리하다 (Үйл Үг) : 전쟁이나 경기 등에서 이기다.
ялах, дийлэх
дайн болон тэмцээн уралдаан зэрэгт ялах.

• -고 말다 : 앞에 오는 말이 가리키는 일을 이루고자 하는 말하는 사람의 강한 의지를 나타내는 표현.
Тохирох Үг хэллэг байхгүй байна
өмнөх үгийн илэрхийлж буй үйлийг бүтээе хэмээн өгүүлж буй хүний хүчтэй хүсэл
зоригийг илэрхийлдэг үг хэллэг.

• -겠- : 말하는 사람의 의지를 나타내는 어미.
Тохирох Үг хэллэг байхгүй байна
өгүүлэгчийн сэтгэлийн хатыг илэрхийлдэг нөхцөл.

• -습니다 : (아주높임으로) 현재의 동작이나 상태, 사실을 정중하게 설명함을 나타내는 종결 어미.
Тохирох Үг хэллэг байхгүй байна
(дээдлэн хүндэтгэх үг хэллэг) одоогийн үйлдэл буюу байдлыг ёсорхог байдлаар
тайлбарлах явдлыг илэрхийлдэг төгсгөх нөхцөл.

< 대화(ярилцлага) > - 16

시간이 지나고 보니 모든 순간이 다 소중한 것 같아.
시가니 지나고 보니 모든 순가니 다 소중한 걸 가타.
sigani jinago boni modeun sungani da sojunghan geot gata.

무슨 일 있어? 갑자기 왜 그런 말을 해?
무슨 일 이써? 갑짜기 왜 그린 마를 해?
museun il isseo? gapjagi wae geureon mareul hae?

< 설명(тайлбар) / 번역(орчуулга) >

시간+이 지나+[고 보]+니 모든 순간+이 다 소중하+[ㄴ 것 같]+아.
소중한 것 같아

- **시간 (нэр Үг)** : 자연히 지나가는 세월.
цаг хугацаа
аяндаа өнгөрөх цаг хугацаа.

- **이** : 어떤 상태나 상황의 대상이나 동작의 주체를 나타내는 조사.
Тохирох Үг хэллэг байхгҮй байна
ямар нэгэн төлөв, байдлын субьект, мөн Үйл хөдлөлийн эзэн болохыг илэрхийлэх нөхцөл.

- **지나다 (Үйл Үг)** : 시간이 흘러 그 시기에서 벗어나다.
өнгөрөх
цаг хугацаа өнгөрч тухайн Үе ард хоцрох.

- **-고 보다** : 앞의 말이 나타내는 행동을 하고 난 후에 뒤의 말이 나타내는 사실을 새로 깨달음을 나타내는 표현.
Тохирох Үг хэллэг байхгҮй байна
өмнөх Үгийн илэрхийлж буй Үйлдлийг хийсний дараа ардах Үгийн илэрхийлж буй Үнэн зҮйлийг дахин ухаарахад хҮрснийг илэрхийлдэг Үг хэллэг.

- **-니** : 앞에서 이야기한 내용과 관련된 다른 사실을 이어서 설명할 때 쓰는 연결 어미.
Тохирох Үг хэллэг байхгҮй байна
өмнө нь ярьсан агуулгатай холбоотой өөр зҮйлийг залгаж тайлбарлахад хэрэглэдэг холбох нөхцөл.

• 모든 (тодотгол үг) : 빠지거나 남는 것 없이 전부인.
бүх, бүгд, нийт
дутааж үлдээлгүйгээр бүгдийг.

• 순간 (нэр үг) : 아주 짧은 시간 동안.
хором, мөч
маш бага хугацааны турш.

• 이 : 어떤 상태나 상황의 대상이나 동작의 주체를 나타내는 조사.
Тохирох үг хэллэг байхгүй байна
ямар нэгэн төлөв, байдлын субьект, мөн үйл хөдлөлийн эзэн болохыг илэрхийлэх
нөхцөл.

• 다 (дайвар үг) : 남거나 빠진 것이 없이 모두.
бүгд, цөм, бүх, булт
үлдэж гээгдсэн зүйлгүй бүгд.

• 소중하다 (тэмдэг нэр) : 매우 귀중하다.
эрхэм нандин, хайртай
асар эрхэм.

• -ㄴ 것 같다 : 추측을 나타내는 표현.
Тохирох үг хэллэг байхгүй байна
таамаглалыг илэрхийлдэг үг хэллэг.

• -아 : (두루낮춤으로) 어떤 사실을 서술하거나 물음, 명령, 권유를 나타내는 종결 어미.
Тохирох үг хэллэг байхгүй байна
(хүндэтгэлийн бус энгийн үг хэллэг) ямар нэгэн зүйлийг дүрслэх буюу асуулт,
тушаал, зөвлөмж зэргийг илэрхийлдэг төгсгөх нөхцөл. <дүрслэл>

무슨 일 있+어?

갑자기 왜 그런 말+을 <u>하</u>+여?
해

• 무슨 (тодотгол үг) : 확실하지 않거나 잘 모르는 일, 대상, 물건 등을 물을 때 쓰는 말.
ямар
баттай биш буюу сайн мэдэхгүй юм, ажил хэрэг, эд зүйл зэргийг асуухад хэрэглэдэг
үг.

- 일 (нэр Үг) : 해결하거나 처리해야 할 문제나 사항.

  ажил

  учрыг нь олох буюу цэгцлэх ёстой асуудал, нөхцөл.

- 있다 (тэмдэг нэр) : 어떤 사람에게 무슨 일이 생긴 상태이다.

  Тохирох Үг хэллэг байхгүй байна

  хэн нэгэнд ямар нэгэн зүйл тохиолдсон байдал.

- -어 : (두루낮춤으로) 어떤 사실을 서술하거나 물음, 명령, 권유를 나타내는 종결 어미.

  Тохирох Үг хэллэг байхгүй байна

  (хүндэтгэлийн бус энгийн үг хэллэг) ямар нэгэн зүйлийг дүрслэх буюу асуулт, тушаал, зөвлөмж зэргийг илэрхийлдэг төгсгөх нөхцөл. <асуулт>

- 갑자기 (дайвар Үг) : 미처 생각할 틈도 없이 빨리.

  гэнэт

  бодох ч сэхээгүй түргэн.

- 왜 (дайвар Үг) : 무슨 이유로. 또는 어째서.

  яагаад, ямар учраас

  ямар шалтгаанаар. мөн яагаад.

- 그런 (тодотгол Үг) : 상태, 모양, 성질 등이 그러한.

  тийм

  байдал, хэлбэр, шинж чанар зэрэг тийм.

- 말 (нэр Үг) : 생각이나 느낌을 표현하고 전달하는 사람의 소리.

  яриа, Үг

  бодол санаа, сэтгэлээ илэрхийлэх хүний дуу хоолой.

- 을 : 동작이 직접적으로 영향을 미치는 대상을 나타내는 조사.

  -ыг/-ийг/-г

  Үйл хөдлөл шууд нөлөөлж буй тусагдахууныг илэрхийлэх нөхцөл.

- 하다 (Үйл Үг) : 어떤 행동이나 동작, 활동 등을 행하다.

  Үйлдэх, хийх, гүйцэтгэх

  аливаа Үйл хөдлөл, хөдөлгөөн, ажиллагаа зэргийг гүйцэтгэх.

- -여 : (두루낮춤으로) 어떤 사실을 서술하거나 물음, 명령, 권유를 나타내는 종결 어미.

  Тохирох Үг хэллэг байхгүй байна

  (хүндэтгэлийн бус энгийн үг хэллэг) ямар нэгэн зүйлийг хүүрнэх, асуух буюу тушаал, зөвлөмж зэргийг илэрхийлдэг төгсгөх нөхцөл. <асуулт>

< 대화(ярилцлага) > - 17

날씨가 추우니까 따뜻한 게 먹고 싶네.
날씨가 추우니까 따뜨탄 게 먹꼬 심네.
nalssiga chuunikka ttatteutan ge meokgo simne.

그럼 오늘 점심은 삼계탕을 먹으러 갈까?
그럼 오늘 점시믄 삼계탕을(삼계탕을) 머그러 갈까?
geureom oneul jeomsimeun samgyetangeul(samgetangeul) meogeureo galkka?

< 설명(тайлбар) / 번역(орчуулга) >

날씨+가 춥(추우)+니까 따뜻하+[ㄴ 것(거)]+이 먹+[고 싶]+네.
　　　　　추우니까　　　따뜻한 게

• **날씨** (нэр үг) : 그날그날의 기온이나 공기 중에 비, 구름, 바람, 안개 등이 나타나는 상태.
цаг агаар
тухайн өдрийн уур амьсгал болон агаарт бороо, цас, үүл, салхи, манан зэрэг үүсэн бий болсон байдал.

• **가** : 어떤 상태나 상황에 놓인 대상이나 동작의 주체를 나타내는 조사.
Тохирох үг хэллэг байхгүй байна
ямар нэгэн төлөв, байдлын субьект, мөн үйл хөдлөлийн эзэн болохыг илэрхийлэх нөхцөл.

• **춥다** (тэмдэг нэр) : 대기의 온도가 낮다.
хүйтэн
агаарын хэм бага байх.

• **-니까** : 뒤에 오는 말에 대하여 앞에 오는 말이 원인이나 근거, 전제가 됨을 강조하여 나타내는 연결 어미.
～ болохоор
ард нь ирэх агуулга нь өмнөх үгийн учир шалтгаан үндэслэл суурь болохыг илэрхийлдэг холбох нөхцөл.

• **따뜻하다** (тэмдэг нэр) : 아주 덥지 않고 기분이 좋은 정도로 온도가 알맞게 높다.
дулаахан, дулаан
хэт халуун биш сэтгэл санаа тааламжтай хэмжээнд таарсан хэмтэй байх.

- -ㄴ 것 : 명사가 아닌 것을 문장에서 명사처럼 쓰이게 하거나 '이다' 앞에 쓰일 수 있게 할 때 쓰는 표현.

  Тохирох Үг хэллэг байхгүй байна

  өгүүлбэрт нэр үгийн үүргээр орж өгүүлэгдэхүүн буюу тусагдахуун гишүүний үүрэг гүйцэтгэх буюу '<ида>(байх)'-н өмнө ирэх боломжтой болгодог үг хэллэг.

- 이 : 어떤 상태나 상황의 대상이나 동작의 주체를 나타내는 조사.

  Тохирох Үг хэллэг байхгүй байна

  ямар нэгэн төлөв, байдлын субьект, мөн үйл хөдлөлийн эзэн болохыг илэрхийлэх нөхцөл.

- **먹다 (Үйл Үг)** : 음식 등을 입을 통하여 배 속에 들여보내다.

  идэх

  хоол хүнс зэргийг амаар дамжуулан гэдсэндээ хийх.

- -고 싶다 : 앞의 말이 나타내는 행동을 하기를 원함을 나타내는 표현.

  Тохирох Үг хэллэг байхгүй байна

  өмнөх үгийн илэрхийлж буй үйлдлийг хийхийг хүсэх явдлыг илэрхийлдэг үг хэллэг.

- -네 : (예사 낮춤으로) 단순한 서술을 나타내는 종결 어미.

  Тохирох Үг хэллэг байхгүй байна

  (ерийн хүндэтгэлгүй үг хэллэг) энгийн хүүрнэлийг илэрхийлдэг төгсгөх нөхцөл.

그럼 오늘 점심+은 삼계탕+을 먹+으러 <u>가+ㄹ까</u>?
갈까

- **그럼 (дайвар Үг)** : 앞의 내용을 받아들이거나 그 내용을 바탕으로 하여 새로운 주장을 할 때 쓰는 말.

  тэгвэл, тийм бол

  өмнө өгүүлсэн зүйлийг хүлээн зөвшөөрөх буюу уг зүйлд тулгуурлан шинэ бодол санаа илэрхийлэхэд хэрэглэдэг үг.

- **오늘 (нэр Үг)** : 지금 지나가고 있는 이날.

  өнөөдөр

  одоо өнгөрөн одож буй энэ өдөр.

- **점심 (нэр Үг)** : 아침과 저녁 식사 중간에, 낮에 하는 식사.

  Үдийн хоол

  өглөө, оройн хоолны хооронд, өдөр иддэг хоол.

- 은 : 문장 속에서 어떤 대상이 화제임을 나타내는 조사.

  Тохирох Үг хэллэг байхгүй байна

  өгүүлбэрт ямар зүйл ярианы сэдэв болж буйг илэрхийлдэг нөхцөл.

• 삼계탕 (нэр Үг) : 어린 닭에 인삼, 찹쌀, 대추 등을 넣고 푹 삶은 음식.

самгеэтан, тахианы битҮҮ шөл

бага тахианы гэдсэнд хҮн орхоодой болон будаа чавга зэргийг хийж ялз чанаж бэлтгэдэг хоол.

• 을 : 동작이 직접적으로 영향을 미치는 대상을 나타내는 조사.

-ыг/-ийг/-г

Үйл хөдлөл шууд нөлөөлж буй тусагдахууныг илэрхийлэх нөхцөл.

• 먹다 (Үйл Үг) : 음식 등을 입을 통하여 배 속에 들여보내다.

идэх

хоол хҮнс зэргийг амаар дамжуулан гэдсэндээ хийх.

• -으러 : 가거나 오거나 하는 동작의 목적을 나타내는 연결 어미.

Тохирох Үг хэллэг байхгҮй байна

явах буюу ирэх Үйлийн зорилгыг илэрхийлж буй холбох нөхцөл.

• 가다 (Үйл Үг) : 어떤 목적을 가지고 일정한 곳으로 움직이다.

очих, зорих

ямар нэг зорилгоор тодорхой нэг газар руу хөдөлж явах.

• -ㄹ까 : (두루낮춤으로) 듣는 사람의 의사를 물을 때 쓰는 종결 어미.

Тохирох Үг хэллэг байхгҮй байна

(хҮндэтгэлийн бус энгийн Үг хэллэг) өгҮҮлэгчийн бодол санаа, таамгийг илэрхийлэх буюу нөгөө хҮний санал бодлыг асуух Үед хэрэглэдэг төгсгөх нөхцөл.

< 대화(ярилцлага) > - 18

아들이 자꾸 컴퓨터를 새로 사 달라고 해요.
아드리 자꾸 컴퓨터를 새로 사 달라고 해요.
adeuri jakku keompyuteoreul saero sa dallago haeyo.

그렇게 갖고 싶어 하는데 하나 사 줘요.
그러케 갇꼬 시퍼 하는데 하나 사 줘요.
geureoke gatgo sipeo haneunde hana sa jwoyo.

< 설명(тайлбар) / 번역(орчуулга) >

아들+이 자꾸 컴퓨터+를 새로 사+[(아) 달]+라고 하+여요.
사 달라고   해요

• **아들 (нэр Үг)** : 남자인 자식.
  хҮҮ
  эрэгтэй хҮҮхэд.

• **이** : 어떤 상태나 상황의 대상이나 동작의 주체를 나타내는 조사.
  Тохирох Үг хэллэг байхгҮй байна
  ямар нэгэн төлөв, байдлын субьект, мөн Үйл хөдлөлийн эзэн болохыг илэрхийлэх нөхцөл.

• **자꾸 (дайвар Үг)** : 여러 번 계속하여.
  байнга, Үргэлж
  олон удаа Үргэлжлэн.

• **컴퓨터 (нэр Үг)** : 전자 회로를 이용하여 문서, 사진, 영상 등의 대량의 데이터를 빠르고 정확하게 처리하는 기계.
  компьютер, цахим тооцоолуур
  цахилгаан гҮйдэл ашиглан бичиг баримт, гэрэл зураг, дҮрс бичлэг зэргийн их хэмжээний мэдээллийг хурдан бөгөөд нарийн тодорхой боловсруулдаг техник.

• **를** : 동작이 직접적으로 영향을 미치는 대상을 나타내는 조사.
  -ыг/-ийг/-г
  Үйл хөдлөл шууд нөлөөлж буй тусагдахууныг илэрхийлэх нөхцөл.

• **새로 (дайвар үг)** : 전과 달리 새롭게. 또는 새것으로.
  шинээр
  урьд өмнийнхөөс өөр шинээр. мөн шинэ зүйлээр.

• **사다 (үйл үг)** : 돈을 주고 어떤 물건이나 권리 등을 자기 것으로 만들다.
  худалдаж авах
  үнэ хөлс төлөн ямар нэгэн эд зүйл, эрх мэдлийг өөрийн болгох.

• **-아 달다** : 앞의 말이 나타내는 행동을 해 줄 것을 요구함을 나타내는 표현.
  Тохирох үг хэллэг байхгүй байна
  өмнөх үгийн илэрхийлж буй үйлдлийг хийж өгөхийг хүсэн шаардахыг илэрхийлдэг үг хэллэг.

• **-라고** : 다른 사람에게 들은 명령이나 권유 등의 내용을 간접적으로 전할 때 쓰는 표현.
  Тохирох үг хэллэг байхгүй байна
  бусдаас сонссон захирамж тушаал буюу хүсэлт зэргийг дам дамжуулахад хэрэглэдэг илэрхийлэл.

• **하다 (үйл үг)** : 무엇에 대해 말하다.
  гэх
  ямар нэгэн юмны талаар ярих.

• **-여요** : (두루높임으로) 어떤 사실을 서술하거나 질문, 명령, 권유함을 나타내는 종결 어미.
  Тохирох үг хэллэг байхгүй байна
  (хүндэтгэлийн энгийн үг хэллэг) ямар нэгэн зүйлийг хүүрнэх, асуух, тушаах, уриалах явдлыг илэрхийлдэг төгсгөх нөхцөл. <дүрслэл>

그렇+게 갖+[고 싶어 하]+는데 하나 사+[(아) 주]+어요.
사 줘요

• **그렇다 (тэмдэг нэр)** : 상태, 모양, 성질 등이 그와 같다.
  тийм, тиймэрхүү
  нөхцөл байдал, хэлбэр дүрс, шинж чанар нь дараагийн хэлсэн үгтэй адил байх.

• **-게** : 앞의 말이 뒤에서 가리키는 일의 목적이나 결과, 방식, 정도 등이 됨을 나타내는 연결 어미.
  Тохирох үг хэллэг байхгүй байна
  өмнөх агуулга ард нь зааж буй байдал, зорилго, үр дүн, арга барил, хэмжээ зэрэг болохыг илэрхийлдэг холбох нөхцөл.

• **갖다 (үйл үг)** : 자기 것으로 하다.
  өөрийн болгох
  өөрийнхөө юм болгох.

• -고 싶어 하다 : 앞의 말이 나타내는 행동을 하기를 바라거나 그렇게 되기를 원함을 나타내는 표현.
Тохирох Үг хэллэг байхгүй байна
өмнөх үгийн илэрхийлж буй үйлдлийг хийхийг хүсэх буюу тийм болоосой гэж хүсэхийг буйг илэрхийлдэг үг хэллэг.

• -는데 : 뒤의 말을 하기 위하여 그 대상과 관련이 있는 상황을 미리 말함을 나타내는 연결 어미.
Тохирох Үг хэллэг байхгүй байна
арын агуулгыг ярихын тулд тухайн зүйлтэй холбоотой нөхцөл байдлыг урьдчилан хэлж буйг илэрхийлдэг холбох нөхцөл.

• 하나 (тооны нэр) : 숫자를 셀 때 맨 처음의 수.
нэг
тоо тооллын хамгийн эхний тоо.

• 사다 (Үйл Үг) : 돈을 주고 어떤 물건이나 권리 등을 자기 것으로 만들다.
худалдаж авах
Үнэ хөлс төлөн ямар нэгэн эд зүйл, эрх мэдлийг өөрийн болгох.

• -아 주다 : 남을 위해 앞의 말이 나타내는 행동을 함을 나타내는 표현.
Тохирох Үг хэллэг байхгүй байна
бусдад зориулж өмнөх үгийн илэрхийлж буй үйлдлийг хийх явдлыг илэрхийлдэг үг хэллэг.

• -어요 : (두루높임으로) 어떤 사실을 서술하거나 질문, 명령, 권유함을 나타내는 종결 어미.
Тохирох Үг хэллэг байхгүй байна
(хүндэтгэлийн энгийн үг хэллэг) ямар нэгэн зүйлийг хүүрнэх, асуух, тушаах, уриалах явдлыг илэрхийлдэг төгсгөх нөхцөл. <тушаал>

< 대화(ярилцлага) > - 19

출발했니? 언제쯤 도착할 것 같아?
출발핸니? 언제쯤 도차칼 껃 가타?
chulbalhaenni? eonjjjeum dochakal geot gata?

지금 가고 있으니까 십 분쯤 뒤에 도착할 거야.
지금 가고 이쓰니까 십 분쯤 뒤에 도차칼 꺼야.
jigeum gago isseunikka sip bunjjeum dwie dochakal geoya.

< 설명(тайлбар) / 번역(орчуулга) >

출발하+였+니?
   출발했니

언제+쯤 도착하+[ㄹ 것 같]+아?
         도착할 것 같아

- **출발하다 (Үйл Үг)** : 어떤 곳을 향하여 길을 떠나다.
  хөдлөх, явах, гарах
  ямар нэгэн газрыг чиглэн явах.

- **-였-** : 어떤 사건이 과거에 완료되었거나 그 사건의 결과가 현재까지 지속되는 상황을 나타내는 어미.
  Тохирох Үг хэллэг байхгүй байна
  ямар нэгэн үйл явдал өнгөрсөн цагт төгссөн буюу тухайн үйл явдлын үр дүн өнөөг хүртэл үргэлжилж буй байдлыг илэрхийлдэг нөхцөл.

- **-니** : (아주낮춤으로) 물음을 나타내는 종결 어미.
  Тохирох Үг хэллэг байхгүй байна
  (огт хүндэтгэлгүй үг хэллэг) асуултыг илэрхийлдэг төгсгөх нөхцөл.

- **언제 (төлөөний Үг)** : 알지 못하는 어느 때.
  хэзээ
  мэдэгдэхгүй байгаа аль нэг цаг хугацаа.

- **쯤** : '정도'의 뜻을 더하는 접미사.
  Тохирох Үг хэллэг байхгүй байна
  'хэмжээ' хэмээх утгыг нэмдэг дагавар.

• 도착하다 (Үйл Үг) : 목적지에 다다르다.
хҮрэх
зорьсон газраа очих.

• -ㄹ 것 같다 : 추측을 나타내는 표현.
Тохирох Үг хэллэг байхгҮй байна
таамаглалыг илэрхийлдэг Үг хэллэг.

• -아 : (두루낮춤으로) 어떤 사실을 서술하거나 물음, 명령, 권유를 나타내는 종결 어미.
Тохирох Үг хэллэг байхгҮй байна
(хҮндэтгэлийн бус энгийн Үг хэллэг) ямар нэгэн зҮйлийг дҮрслэх буюу асуулт,
тушаал, зөвлөмж зэргийг илэрхийлдэг төгсгөх нөхцөл. <асуулт>

지금 가+[고 있]+으니까 십 분+쯤 뒤+에 도착하+[ㄹ 것(거)]+(이)+야.
도착할 거야

• 지금 (дайвар Үг) : 말을 하고 있는 바로 이때에. 또는 그 즉시에.
одоо, одоо цагт
юм ярьж буй яг одоо цаг Үед. мөн тэр даруй.

• 가다 (Үйл Үг) : 한 곳에서 다른 곳으로 장소를 이동하다.
явах, очих
нэг газраас нөгөө газар руу шилжиж хөдлөх явах.

• -고 있다 : 앞의 말이 나타내는 행동이 계속 진행됨을 나타내는 표현.
Тохирох Үг хэллэг байхгҮй байна
өмнөх Үгийн илэрхийлж буй Үйлдэл Үргэлжилж буйг илэрхийлдэг Үг хэллэг.

• -으니까 : 뒤에 오는 말에 대하여 앞에 오는 말이 원인이나 근거, 전제가 됨을 강조하여 나타내는 연결
어미.
Тохирох Үг хэллэг байхгҮй байна
ард ирэх Үгийн талаар өмнө ирэх Үг нь учир шалтгаан буюу болзол болохыг
илэрхийлдэг холбох нөхцөл.

• 십 (тодотгол Үг) : 열의.
Тохирох Үг хэллэг байхгҮй байна
арван.

• 분 (нэр Үг) : 한 시간의 60분의 1을 나타내는 시간의 단위.
минут, агшин
нэг цагийн жар хуваасны нэгийг илэрхийлэх цагийн нэгж.

• 쯤 : '정도'의 뜻을 더하는 접미사.
Тохирох Үг хэллэг байхгүй байна
'хэмжээ' хэмээх утгыг нэмдэг дагавар.

• 뒤 (нэр Үг) : 시간이나 순서상으로 다음이나 나중.
дараа, хойно, сүүлд
цаг хугацаа, дарааллын хувьд дараад нь буюу хожим.

• 에 : 앞말이 시간이나 때임을 나타내는 조사.
-д/-т
өмнөх үг цаг хугацаа болохыг илэрхийлж буй нөхцөл.

• 도착하다 (Үйл Үг) : 목적지에 다다르다.
хүрэх
зорьсон газраа очих.

• -ㄹ 것 : 명사가 아닌 것을 문장에서 명사처럼 쓰이게 하거나 '이다' 앞에 쓰일 수 있게 할 때 쓰는 표현.
Тохирох Үг хэллэг байхгүй байна
нэр үг биш боловч өгүүлбэрт нэр үгийн үүргээр орж, өгүүлэгдэхүүн ба тусагдахуун гишүүний үүрэг гүйцэтгэх буюу '<ида>(байх)'-н өмнө орох боломжтой болгодог үг хэллэг.

• 이다 : 주어가 지시하는 대상의 속성이나 부류를 지정하는 뜻을 나타내는 서술격 조사.
Тохирох Үг хэллэг байхгүй байна
эзэн биеийн зааж буй обьектын шинж чанар, төрөл зүйлийг тодорхойлох утгыг илэрхийлэх өгүүлэхүүний тийн ялгалын нөхцөл.

• -야 : (두루낮춤으로) 어떤 사실에 대하여 서술하거나 물음을 나타내는 종결 어미.
Тохирох Үг хэллэг байхгүй байна
(хүндэтгэлийн бус энгийн үг хэллэг) ямар нэгэн зүйлийн талаар хүүрнэх буюу асуух явдлыг илэрхийлдэг төгсгөх нөхцөл. <дүрслэл>

< 대화(ярилцлага) > - 20

넌 안경을 쓰고 있을 때 더 멋있어 보인다.
넌 안경을 쓰고 이쓸 때 더 머시써 보인다.
neon angyeongeul sseugo isseul ttae deo meosisseo boinda.

그래? 이제부터 계속 쓰고 다닐까 봐.
그래? 이제부터 계속(게속) 쓰고 다닐까 봐.
geurae? ijebuteo gyesok(gesok) sseugo danilkka bwa.

< 설명(тайлбар) / 번역(орчуулга) >

너+는 안경+을 쓰+[고 있]+[을 때] 더 멋있+[어 보이]+ㄴ다.
넌   멋있어 보인다

- 너 (төлөөний Yг) : 듣는 사람이 친구나 아랫사람일 때, 그 사람을 가리키는 말.
  чи
  сонсогч нь найз буюу дҮҮ байх тохиолдолд, тухайн хҮнийг заадаг Yг.

- 는 : 문장 속에서 어떤 대상이 화제임을 나타내는 조사.
  Тохирох Yг хэллэг байхгҮй байна
  өгҮҮлбэрт ярианы сэдэв болж буйг илэрхийлдэг нөхцөл.

- 안경 (нэр Yг) : 눈을 보호하거나 시력이 좋지 않은 사람이 잘 볼 수 있도록 눈에 쓰는 물건.
  нҮдний шил
  хараа муутай хҮнийг сайн хардаг болгох, мөн нҮдийг хамгаалах зориулалттай, нҮдэнд зҮҮдэг эд.

- 을 : 동작이 직접적으로 영향을 미치는 대상을 나타내는 조사.
  -ыг/-ийг/-г
  Yйл хөдлөл шууд нөлөөлж буй тусагдахууныг илэрхийлэх нөхцөл.

- 쓰다 (Yйл Yг) : 얼굴에 어떤 물건을 걸거나 덮어쓰다.
  зҮҮх, хэрэглэх
  нҮҮрэндээ ямар нэг зҮйлийг зҮҮх юм уу бҮрхҮҮлэн зҮҮх.

- -고 있다 : 앞의 말이 나타내는 행동의 결과가 계속됨을 나타내는 표현.
  Тохирох Yг хэллэг байхгҮй байна
  өмнөх Yгийн илэрхийлж буй Yйлдлийн Yр дҮн Yргэлжилж буйг илэрхийлдэг Yг хэллэг.

• -을 때 : 어떤 행동이나 상황이 일어나는 동안이나 그 시기 또는 그러한 일이 일어난 경우를 나타내는
　　표현.
　　Тохирох Үг хэллэг байхгүй байна
　　ямар нэг үйл болон нөхцөл байдал өрнөж байх явцад буюу тэр цаг үе, мөн тийм зүйл
　　болсон тохиолдлыг илэрхийлдэг үг хэллэг.

• 더 (дайвар үг) : 비교의 대상이나 어떤 기준보다 정도가 크게, 그 이상으로.
　　илүү
　　харьцуулж буй зүйл, ямар нэг жишиг хэмжээнээс давуу, их.

• 멋있다 (тэмдэг нэр) : 매우 좋거나 훌륭하다.
　　ганган, хээнцэр, догь, чамин, гоё, уран, гоёмсог
　　маш гоё сайхан, дэгжин гоёмсог.

• -어 보이다 : 겉으로 볼 때 앞의 말이 나타내는 것처럼 느껴지거나 추측됨을 나타내는 표현.
　　Тохирох Үг хэллэг байхгүй байна
　　гаднаас нь харахад өмнөх үг нь илэрхийлж буй мэт мэдрэгдэх буюу багцаалж буйг
　　илэрхийлдэг үг хэллэг.

• -ㄴ다 : (아주낮춤으로) 현재 사건이나 사실을 서술함을 나타내는 종결 어미.
　　Тохирох Үг хэллэг байхгүй байна
　　(огт хүндэтгэлгүй үг хэллэг) одоогийн хэрэг явдал буюу үнэн явдлыг хүүрнэхэд
　　хэрэглэдэг төгсгөх нөхцөл.

그래?

이제+부터 계속 쓰+고 다니+[ㄹ까 보]+아.
다닐까 봐

• 그래 (аялга үг) : 상대편의 말에 대한 감탄이나 가벼운 놀라움을 나타낼 때 쓰는 말.
　　тийм үү?
　　ярилцагч хүнийхээ хэлсэн үгэнд гайхах, алмайрах үед хэлэх үг.

• 이제 (нэр үг) : 말하고 있는 바로 이때.
　　одоо
　　ярьж буй яг энэ үеэ.

• 부터 : 어떤 일의 시작이나 처음을 나타내는 조사.
　　-аас, -ээс, -оос, -өөс
　　ямар нэгэн ажлын эхлэлийг илэрхийлдэг нэрийн нөхцөл.

· **계속 (дайвар Yг)** : 끊이지 않고 잇따라.

  Yргэлжлэн, YргэлжлYYлэн

  зогсохгYйгээр Yргэлжлэн.

· **쓰다 (Yйл Yг)** : 얼굴에 어떤 물건을 걸거나 덮어쓰다.

  зYYх, хэрэглэх

  нYYрэндээ ямар нэг зYйлийг зYYх юм уу бYрхYYлэн зYYх.

· **-고** : 앞의 말이 나타내는 행동이나 그 결과가 뒤에 오는 행동이 일어나는 동안에 그대로 지속됨을 나타내는 연결 어미.

  Тохирох Yг хэллэг байхгYй байна

  өмнөх Yгийн илэрхийлж буй Yйлдэл буюу тухайн Yр дYн нь арын Yйлдэл бий болох хугацаанд тэр хэвээрээ Yргэлжлэх явдлыг илэрхийлдэг холбох нөхцөл.

· **다니다 (Yйл Yг)** : 이리저리 오고 가다.

  явах

  нааш цааш ирж очих.

· **-ㄹ까 보다** : 앞에 오는 말이 나타내는 행동을 할 의도가 있음을 나타내는 표현.

  Тохирох Yг хэллэг байхгYй байна

  өмнөх Yгийн илэрхийлж буй Yйлдлийг хийх зорилготой буйг илэрхийлдэг Yг хэллэг.

· **-아** : (두루낮춤으로) 어떤 사실을 서술하거나 물음, 명령, 권유를 나타내는 종결 어미.

  Тохирох Yг хэллэг байхгYй байна

  (хYндэтгэлийн бус энгийн Yг хэллэг) ямар нэгэн зYйлийг дYрслэх буюу асуулт, тушаал, зөвлөмж зэргийг илэрхийлдэг төгсгөх нөхцөл. **<дYрслэл>**

< 대화(ярилцлага) > - 21

이건 어렸을 때 찍은 제 가족 사진이에요.
이건 어려쓸 때 찌근 제 가족 사지니에요.
igeon eoryeosseul ttae jjigeun je gajok sajinieyo.

시우 씨 어렸을 때는 키가 작고 통통했군요.
시우 씨 어려쓸 때는 키가 작꼬 통통핻꾸뇨.
siu ssi eoryeosseul ttaeneun kiga jakgo tongtonghaetgunyo.

< 설명(тайлбар) / 번역(орчуулга) >

이것(이거)+은 어리+었+[을 때] 찍+은 저+의 가족 사진+이+에요.
　　이건　　　　　어렸을 때　　　　　제

- 이것 (төлөөний үг) : 말하는 사람에게 가까이 있거나 말하는 사람이 생각하고 있는 것을 가리키는 말.
  энэ зүйл, энэ, энэ юм
  ярьж буй хүнд ойр байгаа болон ярьж буй хүний бодож буй зүйлийг заадаг үг.

- 은 : 문장 속에서 어떤 대상이 화제임을 나타내는 조사.
  Тохирох үг хэллэг байхгүй байна
  өгүүлбэрт ямар зүйл ярианы сэдэв болж буйг илэрхийлдэг нөхцөл.

- 어리다 (тэмдэг нэр) : 나이가 적다.
  бага балчир, насанд хүрээгүй
  нас бага байх.

- -었- : 사건이 과거에 일어났음을 나타내는 어미.
  Тохирох үг хэллэг байхгүй байна
  үйл явдал өнгөрсөн үед болсныг илэрхийлдэг төгсгөх нөхцөл.

- -을 때 : 어떤 행동이나 상황이 일어나는 동안이나 그 시기 또는 그러한 일이 일어난 경우를 나타내는 표현.
  Тохирох үг хэллэг байхгүй байна
  ямар нэг үйл болон нөхцөл байдал өрнөж байх явцад буюу тэр цаг үе, мөн тийм зүйл болсон тохиолдлыг илэрхийлдэг үг хэллэг.

• **찍다 (Үйл Үг)** : 어떤 대상을 카메라로 비추어 그 모양을 필름에 옮기다.

зураг авах, дарах

ямар нэгэн зҮйлийг зураг авах хэрэгсэлд тусгаж, дҮрсийг нь хальсанд буулгах.

• **-은** : 앞의 말이 관형어의 기능을 하게 만들고 사건이나 동작이 과거에 일어났음을 나타내는 어미.

Тохирох Үг хэллэг байхгҮй байна

өмнөх Үгийг тодотгол гишҮҮний ҮҮрэгтэй болгож Үйл хөдлөл өнгөрсөн болохыг илэрхийлдэг нөхцөл.

• **서 (төлөөний Үг)** : 말하는 사람이 듣는 사람에게 자신을 낮추어 가리키는 말.

би

сонсож буй хҮнээ хҮндэтгэн өөрийгөө доошлуулж хэлэх Үг.

• **의** : 앞의 말이 뒤의 말에 대하여 소유, 소속, 소재, 관계, 기원, 주체의 관계를 가짐을 나타내는 조사.

-н/-ийн/-ын/-ий/-ы

өмнөх Үг хойдох Үгтэй эзэмшил, харьяа, хэрэглэгдэхҮҮн, сэдвийн хамааралтай болохыг илэрхийлсэн нөхцөл.

• **가족 (нэр Үг)** : 주로 한 집에 모여 살고 결혼이나 부모, 자식, 형제 등의 관계로 이루어진 사람들의 집단. 또는 그 구성원.

гэр бҮл

нэг гэрт хамт амьдарч буй эцэг эх, Үр хҮҮхэд, ах дҮҮ гэх мэт ямар нэгэн харилцаатай бҮлэг хҮмҮҮс.

• **사진 (нэр Үг)** : 사물의 모습을 오래 보존할 수 있도록 사진기로 찍어 종이나 컴퓨터 등에 나타낸 영상.

фото зураг

юм Үзэгдлийн байдал төрхийг байгаа чигт нь фото аппаратаар авч цаасан дээр хэвлэх буюу компьютерт хийсэн дҮрс.

• **이다** : 주어가 지시하는 대상의 속성이나 부류를 지정하는 뜻을 나타내는 서술격 조사.

Тохирох Үг хэллэг байхгҮй байна

эзэн биеийн зааж буй обьектын шинж чанар, төрөл зҮйлийг тодорхойлох утгыг илэрхийлэх өгҮҮлэхҮҮний тийн ялгалын нөхцөл.

• **-에요** : (두루높임으로) 어떤 사실을 서술하거나 질문함을 나타내는 종결 어미.

Тохирох Үг хэллэг байхгҮй байна

(хҮндэтгэлийн энгийн Үг хэллэг) ямар нэгэн зҮйлийг хҮҮрнэх, асуух явдлыг илэрхийлдэг төгсгөх нөхцөл. <дҮрслэл>

시우 씨 <u>어리+었+[을 때]</u>+는 키+가 작+고 <u>통통하+였+군요</u>.
　　　　어렸을 때는　　　　　　　　　　　통통했군요

- 시우 (нэр Үг) : нэр

- 씨 (нэр Үг) : 그 사람을 높여 부르거나 이르는 말.
  гуай
  тухайн хүнийг хүндэтгэн дуудах юмуу нэрлэх үг.

- 어리다 (тэмдэг нэр) : 나이가 적다.
  бага балчир, насанд хүрээгүй
  нас бага байх.

- -었- : 사건이 과거에 일어났음을 나타내는 어미.
  Тохирох үг хэллэг байхгүй байна
  Үйл явдал өнгөрсөн үед болсныг илэрхийлдэг төгсгөх нөхцөл.

- -을 때 : 어떤 행동이나 상황이 일어나는 동안이나 그 시기 또는 그러한 일이 일어난 경우를 나타내는
  　　　표현.
  Тохирох үг хэллэг байхгүй байна
  ямар нэг үйл болон нөхцөл байдал өрнөж байх явцад буюу тэр цаг үе, мөн тийм зүйл
  болсон тохиолдлыг илэрхийлдэг үг хэллэг.

- 는 : 어떤 대상이 다른 것과 대조됨을 나타내는 조사.
  бол
  ямар нэг зүйлийг өөр зүйлтэй харьцуулах, шалтгаан заах үг

- 키 (нэр Үг) : 사람이나 동물이 바로 섰을 때의 발에서부터 머리까지의 몸의 길이.
  өндөр
  хүн болон амьтны эгц зогсож байх үеийн хөлнөөс толгой хүртлэх биеийн урт.

- 가 : 어떤 상태나 상황에 놓인 대상이나 동작의 주체를 나타내는 조사.
  Тохирох үг хэллэг байхгүй байна
  ямар нэгэн төлөв, байдлын субьект, мөн үйл хөдлөлийн эзэн болохыг илэрхийлэх
  нөхцөл.

- 작다 (тэмдэг нэр) : 길이, 넓이, 부피 등이 다른 것이나 보통보다 덜하다.
  бага, жижиг, бяцхан, өчүүхэн
  урт, өргөн, овор хэмжээ зэрэг нь өөр зүйл ба энгийнээс бага байх.

- -고 : 두 가지 이상의 대등한 사실을 나열할 때 쓰는 연결 어미.
  Тохирох үг хэллэг байхгүй байна
  хоёроос дээш тооны хэрэг явдлыг зэрэгцүүлэн холбоход хэрэглэдэг холбох нөхцөл.

• **통통하다 (тэмдэг нэр)** : 키가 작고 살이 쪄서 몸이 옆으로 퍼져 있다.

таргалах

намхан бие таргалж өргөөшөө сунах.

• **-였-** : 사건이 과거에 일어났음을 나타내는 어미.

Тохирох Үг хэллэг байхгүй байна

Үйл явдал өнгөрсөн цагт өрнөснийг илэрхийлдэг төгсгөх нөхцөл.

• **-군요** : (두루높임으로) 새롭게 알게 된 사실에 주목하거나 감탄함을 나타내는 표현.

Тохирох Үг хэллэг байхгүй байна

(хүндэтгэлийн энгийн Үг хэллэг) ямар нэгэн зүйлийн талаар шинээр магадлах буюу ухаараад гайхан шагшрахад хэрэглэдэг илэрхийлэл.

< 대화(ярилцлага) > - 22

꼼꼼한 지우 씨도 어제 큰 실수를 했나 봐요.
꼼꼼한 지우 씨도 어제 큰 실쑤를 핸나 봐요.
kkomkkomhan jiu ssido eoje keun silsureul haenna bwayo.

아무리 꼼꼼한 사람이라도 서두르면 실수하기 쉽지요.
아무리 꼼꼼한 사라미라도 서두르면 실쑤하기 쉽찌요.
amuri kkomkkomhan saramirado seodureumyeon silsuhagi swipjiyo.

< 설명(тайлбар) / 번역(орчуулга) >

꼼꼼하+ㄴ 지우 씨+도 어제 크+ㄴ 실수+를 하+였+[나 보]+아요.
　꼼꼼한　　　　　　　　　큰　　　　　　했나 봐요

- 꼼꼼하다 (тэмдэг нэр) : 빈틈이 없이 자세하고 차분하다.
  нягт нямбай, няхуур
  зан чанар, Үйл хөдлөл нь нарийн няхуур тайван дөлгөөн байх.

- -ㄴ : 앞의 말이 관형어의 기능을 하게 만들고 현재의 상태를 나타내는 어미.
  Тохирох Үг хэллэг байхгүй байна
  өмнөх Үгийг тодотгол гишҮҮний ҮҮрэгтэй болгож, одоогийн байдлыг илэрхийлдэг нөхцөл.

- 지우 (нэр Үг) : нэр

- 씨 (нэр Үг) : 그 사람을 높여 부르거나 이르는 말.
  гуай
  тухайн хҮнийг хҮндэтгэн дуудах юмуу нэрлэх Үг.

- 도 : 이미 있는 어떤 것에 다른 것을 더하거나 포함함을 나타내는 조사.
  ч
  нэгэнт байгаа зҮйл дээр өөр зҮйлийг нэмэх буюу хамруулсныг илэрхийлж буй нөхцөл.

- 어제 (дайвар Үг) : 오늘의 하루 전날에.
  өчигдөр
  өнөөдрөөс нэг өдрийн өмнө.

- 크다 (тэмдэг нэр) : 어떤 일의 규모, 범위, 정도, 힘 등이 보통 수준을 넘다.
далайцтай, их
ямар нэгэн ажлын хүрээ, хэмжээ, хүч чадал зэрэг хүчтэй байх.

- -ㄴ : 앞의 말이 관형어의 기능을 하게 만들고 현재의 상태를 나타내는 어미.
Тохирох үг хэллэг байхгүй байна
өмнөх үгийг тодотгол гишүүний үүрэгтэй болгож, одоогийн байдлыг илэрхийлдэг нөхцөл.

- 실수 (нэр үг) : 잘 알시 못하거나 소심하시 않아서 서시르는 잘못.
алдаа, эндэл, ташаарал, эндүүрэл
сайн мэдэхгүй буюу болгоомжгүйгээс хийсэн буруу.

- 를 : 동작이 직접적으로 영향을 미치는 대상을 나타내는 조사.
-ыг/-ийг/-г
үйл хөдлөл шууд нөлөөлж буй тусагдахууныг илэрхийлэх нөхцөл.

- 하다 (үйл үг) : 어떤 행동이나 동작, 활동 등을 행하다.
үйлдэх, хийх, гүйцэтгэх
аливаа үйл хөдлөл, хөдөлгөөн, ажиллагаа зэргийг гүйцэтгэх.

- -였- : 사건이 과거에 일어났음을 나타내는 어미.
Тохирох үг хэллэг байхгүй байна
үйл явдал өнгөрсөн цагт өрнөснийг илэрхийлдэг төгсгөх нөхцөл.

- -나 보다 : 앞의 말이 나타내는 사실을 추측함을 나타내는 표현.
Тохирох үг хэллэг байхгүй байна
өмнөх үгийн илэрхийлж буй үйлдэл буюу байдлыг таамаглаж буй явдлыг илэрхийлдэг үг хэллэг.

- -아요 : (두루높임으로) 어떤 사실을 서술하거나 질문, 명령, 권유함을 나타내는 종결 어미.
Тохирох үг хэллэг байхгүй байна
(хүндэтгэлийн энгийн үг хэллэг) ямар нэгэн зүйлийг хүүрнэх, асуух, тушаах, уриалах явдлыг илэрхийлдэг төгсгөх нөхцөл. <дүрслэл>

아무리 꼼꼼하+ㄴ 사람+이라도 서두르+면 실수하+[기가 쉽]+지요.
꼼꼼한

- 아무리 (дайвар үг) : 정도가 매우 심하게.
хичнээн
хэмжээнээс хэтэрсэн.

• **꼼꼼하다 (тэмдэг нэр)** : 빈틈이 없이 자세하고 차분하다.
нягт нямбай, няхуур
зан чанар, үйл хөдлөл нь нарийн няхуур тайван дөлгөөн байх.

• **-ㄴ** : 앞의 말이 관형어의 기능을 하게 만들고 현재의 상태를 나타내는 어미.
Тохирох үг хэллэг байхгүй байна
өмнөх үгийг тодотгол гишүүний үүрэгтэй болгож, одоогийн байдлыг илэрхийлдэг
нөхцөл.

• **사람 (нэр үг)** : 생각할 수 있으며 언어와 도구를 만들어 사용하고 사회를 이루어 사는 존재.
хүн
сэтгэх чадвартай хэл болон багаж хэрэгсэл зохион ашиглаж нийгмийг бүтээн
амьдардаг бие бодь.

• **이라도** : 다른 경우들과 마찬가지임을 나타내는 조사.
ч байсан
бусад тохиолдлуудтай адилхан болохыг илэрхийлж буй нөхцөл.

• **서두르다 (үйл үг)** : 일을 빨리하려고 침착하지 못하고 급하게 행동하다.
яарах, хурдлах, түргэлэх
ажлыг хурдан дуусгах гэж тайван биш яаран хийх.

• **-면** : 뒤에 오는 말에 대한 근거나 조건이 됨을 나타내는 연결 어미.
Тохирох үг хэллэг байхгүй байна
ард ирэх агуулгын талаарх учир шалтгаан буюу болзол болохыг илэрхийлдэг холбох
нөхцөл.

• **실수하다 (үйл үг)** : 잘 알지 못하거나 조심하지 않아서 잘못을 저지르다.
алдах, эндэх, ташаарах
болгоомжгүйгээс болон мэдэхгүйгээсээ болж алдаа гаргах.

• **-기가 쉽다** : 앞의 말이 나타내는 행위를 하거나 그런 상태가 될 가능성이 많음을 나타내는 표현.
Тохирох үг хэллэг байхгүй байна
өмнөх үгийн илэрхийлж буй үйл хөдлөл буюу байр байдал үүсч болох боломж ихтэйг
илэрхийлдэг үг хэллэг.

• **-지요** : (두루높임으로) 말하는 사람이 자신에 대한 이야기나 자신의 생각을 친근하게 말할 때 쓰는 종
결 어미.
Тохирох үг хэллэг байхгүй байна
(хүндэтгэлийн энгийн үг хэллэг) өгүүлэгч этгээд өөрийнхөө тухай ярих буюу өөрийн
бодлыг найрсгаар илэрхийлэхэд хэрэглэдэг төгсгөх нөхцөл.

< 대화(ярилцлага) > - 23

방이 되게 좁은 줄 알았는데 이렇게 보니 괜찮네.
방이 되게 조븐 줄 아란는데 이러케 보니 괜찬네.
bangi doege jobeun jul aranneunde ireoke boni gwaenchanne.

좁은 공간도 꾸미기 나름이야.
조븐 공간도 꾸미기 나르미야.
jobeun gonggando kkumigi nareumiya.

< 설명(тайлбар) / 번역(орчуулга) >

방+이 되게 좁+[은 줄] 알+았+는데 이렇+게 보+니 괜찮+네.

- **방 (нэр Үг)** : 사람이 살거나 일을 하기 위해 벽을 둘러서 막은 공간.
  өрөө
  хүн амьдрах юмуу ажил хийхэд зориулагдсан, ханаар хүрээлэн хаасан орон зай.

- **이** : 어떤 상태나 상황의 대상이나 동작의 주체를 나타내는 조사.
  Тохирох Үг хэллэг байхгүй байна
  ямар нэгэн төлөв, байдлын субьект, мөн Үйл хөдлөлийн эзэн болохыг илэрхийлэх нөхцөл.

- **되게 (дайвар Үг)** : 아주 몹시.
  хачин их, тун их
  маш, их, тун.

- **좁다 (тэмдэг нэр)** : 면이나 바닥 등의 면적이 작다.
  нарийн, давчуу, бага, зай муутай, бариу
  өнгөн хэсэг болон шал зэргийн талбайн хэмжээ бага байх.

- **-은 줄** : 어떤 사실이나 상태에 대해 알고 있거나 모르고 있음을 나타내는 표현.
  Тохирох Үг хэллэг байхгүй байна
  ямар нэгэн арга барил, бодит зүйлийн талаар мэдэж байх буюу мэдэхгүй байх явдлыг илэрхийлдэг Үг хэллэг.

- **알다 (Үйл Үг)** : 어떤 사실을 그러하다고 여기거나 생각하다.
  мэдэх, бодох
  ямар нэгэн бодит Үнэнийг тийм хэмээн Үзэх.

- -았- : 사건이 과거에 일어났음을 나타내는 어미.
  Тохирох Үг хэллэг байхгүй байна
  Үйл явдал өнгөрсөн үед болсныг илэрхийлдэг нөхцөл.

- -는데 : 뒤의 말을 하기 위하여 그 대상과 관련이 있는 상황을 미리 말함을 나타내는 연결 어미.
  Тохирох Үг хэллэг байхгүй байна
  арын агуулгыг ярихын тулд тухайн зүйлтэй холбоотой нөхцөл байдлыг урьдчилан хэлж буйг илэрхийлдэг холбох нөхцөл.

- **이렇다 (тэмдэг нэр)** : 상태, 모양, 성질 등이 이와 같다.
  ийм байх, ийм, ингэх
  байдал, дүр төрх, шинж чанар зэрэг үүнтэй адил байх.

- -게 : 앞의 말이 뒤에서 가리키는 일의 목적이나 결과, 방식, 정도 등이 됨을 나타내는 연결 어미.
  Тохирох Үг хэллэг байхгүй байна
  өмнөх агуулга ард нь зааж буй байдал, зорилго, үр дүн, арга барил, хэмжээ зэрэг болохыг илэрхийлдэг холбох нөхцөл.

- **보다 (Үйл Үг)** : 대상의 내용이나 상태를 알기 위하여 살피다.
  харах
  ямар нэг зүйлийн агуулга буюу төлөв байдлыг мэдэхийн тулд ажиглах.

- -니 : 뒤에 오는 말에 대하여 앞에 오는 말이 원인이나 근거, 전제가 됨을 나타내는 연결 어미.
  Тохирох Үг хэллэг байхгүй байна
  ард ирэх үгийн талаар өмнө ирэх үг нь учир шалтгаан буюу болзол болохыг илэрхийлдэг холбох нөхцөл.

- **괜찮다 (тэмдэг нэр)** : 꽤 좋다.
  зүгээр, боломжийн, дажгүй
  нэлээд сайн.

- -네 : (아주낮춤으로) 지금 깨달은 일에 대하여 말함을 나타내는 종결 어미.
  Тохирох Үг хэллэг байхгүй байна
  (огт хүндэтгэлгүй үг хэллэг) одоо ойлгож ухаарсан зүйлийнхээ талаар ярьж байгааг илэрхийлдэг төгсгөх нөхцөл.

좁+은 공간+도 꾸미+[기 나름이]+야.

- **좁다 (тэмдэг нэр)** : 면이나 바닥 등의 면적이 작다.
  нарийн, давчуу, бага, зай муутай, бариу
  өнгөн хэсэг болон шал зэргийн талбайн хэмжээ бага байх.

• -은 : 앞의 말이 관형어의 기능을 하게 만들고 현재의 상태를 나타내는 어미.

  Тохирох Үг хэллэг байхгүй байна

  өмнөх Үгийг тодотгол гишүүний үүрэгтэй болгож одоогийн нөхцөл байдлыг илэрхийлж буй нөхцөл.

• **공간 (нэр Үг)** : 아무것도 없는 빈 곳이나 자리.

  хоосон зай

  юу ч байхгүй хоосон газар буюу орон зай.

• 도 : 이미 있는 어떤 것에 다른 것을 더하거나 포함함을 나타내는 조사.

  ч

  нэгэнт байгаа зүйл дээр өөр зүйлийг нэмэх буюу хамруулсныг илэрхийлж буй нөхцөл.

• **꾸미다 (Үйл Үг)** : 모양이 좋아지도록 손질하다.

  чимэх, гоёх

  юмыг чимэглэн үзэмж төгөлдөр болгох.

• -기 나름이다 : 어떤 일이 앞의 말이 나타내는 행동을 어떻게 하느냐에 따라 달라질 수 있음을 나타내는 표현.

  Тохирох Үг хэллэг байхгүй байна

  ямар нэгэн хэрэг явдал буюу Үйлдлийн тухайн байдал нь хэрхэн Үйлдэхээс хамаарч өөрчлөгдөх явдлыг илэрхийлдэг Үг хэллэг.

• -야 : (두루낮춤으로) 어떤 사실에 대하여 서술하거나 물음을 나타내는 종결 어미.

  Тохирох Үг хэллэг байхгүй байна

  (хүндэтгэлийн бус энгийн Үг хэллэг) ямар нэгэн зүйлийн талаар хүүрнэх буюу асуух явдлыг илэрхийлдэг төгсгөх нөхцөл. <дүрслэл>

< 대화(ярилцлага) > - 24

나물 반찬 말고 더 맛있는 거 없어요?
나물 반찬 말고 더 마신는 거 업써요?
namul banchan malgo deo masinneun geo eopseoyo?

반찬 투정하지 말고 빨리 먹기나 해.
반찬 투정하지 말고 빨리 먹끼나 해.
banchan tujeonghaji malgo ppalli meokgina hae.

< 설명(тайлбар) / 번역(орчуулга) >

나물 반찬 말+고 더 맛있+[는 것(거)] 없+어요?
맛있는 거

- 나물 (нэр үг) : 먹을 수 있는 풀이나 나뭇잎, 채소 등을 삶거나 볶거나 또는 날것으로 양념하여 무친 반찬.
  намүл, ногооны хачир
  идэх боломжтой ургамал, навч, ногоо зэргийг чанах юмуу хуурч, мөн түүхийгээр нь амталж багсарсан хачир.

- 반찬 (нэр үг) : 식사를 할 때 밥에 곁들여 먹는 음식.
  хоолны хачир
  хооллох үед будааны хажуугаар хамт иддэг хоол хүнс.

- 말다 (үйл үг) : 앞의 것이 아니고 뒤의 것임을 나타내는 말.
  биш
  өмнөх зүйл биш дараагийн зүйл.

- -고 : 두 가지 이상의 대등한 사실을 나열할 때 쓰는 연결 어미.
  Тохирох үг хэллэг байхгүй байна
  хоёроос дээш тооны хэрэг явдлыг зэрэгцүүлэн холбоход хэрэглэдэг холбох нөхцөл.

- 더 (дайвар үг) : 비교의 대상이나 어떤 기준보다 정도가 크게, 그 이상으로.
  илүү
  харьцуулж буй зүйл, ямар нэг жишиг хэмжээнээс давуу, их.

- **맛있다 (тэмдэг нэр)** : 맛이 좋다.

  амттай, амтлаг

  амт чанар сайн байх.

- **-는 것** : 명사가 아닌 것을 문장에서 명사처럼 쓰이게 하거나 '이다' 앞에 쓰일 수 있게 할 때 쓰는 표현.

  Тохирох үг хэллэг байхгүй байна

  өгүүлбэрт нэр үгийн үүргээр орж өгүүлэгдэхүүн буюу тусагдахуун гишүүний үүрэг гүйцэтгэх буюу '이다'-н өмнө ирэх боломжтой болгодог үг хэллэг.

- **없다 (тэмдэг нэр)** : 사람, 사물, 현상 등이 어떤 곳에 자리나 공간을 차지하고 존재하지 않는 상태이다.

  байхгүй, -гүй, хэн ч байхгүй, юу ч байхгүй, алга байх

  хүн, эд зүйл, үзэгдэл зэрэг ямар нэгэн газар байр суудал юм уу орон зай эзлэн оршдоггүй байдал.

- **-어요** : (두루높임으로) 어떤 사실을 서술하거나 질문, 명령, 권유함을 나타내는 종결 어미.

  Тохирох үг хэллэг байхгүй байна

  (хүндэтгэлийн энгийн үг хэллэг) ямар нэгэн зүйлийг хүүрнэх, асуух, тушаах, уриалах явдлыг илэрхийлдэг төгсгөх нөхцөл. <асуулт>

반찬 투정하+[지 말]+고 빨리 먹+[기나 하]+여.
먹기나 해

- **반찬 (нэр үг)** : 식사를 할 때 밥에 곁들여 먹는 음식.

  хоолны хачир

  хооллох үед будааны хажуугаар хамт иддэг хоол хүнс.

- **투정하다 (үйл үг)** : 무엇이 모자라거나 마음에 들지 않아 떼를 쓰며 조르다.

  шалах, шаардах, салахгүй гуйх

  ямар нэгэн юм дутах буюу сэтгэлд таалагдахгүйгээс зөрүүдлэн шалах.

- **-지 말다** : 앞의 말이 나타내는 행동을 하지 못하게 함을 나타내는 표현.

  Тохирох үг хэллэг байхгүй байна

  өмнөх үгийн илэрхийлж буй үйлдлийг хийлгэхгүй байх явдлыг илэрхийлдэг үг хэллэг.

- **-고** : 앞의 말과 뒤의 말이 차례대로 일어남을 나타내는 연결 어미.

  Тохирох үг хэллэг байхгүй байна

  өмнөх үйл ба арын үйл дэс дараалльн дагуу өрнөж байгааг илтгэдэг холбох нөхцөл.

- 75 -

・**빨리** (дайвар Yг) : 걸리는 시간이 짧게.
хурдан, тYргэн
зарцуулагдах цаг хугацаа богино.

・**먹다** (Yйл Yг) : 음식 등을 입을 통하여 배 속에 들여보내다.
идэх
хоол хYнс зэргийг амаар дамжуулан гэдсэндээ хийх.

・**-기나 하다** : 마음에 차지는 않지만 듣는 사람이나 다른 사람이 앞의 말이 나타내는 행동을 하길 바랄
　　　　　　　때 쓰는 표현.
Тохирох Yг хэллэг байхгYй байна
сэтгэлд нийцэхгYй байгаа боловч харилцаж буй хYн өмнөх Yгийн илэрхийлж буй
Yйлдлийг хийхийг хYсэхэд хэрэглэдэг илэрхийлэл.

・**-여** : (두루낮춤으로) 어떤 사실을 서술하거나 물음, 명령, 권유를 나타내는 종결 어미.
Тохирох Yг хэллэг байхгYй байна
(хYндэтгэлийн бус энгийн Yг хэллэг) ямар нэгэн зYйлийг хYYрнэх, асуух буюу тушаал,
зөвлөмж зэргийг илэрхийлдэг төгсгөх нөхцөл. <тушаал>

< 대화(ярилцлага) > - 25

수박 한 통에 이만 원이라고요? 좀 비싼데요.
수박 한 통에 이만 워니라고요? 좀 비싼데요.
subak han tonge iman woniragoyo? jom bissandeyo.

비싸기는요. 요즘 물가가 얼마나 올랐는데요.
비싸기느뇨. 요즘 물까가 얼마나 올란는데요.
bissagineunyo. yojeum mulgaga eolmana ollanneundeyo.

< 설명(тайлбар) / 번역(орчуулга) >

수박 한 통+에 이만 원+이+라고요?

좀 <u>비싸+ㄴ데요</u>.
    비싼데요

• **수박** (нэр Үг) : 둥글고 크며 초록 빛깔에 검푸른 줄무늬가 있으며 속이 붉고 수분이 많은 과일.
  тарвас, шийгуа
  том бөөрөнхий, ногоон, тод ногоон судалтай, дотроо улаан өнгөтэй шүүслэг жимс.

• **한** (тодотгол Үг) : 하나의.
  нэг
  нэгэн.

• **통** (нэр Үг) : 배추나 수박, 호박 등을 세는 단위.
  ширхэг
  байцаа, тарвас, хулуу зэргийг тоолдог нэгж.

• **에** : 앞말이 기준이 되는 대상이나 단위임을 나타내는 조사.
  -д/-т
  өмнөх үг хэм хэмжүүрийн тусагдахуун буюу нэгж болохыг илэрхийлж буй нохцол.

• **이만** : 20,000

• **원** (нэр Үг) : 한국의 화폐 단위.
  вон
  Солонгосын мөнгөний нэгж.

• 이다 : 주어가 지시하는 대상의 속성이나 부류를 지정하는 뜻을 나타내는 서술격 조사.
Тохирох Үг хэллэг байхгҮй байна
ээн биеийн зааж буй обьектын шинж чанар, төрөл зҮйлийг тодорхойлох утгыг илэрхийлэх өгҮҮлэхҮҮний тийн ялгалын нөхцөл.

• -라고요 : (두루높임으로) 다른 사람의 말을 확인하거나 따져 물을 때 쓰는 표현.
Тохирох Үг хэллэг байхгҮй байна
(хҮндэтгэлийн энгийн Үг хэллэг) бусдын Үг яриаг нотлох буюу ялган салгаж асуухад хэрэглэдэг илэрхийлэл.

• 좀 (дайвар Үг) : 분량이나 정도가 적게.
жаахан, хэсэг, арай, бага зэрэг
тоо болон хэмжээ нь бага.

• 비싸다 (тэмдэг нэр) : 물건값이나 어떤 일을 하는 데 드는 비용이 보통보다 높다.
Үнэтэй
барааны Үнэ буюу ямар нэгэн юмыг хийхэд төлдөг зардал ердийнхөөс их байх.

• -ㄴ데요 : (두루높임으로) 의외라 느껴지는 어떤 사실을 감탄하여 말할 때 쓰는 표현.
Тохирох Үг хэллэг байхгҮй байна
(хҮндэтгэлийн энгийн Үг хэллэг) санаснаас өөрөөр мэдэрсэн зҮйлийн талаар шагшин хэлэхэд хэрэглэдэг илэрхийлэл.

비싸+기는요.

요즘 물가+가 얼마나 <u>오르(올ㄹ)+았</u>+는데요.
올랐는데요

• 비싸다 (тэмдэг нэр) : 물건값이나 어떤 일을 하는 데 드는 비용이 보통보다 높다.
Үнэтэй
барааны Үнэ буюу ямар нэгэн юмыг хийхэд төлдөг зардал ердийнхөөс их байх.

• -기는요 : (두루높임으로) 상대방의 말을 가볍게 부정하거나 반박함을 나타내는 표현.
Тохирох Үг хэллэг байхгҮй байна
(хҮндэтгэлийн энгийн Үг хэллэг) харилцаж буй хҮний Үгийг ээлдгээр ҮгҮйсгэх болон эсэргҮҮцэх Үед хэрэглэнэ.

• 요즘 (нэр Үг) : 아주 가까운 과거부터 지금까지의 사이.
саяхан, сҮҮлийн Үе, ойрмогхон
өнгөрөөд удаагҮй байгаа цагаас одоог хҮртлэх хугацааны хооронд.

- 물가 (нэр үг) : 물건이나 서비스의 평균적인 가격.
  Үнэ, барааны Үнэ
  эд бараа болон Үйлчилгээний дундаж Үнэ өртөг.

- 가 : 어떤 상태나 상황에 놓인 대상이나 동작의 주체를 나타내는 조사.
  Тохирох Үг хэллэг байхгҮй байна
  ямар нэгэн төлөв, байдлын субьект, мөн Үйл хөдлөлийн эзэн болохыг илэрхийлэх нөхцөл.

- 얼마나 (дайвар үг) : 상태나 느낌 등의 성도가 매우 크고 대단하게.
  хичнээн
  байдал, мэдрэмж зэргийн хэмжээ маш их буюу гайхалтайгаар.

- 오르다 (Үйл Үг) : 값, 수치, 온도, 성적 등이 이전보다 많아지거나 높아지다.
  өсөх, ахих, нэмэгдэх, ихсэх
  Үнэ, хэмжээс, дулааны хэм, дҮн зэрэг урьдынхаас ихсэх ба өсөх.

- -았- : 어떤 사건이 과거에 완료되었거나 그 사건의 결과가 현재까지 지속되는 상황을 나타내는 어미.
  Тохирох Үг хэллэг байхгҮй байна
  ямар нэгэн Үйл явдал өнгөрсөн цагт болж дуссан буюу тухайн Үйл явдлын Үр дҮн өнөөг хҮртэл Үргэлжилж буй байдлыг илэрхийлдэг нөхцөл.

- -는데요 : (두루높임으로) 어떤 상황을 전달하여 듣는 사람의 반응을 기대함을 나타내는 표현.
  Тохирох Үг хэллэг байхгҮй байна
  (хҮндэтгэлийн энгийн Үг хэллэг) ямар нэгэн зҮйлийг дамжуулангаа сонсогч этгээдийн хариу Үйлдэлд найдахыг илэрхийлнэ.

< 대화(ярилцлага) > - 26

왜 나한테 거짓말을 했어?
왜 나한테 거진마를 해써?
wae nahante geojinmareul haesseo?

그건 너와 멀어질까 봐 두려웠기 때문이야.
그건 너와 머러질까 봐 두려월끼 때무니야.
geugeon neowa meoreojilkka bwa duryeowotgi ttaemuniya.

< 설명(тайлбар) / 번역(орчуулга) >

왜 나+한테 거짓말+을 하+였+어?
했어

- 왜 (дайвар Үг) : 무슨 이유로. 또는 어째서.
  яагаад, ямар учраас
  ямар шалтгаанаар. мөн яагаад.

- 나 (төлөөний Үг) : 말하는 사람이 친구나 아랫사람에게 자기를 가리키는 말.
  би
  өгҮҮлэгч этгээд найз буюу өөрөөсөө дҮҮ хҮнтэй ярихад өөрийг заасан Үг.

- 한테 : 어떤 행동이 미치는 대상임을 나타내는 조사.
  -д, -т
  ямар нэгэн Үйл хөдлөл нөлөөлж буй объект болохыг илэрхийлдэг нэрийн нөхцөл.

- 거짓말 (нэр Үг) : 사실이 아닌 것을 사실인 것처럼 꾸며서 하는 말.
  худал Үг, худал ярих
  Үнэн биш зҮйлийг Үнэн мэт болгож зохион ярих Үг.

- 을 : 동작이 직접적으로 영향을 미치는 대상을 나타내는 조사.
  -ыг/-ийг/-г
  Үйл хөдлөл шууд нөлөөлж буй тусагдахууныг илэрхийлэх нөхцөл.

- 하다 (Үйл Үг) : 어떤 행동이나 동작, 활동 등을 행하다.
  Үйлдэх, хийх, гҮйцэтгэх
  аливаа Үйл хөдлөл, хөдөлгөөн, ажиллагаа зэргийг гҮйцэтгэх.

- -였- : 사건이 과거에 일어났음을 나타내는 어미.
  Тохирох Үг хэллэг байхгүй байна
  Үйл явдал өнгөрсөн цагт өрнөсныйг илэрхийлдэг төгсгөх нөхцөл.

- -어 : (두루낮춤으로) 어떤 사실을 서술하거나 물음, 명령, 권유를 나타내는 종결 어미.
  Тохирох Үг хэллэг байхгүй байна
  (хүндэтгэлийн бус энгийн үг хэллэг) ямар нэгэн зүйлийг дүрслэх буюу асуулт, тушаал, зөвлөмж зэргийг илэрхийлдэг төгсгөх нөхцөл. <асуулт>

그것(그거)+은 너+와 멀어지+[ㄹ까 보]+아 두렵(두려우)+었+[기 때문]+이+야.
그건　　　　　멀어질까 봐　　　　　두려웠기 때문이야

- 그것 (төлөөний үг) : 앞에서 이미 이야기한 대상을 가리키는 말.
  тэр юм, тэр
  өмнө нь ярьсан объектыг заах үг.

- 은 : 문장 속에서 어떤 대상이 화제임을 나타내는 조사.
  Тохирох Үг хэллэг байхгүй байна
  өгүүлбэрт ямар зүйл ярианы сэдэв болж буйг илэрхийлдэг нөхцөл.

- 너 (төлөөний үг) : 듣는 사람이 친구나 아랫사람일 때, 그 사람을 가리키는 말.
  чи
  сонсогч нь найз буюу дүү байх тохиолдолд, тухайн хүнийг заадаг үг.

- 와 : 무엇인가를 상대로 하여 어떤 일을 할 때 그 상대임을 나타내는 조사.
  -тай (-тэй, -той)
  ямар нэгэн үйлийг хийхэд тухайн харьцаж буй зүйлийг илэрхийлж буй нөхцөл.

- 멀어지다 (Үйл үг) : 친하던 사이가 다정하지 않게 되다.
  холдох, хөндийрөх
  дотно байсан харьцаа элгэмсэг дотно байхаа болих.

- -ㄹ까 보다 : 앞에 오는 말이 나타내는 상황이 될 것을 걱정하거나 두려워함을 나타내는 표현.
  Тохирох Үг хэллэг байхгүй байна
  өмнөх үгийн илэрхийлдэг нөхцөл байдал үүсэхээс санаа зовох буюу айх явдлыг илэрхийлдэг үг хэллэг.

- -아 : 앞에 오는 말이 뒤에 오는 말에 대한 원인이나 이유임을 나타내는 연결 어미.
  Тохирох Үг хэллэг байхгүй байна
  өмнө ирэх үг ард ирэх үгийн талаарх учир шалтгаан болохыг илэрхийлдэг холбох нөхцөл.

- 두렵다 (тэмдэг нэр) : 걱정되고 불안하다.

  сэтгэл зовох

  сэтгэл зовниж амар тайван бус байх.

- -었- : 사건이 과거에 일어났음을 나타내는 어미.

  Тохирох үг хэллэг байхгүй байна

  Үйл явдал өнгөрсөн үед болсныг илэрхийлдэг төгсгөх нөхцөл.

- -기 때문 : 앞의 내용이 뒤에 오는 일의 원인이나 까닭임을 나타내는 표현.

  Тохирох үг хэллэг байхгүй байна

  өмнөх агуулга нь ардах зүйлийн учир шалтгаан болохыг илэрхийлдэг үг хэллэг.

- 이다 : 주어가 지시하는 대상의 속성이나 부류를 지정하는 뜻을 나타내는 서술격 조사.

  Тохирох үг хэллэг байхгүй байна

  эзэн биеийн зааж буй обьектын шинж чанар, төрөл зүйлийг тодорхойлох утгыг илэрхийлэх өгүүлэхүүний тийн ялгалын нөхцөл.

- -야 : (두루낮춤으로) 어떤 사실에 대하여 서술하거나 물음을 나타내는 종결 어미.

  Тохирох үг хэллэг байхгүй байна

  (хүндэтгэлийн бус энгийн үг хэллэг) ямар нэгэн зүйлийн талаар хүүрнэх буюу асуух явдлыг илэрхийлдэг төгсгөх нөхцөл. <дүрслэл>

< 대화(ярилцлага) > - 27

이번 휴가 때 남자 친구에게 운전을 배우기로 했어.
이번 휴가 때 남자 친구에게 운저늘 배우기로 해써.
ibeon hyuga ttae namja chinguege unjeoneul baeugiro haesseo.

그러면 분명히 서로 싸우게 될 텐데…….
그러면 분명히 서로 싸우게 될 텐데…….
geureomyeon bunmyeonghi seoro ssauge doel tende…….

< 설명(тайлбар) / 번역(орчуулга) >

이번 휴가 때 남자 친구+에게 운전+을 배우+[기로 하]+였+어.
배우기로 했어

• **이번 (нэр Yг)** : 곧 돌아올 차례. 또는 막 지나간 차례.
  энэ удаагийн
  удахгYй болох ээлж дараа. мөн дөнгөж сая өнгөрсөн дараалал.

• **휴가 (нэр Yг)** : 직장이나 군대 등의 단체에 속한 사람이 일정한 기간 동안 일터를 벗어나서 쉬는 일.
  또는 그런 기간.
  амралт
  ажил буюу цэрэг зэрэг байгууллагад харьяалагдах хYн тодорхой хугацааны турш
  албан ажлаа орхин амрах явдал. мөн тэр хугацаа.

• **때 (нэр Yг)** : 어떤 시기 동안.
  Ye, хугацаа
  ямар нэг хугацааны туршид.

• **남자 친구 (нэр Yг)** : 여자가 사랑하는 감정을 가지고 사귀는 남자.
  найз залуу
  эмэгтэй хYн хайрлаж дурласан, Yерхдэг эрэгтэй.

• **에게** : 어떤 행동의 주체이거나 비롯되는 대상임을 나타내는 조사.
  -д, -т
  ямар нэгэн Yйлдлийг YYсгэдэг зYйл болохыг илэрхийлдэг нөхцөл.

• 운전 (нэр үг) : 기계나 자동차를 움직이고 조종함.

жолоодлого, ажиллагаа

машин, тоног төхөөрөмжийг хөдөлгөж ажиллуулах явдал.

• 을 : 동작이 직접적으로 영향을 미치는 대상을 나타내는 조사.

-ыг/-ийг/-г

Үйл хөдлөл шууд нөлөөлж буй тусагдахууныг илэрхийлэх нөхцөл.

• 배우다 (үйл үг) : 새로운 기술을 익히다.

сурах, заалгах, мэдэж авах

шинэ ур чадварт дасгах.

• -기로 하다 : 앞의 말이 나타내는 행동을 할 것을 결심하거나 약속함을 나타내는 표현.

Тохирох үг хэллэг байхгүй байна

өмнөх үгийн илэрхийлж буй үйлийг хийхээр шийдэх буюу амлаж байгааг илэрхийлдэг үг хэллэг.

• -였- : 어떤 사건이 과거에 완료되었거나 그 사건의 결과가 현재까지 지속되는 상황을 나타내는 어미.

Тохирох үг хэллэг байхгүй байна

ямар нэгэн үйл явдал өнгөрсөн цагт төгссөн буюу тухайн үйл явдлын үр дүн өнөөг хүртэл үргэлжилж буй байдлыг илэрхийлдэг нөхцөл.

• -어 : (두루낮춤으로) 어떤 사실을 서술하거나 물음, 명령, 권유를 나타내는 종결 어미.

Тохирох үг хэллэг байхгүй байна

(хүндэтгэлийн бус энгийн үг хэллэг) ямар нэгэн зүйлийг дүрслэх буюу асуулт, тушаал, зөвлөмж зэргийг илэрхийлдэг төгсгөх нөхцөл. <дүрслэл>

그러면 분명히 서로 싸우+[게 되]+[ㄹ 텐데]…….
싸우게 될 텐데

• **그러면 (дайвар үг)** : 앞의 내용이 뒤의 내용의 조건이 될 때 쓰는 말.

тэгвэл, тийм бол

өмнөх агуулга нь дараагийн агуулгын нөхцөл нь болох үед хэрэглэдэг үг.

• **분명히 (дайвар үг)** : 어떤 사실이 틀림이 없이 확실하게.

тодорхой, гарцаагүй

ямар нэг үнэн явдал гарцаагүй тодорхой.

• **서로 (дайвар үг)** : 관계를 맺고 있는 둘 이상의 대상이 각기 그 상대에 대하여.

бие биедээ, бие биенийгээ, харилцан, нэг нэгнээ

харилцаа холбоотой хоёроос дээш объект тус тус нөгөө объектынхоо талаар.

· **싸우다 (Үйл Үг)** : 말이나 힘으로 이기려고 다투다.

　хэрэлдэх, маргалдах, тэмцэх, муудалцах

　ам хэл, хҮчээр дийлэх гэж Үзэлцэх.

· **-게 되다** : 앞의 말이 나타내는 상태나 상황이 됨을 나타내는 표현.

　Тохирох Үг хэллэг байхгҮй байна

　өмнөх Үгийн илэрхийлж буй нөхцөл байдал ҮҮсэх буюу тийм байдалд хҮрэх явдлыг илэрхийлдэг Үг хэллэг.

· **-ㄹ 텐데** : 앞에 오는 말에 대하여 말하는 사람의 강한 추측을 나타내면서 그와 관련되는 내용을 이어
　　　　　 말할 때 쓰는 표현.

　Тохирох Үг хэллэг байхгҮй байна

　ямар нэг зҮйлийн талаарх ярьж буй хҮний хҮчтэй таамгыг илэрхийлэнгээ тҮҮнтэй холбоотой утгыг дэвшҮҮлэхэд хэрэглэдэг илэрхийлэл.

· **싸우다 (Үйл Үг)** : 말이나 힘으로 이기려고 다투다.

　хэрэлдэх, маргалдах, тэмцэх, муудалцах

　ам хэл, хҮчээр дийлэх гэж Үзэлцэх.

< 대화(ярилцлага) > - 28

운동선수로서 뭐가 제일 힘들어?
운동선수로서 뭐가 제일 힘드러?
undongseonsuroseo mwoga jeil himdeureo?

글쎄, 체중을 조절하기 위한 끊임없는 노력이겠지.
글쎄, 체중을 조절하기 위한 끄니멈는 노려기겓찌.
geulsse, chejungeul jojeolhagi wihan kkeunimeomneun noryeogigetji.

< 설명(тайлбар) / 번역(орчуулга) >

운동선수+로서 뭐+가 제일 힘들+어?

• 운동선수 (нэр Үг) : 운동에 뛰어난 재주가 있어 전문적으로 운동을 하는 사람.
тамирчин
биеийн тамирт гарамгай авьяастай, мэргэжлийн үүднээс биеийн тамираар хичээллэдэг хүн.

• 로서 : 어떤 지위나 신분, 자격을 나타내는 조사.
-н хувьд
ямар нэгэн албан тушаал болон нийгмийн гарал, эрх мэдлийг илэрхийлдэг нэр үгийн нөхцөл.

• 뭐 (төлөөний Үг) : 모르는 사실이나 사물을 가리키는 말.
юу
мэдэхгүй зүйл буюу эд зүйлийг заах үг.

• 가 : 어떤 상태나 상황에 놓인 대상이나 동작의 주체를 나타내는 조사.
Тохирох Үг хэллэг байхгүй байна
ямар нэгэн төлөв, байдлын субьект, мөн үйл хөдлөлийн эзэн болохыг илэрхийлэх нөхцөл.

• 제일 (дайвар Үг) : 여럿 중에서 가장.
хамгийн, тэргүүн, нэгдүгээр
олон зүйлийн дундаас хамгийн.

- **힘들다 (тэмдэг нэр)** : 어떤 일을 하는 것이 어렵거나 곤란하다.
  хэцҮҮ
  ямар нэгэн ажлыг хийхэд хэцҮҮ ба төвөгтэй байх.

- **-어** : (두루낮춤으로) 어떤 사실을 서술하거나 물음, 명령, 권유를 나타내는 종결 어미.
  Тохирох Үг хэллэг байхгҮй байна
  (хҮндэтгэлийн бус энгийн Үг хэллэг) ямар нэгэн зҮйлийг дҮрслэх буюу асуулт, тушаал, зөвлөмж зэргийг илэрхийлдэг төгсгөх нөхцөл. <асуулт>

글쎄, 체중+을 조절하+[기 위한] 끊임없+는 노력+이+겠+지.

- **글쎄 (аялга Үг)** : 상대방의 물음이나 요구에 대하여 분명하지 않은 태도를 나타낼 때 쓰는 말.
  харин ээ, харин л дээ
  ярилцагчийнхаа асуулт болон шаардлагад юу гэж хариулахаа мэдэхгҮй байх, тээнэгэлзэх Үед хэрэглэх Үг.

- **체중 (нэр Үг)** : 몸의 무게.
  биеийн жин
  биеийн жин.

- **을** : 동작이 직접적으로 영향을 미치는 대상을 나타내는 조사.
  -ыг/-ийг/-г
  Үйл хөдлөл шууд нөлөөлж буй тусагдахууныг илэрхийлэх нөхцөл.

- **조절하다 (Үйл Үг)** : 균형에 맞게 바로잡거나 상황에 알맞게 맞추다.
  зохицуулах, тохируулах
  тэнцвэртэй байхаар хийх буюу нөхцөл байдалд яг тааруулах.

- **-기 위한** : 뒤에 오는 명사를 수식하면서 그 목적이나 의도를 나타내는 표현.
  Тохирох Үг хэллэг байхгҮй байна
  хойдох Үгийг тодотгонгоо зорилго буюу санааг илэрхийлнэ.

- **끊임없다 (тэмдэг нэр)** : 계속하거나 이어져 있던 것이 끊이지 아니하다.
  тасралтгҮй, Үргэлжлэн
  Үргэлжилсэн болон тасралтгҮй Үргэлжлэх.

- **-는** : 앞의 말이 관형어의 기능을 하게 만들고 사건이나 동작이 현재 일어남을 나타내는 어미.
  Тохирох Үг хэллэг байхгҮй байна
  өмнөх Үгийг тодотгол гишҮҮний ҮҮрэгтэй болгож, хэрэг явдал буюу Үйлдэл нь одоо өрнөж байгааг илэрхийлдэг нөхцөл.

• 노력 (нэр Үг) : 어떤 목적을 이루기 위하여 힘을 들이고 애를 씀.

зҮтгэл, хичээл зҮтгэл, чармайлт

ямар нэг зорилгод хҮрэхийн тулд хҮчин зҮтгэж хичээх явдал.

• 이다 : 주어가 지시하는 대상의 속성이나 부류를 지정하는 뜻을 나타내는 서술격 조사.

Тохирох Үг хэллэг байхгҮй байна

эзэн биеийн зааж буй обьектын шинж чанар, төрөл зҮйлийг тодорхойлох утгыг илэрхийлэх өгҮҮлэхҮҮний тийн ялгалын нөхцөл.

• -겠- : 미래의 일이나 추측을 나타내는 어미.

Тохирох Үг хэллэг байхгҮй байна

ирээдҮйн явдал буюу таамаглалыг илэрхийлдэг нөхцөл.

• -지 : (두루낮춤으로) 말하는 사람이 자신에 대한 이야기나 자신의 생각을 친근하게 말할 때 쓰는 종결 어미.

Тохирох Үг хэллэг байхгҮй байна

(хҮндэтгэлийн бус энгийн Үг хэллэг) өгҮҮлэгч өөрийнхөө тухай ярих буюу өөрийн бодлыг дотноор хэлэхэд хэрэглэхэд төгсгөх нөхцөл.

< 대화(ярилцлага) > - 29

요즘 부쩍 운동을 열심히 하시네요.
요즘 부쩍 운동을 열씸히 하시네요.
yojeum bujjeok undongeul yeolsimhi hasineyo.

건강을 유지하기 위해서 운동을 좀 해야겠더라고요.
건강을 유지하기 위해서 운동을 좀 해야겓떠라고요.
geongangeul yujihagi wihaeseo undongeul jom haeyagetdeoragoyo.

< 설명(тайлбар) / 번역(орчуулга) >

요즘 부쩍 운동+을 열심히 하+시+네요.

- **요즘 (нэр Үг)** : 아주 가까운 과거부터 지금까지의 사이.
  саяхан, сҮҮлийн Үе, ойрмогхон
  өнгөрөөд удаагҮй байгаа цагаас одоог хҮртлэх хугацааны хооронд.

- **부쩍 (дайвар Үг)** : 어떤 사물이나 현상이 갑자기 크게 변화하는 모양.
  эрс хурдан, гэв гэнэт
  ямар нэгэн эд зҮйл, юм Үзэгдэл гэнэт ихээр өөрчлөгдөх байдал.

- **운동 (нэр Үг)** : 몸을 단련하거나 건강을 위하여 몸을 움직이는 일.
  биеийн тамирын дасгал
  биеэ дасгалжуулах юм уу эрҮҮл байхын тулд биеэ хөдөлгөх явдал.

- **을** : 동작이 직접적으로 영향을 미치는 대상을 나타내는 조사.
  -ыг/-ийг/-г
  Үйл хөдлөл шууд нөлөөлж буй тусагдахууныг илэрхийлэх нөхцөл.

- **열심히 (дайвар Үг)** : 어떤 일에 온 정성을 다하여.
  хичээнгҮй, хичээнгҮйлэн, чармайн, шаргуу,
  аливаа зҮйлд бҮх зҮрх сэтгэлээ зориулан.

- **하다 (Үйл Үг)** : 어떤 행동이나 동작, 활동 등을 행하다.
  Үйлдэх, хийх, гҮйцэтгэх
  аливаа Үйл хөдлөл, хөдөлгөөн, ажиллагаа зэргийг гҮйцэтгэх.

• -시- : 어떤 동작이나 상태의 주체를 높이는 뜻을 나타내는 어미.
Тохирох Үг хэллэг байхгүй байна
ямар нэгэн үйлдэл буюу байдлын эзэн биеийг хүндэтгэх утгыг илэрхийлдэг нөхцөл.

• -네요 : (두루높임으로) 말하는 사람이 직접 경험하여 새롭게 알게 된 사실에 대해 감탄함을 나타낼 때
쓰는 표현.
Тохирох Үг хэллэг байхгүй байна
(хүндэтгэлийн энгийн үг хэллэг) өгүүлэгч өөрийн биеэр үзэж өнгөрүүлж, шинээр
мэдсэн зүйлийнхээ талаар гайхан биширч байгааг илэрхийлэхэд хэрэглэдэг хэлбэр.

건강+을 유지하+[기 위해서] 운동+을 좀 <u>하+여야겠+더라고요</u>.
해야겠더라고요

• 건강 (нэр үг) : 몸이나 정신이 이상이 없이 튼튼한 상태.
эрүүл мэнд
бие махбод, оюун ухааны хэвийн үйл ажиллагаа болоод эрүүл чийрэг байдал.

• 을 : 동작이 직접적으로 영향을 미치는 대상을 나타내는 조사.
-ыг/-ийг/-г
Үйл хөдлөл шууд нөлөөлж буй тусагдахууныг илэрхийлэх нөхцөл.

• 유지하다 (үйл үг) : 어떤 상태나 상황 등을 그대로 이어 나가다.
сахин хамгаалах, хэвээр нь хадгалах, үргэлжлүүлэх
ямар нэгэн нөхцөл байдал зэргийг тухайн хэвээр үргэлжлүүлэх.

• -기 위해서 : 어떤 일을 하는 목적인 의도를 나타내는 표현.
Тохирох Үг хэллэг байхгүй байна
ямар нэгэн үйлийн зорилго болох санааг илэрхийлнэ.

• 운동 (нэр үг) : 몸을 단련하거나 건강을 위하여 몸을 움직이는 일.
биеийн тамирын дасгал
биеэ дасгалжуулах юм уу эрүүл байхын тулд биеэ хөдөлгөх явдал.

• 을 : 동작이 직접적으로 영향을 미치는 대상을 나타내는 조사.
-ыг/-ийг/-г
Үйл хөдлөл шууд нөлөөлж буй тусагдахууныг илэрхийлэх нөхцөл.

• 좀 (дайвар үг) : 분량이나 정도가 적게.
жаахан, хэсэг, арай, бага зэрэг
тоо болон хэмжээ нь бага.

• **하다 (Үйл Үг)** : 어떤 행동이나 동작, 활동 등을 행하다.

Үйлдэх, хийх, гҮйцэтгэх

аливаа Үйл хөдлөл, хөдөлгөөн, ажиллагаа зэргийг гҮйцэтгэх.

• **-여야겠-** : 앞의 말이 나타내는 행동에 대한 강한 의지를 나타내거나 그 행동을 할 필요가 있음을 완곡
하게 말할 때 쓰는 표현.

Тохирох Үг хэллэг байхгҮй байна

өмнөх Үгийн илэрхийлж буй Үйлийн талаар бодол санаагаа хҮчтэй илэрхийлэх буюу уг
Үйлийг хийх хэрэгтэй болохыг таамаглахад хэрэглэдэг Үг хэллэг.

• **-더라고요** : (두루높임으로) 과거에 경험하여 새로 알게 된 사실에 대해 지금 상대방에게 옮겨 전할 때
쓰는 표현.

Тохирох Үг хэллэг байхгҮй байна

(хҮндэтгэлийн энгийн Үг хэллэг) өмнө нь биеэр Үзэж шинээр мэдсэн зҮйлийн талаар
одоо эсрэг талдаа дамжуулахад хэрэглэдэг илэрхийлэл.

< 대화(ярилцлага) > - 30

해외여행을 떠나기 전에 무엇을 준비해야 할까요?
해외여행을 떠나기 저네 무어슬 준비해야 할까요?
haeoeyeohaengeul tteonagi jeone mueoseul junbihaeya halkkayo?

먼저 여권을 준비하고 환전도 해야 해요.
먼저 여꿔늘 준비하고 환전도 해야 해요.
meonjeo yeogwoneul junbihago hwanjeondo haeya haeyo.

< 설명(тайлбар) / 번역(орчуулга) >

해외여행+을 떠나+[기 전에] 무엇+을 준비하+[여야 하]+ㄹ까요?
준비해야 할까요

- **해외여행 (нэр Үг)** : 외국으로 여행을 가는 일. 또는 그런 여행.
  хилийн чанад дахь аялал, гадаад дахь аялал жуулчлал
  гадаад руу аялалаар явах явдал. мөн тийм аялал.

- **을** : 그 행동의 목적이 되는 일을 나타내는 조사.
  -аар (-ээр, -оор, -өөр)
  тухайн Үйлийн зорилго болох Үйлийг илэрхийлэх нөхцөл.

- **떠나다 (Үйл Үг)** : 어떤 일을 하러 나서다.
  явах
  ямар нэг зҮйлийг хийхээр гарах.

- **-기 전에** : 뒤에 오는 말이 나타내는 행동이 앞에 오는 말이 나타내는 행동보다 앞서는 것을 나타내는 표현.
  Тохирох Үг хэллэг байхгҮй байна
  ямар нэгэн Үйл хөдлөл буюу байр байдал өмнө өгҮҮлж буй Үйлээс тҮрҮҮлэхийг утгыг илэрхийлнэ.

- **무엇 (төлөөний Үг)** : 모르는 사실이나 사물을 가리키는 말.
  хэн, юу
  мэдэхгҮй эд зҮйлийг заан нэрлэсэн Үг.

• 을 : 동작이 직접적으로 영향을 미치는 대상을 나타내는 조사.
  -ыг/-ийг/-г
  Үйл хөдлөл шууд нөлөөлж буй тусагдахууныг илэрхийлэх нөхцөл.

• **준비하다 (Үйл Үг)** : 미리 마련하여 갖추다.
  бэлтгэх, базаах, төхөөрөх
  урьдчилан бэлтгэн авах.

• **-여야 하다** : 앞에 오는 말이 어떤 일을 하거나 어떤 상황에 이르기 위한 의무적인 행동이거나 필수적
  인 조건임을 나타내는 표현.
  Тохирох Үг хэллэг байхгҮй байна
  өмнө хэлж байгаа Үг нь ямар нэг ажлыг хийх болон ямар нэг нөхцөл байдалд
  хҮрэхийн тулд хийх хэрэгтэй албан ҮҮргийн Үйлдэл буюу зайлшгҮй шаардлага
  болохыг илэрхийлдэг Үг хэллэг.

• **-ㄹ까요** : (두루높임으로) 듣는 사람에게 의견을 묻거나 제안함을 나타내는 표현.
  Тохирох Үг хэллэг байхгҮй байна
  (хҮндэтгэлийн энгийн Үг хэллэг) сонсч буй хҮний санаа бодлыг асуух буюу сонсч буй
  хҮнд аливаа зҮйлийг санал болгоход хэрэглэдэг илэрхийлэл.

먼저 여권+을 준비하+고 환전+도 하+[여야 하]+여요.
해야 해요

• **먼저 (дайвар Үг)** : 시간이나 순서에서 앞서.
  эхлээд, тҮрҮҮнд, эхэнд, манлайд
  цаг хугацаа, дэс дарааллын эхэн тҮрҮҮ.

• **여권 (нэр Үг)** : 다른 나라를 여행하는 사람의 신분이나 국적을 증명하고, 여행하는 나라에 그 사람의
  보호를 맡기는 문서.
  гадаад паспорт
  өөр улс оронд аялаж буй хҮний биеийн байцаалт буюу иргэншлийг нотолдог, аялаж
  буй оронд тухайн хҮний аюулгҮй байдлыг даатгасан бичиг баримт.

• 을 : 동작이 직접적으로 영향을 미치는 대상을 나타내는 조사.
  -ыг/-ийг/-г
  Үйл хөдлөл шууд нөлөөлж буй тусагдахууныг илэрхийлэх нөхцөл.

• **준비하다 (Үйл Үг)** : 미리 마련하여 갖추다.
  бэлтгэх, базаах, төхөөрөх
  урьдчилан бэлтгэн авах.

- -고 : 두 가지 이상의 대등한 사실을 나열할 때 쓰는 연결 어미.

  Тохирох үг хэллэг байхгүй байна

  хоёроос дээш тооны хэрэг явдлыг зэрэгцүүлэн холбоход хэрэглэдэг холбох нөхцөл.

- **환전 (нэр үг)** : 한 나라의 화폐를 다른 나라의 화폐와 맞바꿈.

  валют арилжаа, валют солих, мөнгө солих

  нэг улсын мөнгөн дэвсгэртийг өөр улсын мөнгөн дэвсгэртээр солих явдал.

- 도 : 이미 있는 어떤 것에 다른 것을 더하거나 포함함을 나타내는 조사.

  ч

  нэгэнт байгаа зүйл дээр өөр зүйлийг нэмэх буюу хамруулсныг илэрхийлж буй нөхцөл.

- **하다 (үйл үг)** : 어떤 행동이나 동작, 활동 등을 행하다.

  үйлдэх, хийх, гүйцэтгэх

  аливаа үйл хөдлөл, хөдөлгөөн, ажиллагаа зэргийг гүйцэтгэх.

- -여야 하다 : 앞에 오는 말이 어떤 일을 하거나 어떤 상황에 이르기 위한 의무적인 행동이거나 필수적 인 조건임을 나타내는 표현.

  Тохирох үг хэллэг байхгүй байна

  өмнө хэлж байгаа үг нь ямар нэг ажлыг хийх болон ямар нэг нөхцөл байдалд хүрэхийн тулд хийх хэрэгтэй албан үүргийн үйлдэл буюу зайлшгүй шаардлага болохыг илэрхийлдэг үг хэллэг.

- -여요 : (두루높임으로) 어떤 사실을 서술하거나 질문, 명령, 권유함을 나타내는 종결 어미.

  Тохирох үг хэллэг байхгүй байна

  (хүндэтгэлийн энгийн үг хэллэг) ямар нэгэн зүйлийг хүүрнэх, асуух, тушаах, уриалах явдлыг илэрхийлдэг төгсгөх нөхцөл. **<дүрслэл>**

< 대화(ярилцлага) > - 31

저 다음 달에 한국에 갑니다.
저 다음 다레 한구게 감니다.
jeo daeum dare hanguge gamnida.

어머, 그럼 우리 서울에서 볼 수 있겠네요?
어머, 그럼 우리 서우레서 볼 쑤 읻껜네요?
eomeo, geureom uri seoureseo bol su itgenneyo?

< 설명(тайлбар) / 번역(орчуулга) >

저 다음 달+에 한국+에 <u>가+ㅂ니다</u>.
갑니다

- 저 (төлөөний Yг) : 말하는 사람이 듣는 사람에게 자신을 낮추어 가리키는 말.
  би
  сонсож буй хҮнээ хҮндэтгэн өөрийгөө доошлуулж хэлэх Yг.

- 다음 (нэр Yг) : 어떤 차례에서 바로 뒤.
  дараагийн, дараах, дараа
  ямар нэгэн дэс дараалалд яг ардах.

- 달 (нэр Yг) : 일 년을 열둘로 나누어 놓은 기간.
  сар
  нэг жилийг арван хоёр хуваасан хугацаа.

- 에 : 앞말이 시간이나 때임을 나타내는 조사.
  -д/-т
  өмнөх Yг цаг хугацаа болохыг илэрхийлж буй нөхцөл.

- 한국 (нэр Yг) : 아시아 대륙의 동쪽에 있는 나라. 한반도와 그 부속 섬들로 이루어져 있으며, 대한민국 이라고도 부른다. 1950년에 일어난 육이오 전쟁 이후 휴전선을 사이에 두고 국토가 둘 로 나뉘었다. 언어는 한국어이고, 수도는 서울이다.
  Солонгос улс
  ЗҮҮн Азийн өмнөд хэсэгт оршдог улс. Солонгосын хойг болон тҮҮний эргэн тойрны арлуудаас бҮрдэх бөгөөд БҮгд Найрамдах Улс гэж ч нэрлэнэ. 1950 онд дэгдсэн Солонгосын дайны дараа гал тҮр зогсоох гэрээ байгуулж хоёр хуваагджээ. Албан ёсны хэл нь солонгос хэл, нийслэл нь СөҮл хот.

• 에 : 앞말이 목적지이거나 어떤 행위의 진행 방향임을 나타내는 조사.
 -руу/-рҮҮ, -луу/-лҮҮ
 өмнөх Үг зорьсон газар буюу ямар нэгэн Үйлийн чиглэлийг зааж байгаа болохыг илэр
 хийлж буй нөхцөл.

• 가다 (Үйл Үг) : 한 곳에서 다른 곳으로 장소를 이동하다.
 явах, очих
 нэг газраас нөгөө газар руу шилжиж хөдлөх явах.

• -ㅂ니다 : (아주높임으로) 현재의 동작이나 상태, 사실을 정중하게 설명함을 나타내는 종결 어미.
 Тохирох Үг хэллэг байхгҮй байна
 (дээдлэн хҮндэтгэх Үг хэллэг) одоогийн Үйлдэл буюу байдлыг ёсорхог байдлаар
 тайлбарлах явдлыг илэрхийлдэг төгсгөх нөхцөл.

어머, 그럼 우리 서울+에서 보+[ㄹ 수 있]+겠+네요?
볼 수 있겠네요

• 어머 (аялга Үг) : 주로 여자들이 예상하지 못한 일로 갑자기 놀라거나 감탄할 때 내는 소리.
 яанаа, пөөх, хөөх
 голдуу эмэгтэйчҮҮд гэнэтийн явдалд цочих буюу бахдан биширсэн Үед хэлэх аялга
 Үг.

• 그럼 (дайвар Үг) : 앞의 내용을 받아들이거나 그 내용을 바탕으로 하여 새로운 주장을 할 때 쓰는 말.
 тэгвэл, тийм бол
 өмнө өгҮҮлсэн зҮйлийг хҮлээн зөвшөөрөх буюу уг зҮйлд тулгуурлан шинэ бодол санаа
 илэрхийлэхэд хэрэглэдэг Үг.

• 우리 (төлөөний Үг) : 말하는 사람이 자기와 듣는 사람 또는 이를 포함한 여러 사람들을 가리키는 말.
 бид, манай, хэдҮҮлээ
 ярьж байгаа хҮн өөрөө болон тҮҮнийг сонсож байгаа хҮн, мөн энд хамрагдаж байгаа
 хэд хэдэн хҮнийг заах Үг.

• 서울 (нэр Үг) : 한반도 중앙에 있는 특별시. 한국의 수도이자 정치, 경제, 산업, 사회, 문화, 교통의 중
  심지이다. 북한산, 관악산 등의 산에 둘러싸여 있고 가운데로는 한강이 흐른다.
 СөҮл, СөҮл хот
 Солонгосын хойгийн төв хэсэгт байрлах хот. БНСУ-ын нийслэл бөгөөд улс төр, эдийн
 засаг, аж Үйлдвэр, нийгэм, соёл, зам тээврийн гол бҮс. БҮгханьсань уул, Гуанагань
 уул зэрэг уулсаар хҮрээлэгдсэн, дундуур нь Ханган мөрөн урсдаг.

• 에서 : 앞말이 행동이 이루어지고 있는 장소임을 나타내는 조사.
 -аас(-ээс, -оос, -өөс)
 өмнөх Үг нь Үйлдэл нь биелж буй газар болохыг илэрхийлдэг нөхцөл.

• 보다 (Үйл Үг) : 사람을 만나다.

уулзах

хҮнтэй уулзах.

• -ㄹ 수 있다 : 어떤 행동이나 상태가 가능함을 나타내는 표현.

-ж болох, -ж мэдэх

ямар нэгэн Үйл хөдлөл, байдал өрнөх боломжтой болохыг илэрхийлэх хэллэг.

• -겠- : 미래의 일이나 추측을 나타내는 어미.

Тохирох Үг хэллэг байхгҮй байна

ирээдҮйн явдал буюу таамаглалыг илэрхийлдэг нөхцөл.

• -네요 : (두루높임으로) 말하는 사람이 추측하거나 짐작한 내용에 대해 듣는 사람에게 동의를 구하며 물
을 때 쓰는 표현.

Тохирох Үг хэллэг байхгҮй байна

(хҮндэтгэлийн энгийн Үг хэллэг) өгҮҮлэгч таамаглаж, тааварласан зҮйлийнхээ талаар
сонсч байгаа хҮнээсээ зөвшөөрөл хҮсэн асуухад хэрэглэдэг хэлбэр.

< 대화(ярилцлага) > - 32

매일 만드는 대로 요리했는데 오늘은 평소보다 맛이 없는 것 같아요.
매일 만드는 대로 요리핸는데 오느른 평소보다 마시 엄는 걷 가타요.
maeil mandeuneun daero yorihaenneunde oneureun pyeongsoboda masi eomneun geot gatayo.

아니에요. 맛있어요. 잘 먹을게요.
아니에요. 마시써요. 잘 머글께요.
anieyo. masisseoyo. jal meogeulgeyo.

< 설명(тайлбар) / 번역(орчуулга) >

매일 만들(만드)+[는 대로] 요리하+였+는데
　　　만드는 대로　　　요리했는데

오늘+은 평소+보다 맛+이 없+[는 것 같]+아요.

• 매일 (дайвар Үг) : 하루하루마다 빠짐없이.
  өдөр бүр
  өдөр бүр тасралтгүй.

• 만들다 (Үйл Үг) : 힘과 기술을 써서 없던 것을 생기게 하다.
  хийх, бүтээх, бий болгох
  хүч болон ур дүйгээ ашиглаж байхгүй зүйлийг бий болгох.

• -는 대로 : 앞에 오는 말이 뜻하는 현재의 행동이나 상황과 같음을 나타내는 표현.
  Тохирох Үг хэллэг байхгүй байна
  өмнөх үгийн утга нь өнөөгийн үйл болон байдалтай адилаар гэсэн утгыг илэрхийлдэг үг хэллэг.

• 요리하다 (Үйл Үг) : 음식을 만들다.
  хоол хийх
  хоол унд хийх.

• -였- : 어떤 사건이 과거에 완료되었거나 그 사건의 결과가 현재까지 지속되는 상황을 나타내는 어미.
  Тохирох Үг хэллэг байхгүй байна
  ямар нэгэн үйл явдал өнгөрсөн цагт төгссөн буюу тухайн үйл явдлын үр дүн өнөөг хүртэл үргэлжилж буй байдлыг илэрхийлдэг нөхцөл.

• -는데 : 뒤의 말을 하기 위하여 그 대상과 관련이 있는 상황을 미리 말함을 나타내는 연결 어미.

Тохирох Үг хэллэг байхгүй байна

арын агуулгыг ярихын тулд тухайн зүйлтэй холбоотой нөхцөл байдлыг урьдчилан хэлж буйг илэрхийлдэг холбох нөхцөл.

• 오늘 (нэр үг) : 지금 지나가고 있는 이날.

өнөөдөр

одоо өнгөрөн одож буй энэ өдөр.

• 은 : 어떤 대상이 다른 것과 대조됨을 나타내는 조사.

бол

ямар нэгэн зүйл өөр зүйлтэй харьцуулагдаж байгааг илэрхийлдэг нөхцөл.

• 평소 (нэр үг) : 특별한 일이 없는 보통 때.

энгийн үе

онцгой ажил хэрэг байхгүй энгийн үе.

• 보다 : 서로 차이가 있는 것을 비교할 때, 비교의 대상이 되는 것을 나타내는 조사.

-аас, -ээс, -оос, -өөс

хоорондоо ялгаатай зүйлийг харьцуулах үед харьцуулж буй зүйлийг илэрхийлдэг нэрийн нөхцөл.

• 맛 (нэр үг) : 음식 등을 혀에 댈 때 느껴지는 감각.

амт

хоол ундыг хэлэнд хүргэхэд мэдрэгдэх мэдрэмж.

• 이 : 어떤 상태나 상황의 대상이나 동작의 주체를 나타내는 조사.

Тохирох үг хэллэг байхгүй байна

ямар нэгэн төлөв, байдлын субьект, мөн үйл хөдлөлийн эзэн болохыг илэрхийлэх нөхцөл.

• 없다 (тэмдэг нэр) : 어떤 사실이나 현상이 현실로 존재하지 않는 상태이다.

-гүй, боломжгүй, байхгүй

ямар нэгэн үнэн юм уу үзэгдэл бодитоор оршдоггүй байдал.

• -는 것 같다 : 추측을 나타내는 표현.

Тохирох үг хэллэг байхгүй байна

таамаглалыг илэрхийлдэг үг хэллэг.

• -아요 : (두루높임으로) 어떤 사실을 서술하거나 질문, 명령, 권유함을 나타내는 종결 어미.

Тохирох үг хэллэг байхгүй байна

(хүндэтгэлийн энгийн үг хэллэг) ямар нэгэн зүйлийг хүүрнэх, асуух, тушаах, уриалах явдлыг илэрхийлдэг төгсгөх нөхцөл. <дүрслэл>

아니+에요.

맛있+어요.

잘 먹+을게요.

• **아니다 (тэмдэг нэр)** : 어떤 사실이나 내용을 부정하는 뜻을 나타내는 말.
  биш, үгүй
  ямар нэгэн үнэн зүйл болон агуулгыг үгүйсгэх утга заана.

• **-에요** : (두루높임으로) 어떤 사실을 서술하거나 질문함을 나타내는 종결 어미.
  Тохирох үг хэллэг байхгүй байна
  (хүндэтгэлийн энгийн үг хэллэг) ямар нэгэн зүйлийг хүүрнэх, асуух явдлыг илэрхийлдэг төгсгөх нөхцөл. **<дүрслэл>**

• **맛있다 (тэмдэг нэр)** : 맛이 좋다.
  амттай, амтлаг
  амт чанар сайн байх.

• **-어요** : (두루높임으로) 어떤 사실을 서술하거나 질문, 명령, 권유함을 나타내는 종결 어미.
  Тохирох үг хэллэг байхгүй байна
  (хүндэтгэлийн энгийн үг хэллэг) ямар нэгэн зүйлийг хүүрнэх, асуух, тушаах, уриалах явдлыг илэрхийлдэг төгсгөх нөхцөл. **<дүрслэл>**

• **잘 (дайвар үг)** : 충분히 만족스럽게.
  сайн
  маш сэтгэл хангалуун.

• **먹다 (үйл үг)** : 음식 등을 입을 통하여 배 속에 들여보내다.
  идэх
  хоол хүнс зэргийг амаар дамжуулан гэдсэндээ хийх.

• **-을게요** : (두루높임으로) 말하는 사람이 어떤 행동을 할 것을 듣는 사람에게 약속하거나 의지를 나타내는 표현.
  Тохирох үг хэллэг байхгүй байна
  (хүндэтгэлийн энгийн үг хэллэг) өгүүлэгч ямар нэг үйл хийхээ сонсч байгаа хүнд амлах болон мэдэгдэхийг илэрхийлдэг үг хэллэг.

< 대화(ярилцлага) > - 33

지아야, 여행 잘 다녀와. 전화하고.
지아야, 여행 잘 다녀와. 전화하고.
jiaya, yeohaeng jal danyeowa. jeonhwahago.

네, 호텔에 도착하는 대로 전화 드릴게요.
네, 호테레 도차카는 대로 전화 드릴께요.
ne, hotere dochakaneun daero jeonhwa deurilgeyo.

< 설명(тайлбар) / 번역(орчуулга) >

지아+야, 여행 잘 다녀오+아.
　　　　　　　　다녀와

전화하+고.

- 지아 (нэр үг) : нэр

- 야 : 친구나 아랫사람, 동물 등을 부를 때 쓰는 조사.
  -аа (-ээ, -оо, -өө), хөөе
  найз, өөрөөсөө дүү хүн, амьтан дуудахад хэрэглэдэг нөхцөл.

- 여행 (нэр үг) : 집을 떠나 다른 지역이나 외국을 두루 구경하며 다니는 일.
  аялал, жуулчлал
  гэрээ орхин, өөр газар нутаг, гадаад орон үзэж сонирхон явах.

- 잘 (дайвар үг) : 아무 탈 없이 편안하게.
  сайн
  ямар ч саад бэрхшээлгүй амар тайван.

- 다녀오다 (үйл үг) : 어떤 일을 하기 위해 갔다가 오다.
  яваад ирэх
  ямар нэгэн ажил хэргийг хийхийн тулд яваад ирэх.

- -아 : (두루낮춤으로) 어떤 사실을 서술하거나 물음, 명령, 권유를 나타내는 종결 어미.
  Тохирох Үг хэллэг байхгҮй байна
  (хҮндэтгэлийн бус энгийн Үг хэллэг) ямар нэгэн зҮйлийг дҮрслэх буюу асуулт,
  тушаал, зөвлөмж зэргийг илэрхийлдэг төгсгөх нөхцөл. <тушаал>

- 전화하다 (Үйл Үг) : 전화기를 통해 사람들끼리 말을 주고받다.
  утсаар ярих, утасдах
  утасны аппаратаар хҮмҮҮс хоорондоо ярих.

- -고 : (두루낮춤으로) 뒤에 올 또 다른 명령 표현을 생략한 듯한 느낌을 주면서 부드럽게 명령할 때 쓰
  는 종결 어미.
  Тохирох Үг хэллэг байхгҮй байна
  (хҮндэтгэлийн бус энгийн Үг хэллэг) дараа нь болох өөр тушаалыг товчлон хассан
  мэт мэдрэмж төрҮҮлэнгээ зөөлөн тушаах Үед хэрэглэдэг төгсгөх нөхцөл.

네, 호텔+에 도착하+[는 대로] 전화 드리+ㄹ게요.
드릴게요

- 네 (аялга Үг) : 윗사람의 물음이나 명령 등에 긍정하여 대답할 때 쓰는 말.
  тийм, тиймээ, за, мэдлээ, ойлголоо, тэгье
  ахмад хҮний асуулт, хҮсэлт даалгавар зэргийг зөвшөөрөн сонсож хариулах Үг.

- 호텔 (нэр Үг) : 시설이 잘 되어 있고 규모가 큰 고급 숙박업소.
  зочид буудал
  байгууламж нь сайтай, хэмжээ томтой, өндөр зэрэглэлийн хоноглох Үйлчилгээний
  газар.

- 에 : 앞말이 목적지이거나 어떤 행위의 진행 방향임을 나타내는 조사.
  -руу/-рҮҮ, -луу/-лҮҮ
  өмнөх Үг зорьсон газар буюу ямар нэгэн Үйлийн чиглэлийг зааж байгаа болохыг
  илэрхийлж буй нөхцөл.

- 도착하다 (Үйл Үг) : 목적지에 다다르다.
  хҮрэх
  зорьсон газраа очих.

- -는 대로 : 어떤 행동이나 상황이 나타나는 그때 바로, 또는 직후에 곧의 뜻을 나타내는 표현.
  Тохирох Үг хэллэг байхгҮй байна
  өмнө нь ямар нэгэн Үйлдэл буюу байдал илрэх яг тэр Үед, яг тҮҮний дараах хэмээх
  утгыг илэрхийлдэг Үг хэллэг.

•**전화 (нэр Yг)** : 전화기를 통해 사람들끼리 말을 주고받음. 또는 그렇게 하여 전달되는 내용.

　утсан яриа, утсаар ярих

　утсаар дамжуулан хYмYYсийн хоорондоо ярих Yйл. мөн тийм ярианы агуулга.

•**드리다 (Yйл Yг)** : 윗사람에게 어떤 말을 하거나 인사를 하다.

　айлтгах

　хYндэтгэлтэй хэн нэгэнд Yг хэлэх буюу тYYний мэндийг асуух.

•**-ㄹ게요** : (두루높임으로) 말하는 사람이 어떤 행동을 할 것을 듣는 사람에게 약속하거나 의지를 나타내
　　　는 표현.

　Тохирох Yг хэллэг байхгYй байна

　(хYндэтгэлийн энгийн Yг хэллэг) өгYYлэгч ямар нэгэн Yйл хийхээ сонсч буй хYндээ
　амлах буюу мэдэгдэж байгаагаа илэрхийлнэ.

< 대화(ярилцлага) > - 34

우리 이번 주말에 영화 보기로 했지?
우리 이번 주마레 영화 보기로 핻찌?
uri ibeon jumare yeonghwa bogiro haetji?

응. 그런데 날씨가 좋으니까 영화를 보는 대신에 공원에 놀러 갈까?
응. 그런데 날씨가 조으니까 영화를 보는 대시네 공워네 놀러 갈까?
eung. geureonde nalssiga joeunikka yeonghwareul boneun daesine gongwone nolleo galkka?

< 설명(тайлбар) / 번역(орчуулга) >

우리 이번 주말+에 영화 보+[기로 하]+였+지?
보기로 했지

- **우리 (төлөөний үг)** : 말하는 사람이 자기와 듣는 사람 또는 이를 포함한 여러 사람들을 가리키는 말.
  бид, манай, хэдүүлээ
  ярьж байгаа хүн өөрөө болон түүнийг сонсож байгаа хүн, мөн энд хамрагдаж байгаа хэд хэдэн хүнийг заах үг.

- **이번 (нэр үг)** : 곧 돌아올 차례. 또는 막 지나간 차례.
  энэ удаагийн
  удахгүй болох ээлж дараа. мөн дөнгөж сая өнгөрсөн дараалал.

- **주말 (нэр үг)** : 한 주일의 끝.
  долоо хоногийн сүүл
  долоо хоногийн сүүл.

- **에** : 앞말이 시간이나 때임을 나타내는 조사.
  -д/-т
  өмнөх үг цаг хугацаа болохыг илэрхийлж буй нөхцөл.

- **영화 (нэр үг)** : 일정한 의미를 갖고 움직이는 대상을 촬영하여 영사기로 영사막에 비추어서 보게 하는 종합 예술.
  кино
  тодорхой агуулгын дагуу хөдөлгөөнт зүйлийн зургийг авч, кино зургийн аппаратаар дэлгэцэнд гарган үзүүлдэг нэгдмэл урлаг.

• 보다 (Үйл Үг) : 눈으로 대상을 즐기거나 감상하다.
  Үзэж харах, Үзэн танилцах, авч Үзэх, харах, мэдрэх, харж мэдрэх
  нҮдээрээ юмыг харж таашаах буюу Үзэж сонирхох.

• -기로 하다 : 앞의 말이 나타내는 행동을 할 것을 결심하거나 약속함을 나타내는 표현.
  Тохирох Үг хэллэг байхгҮй байна
  өмнөх Үгийн илэрхийлж буй Үйлийг хийхээр шийдэх буюу амлаж байгааг илэрхийлдэг
  Үг хэллэг.

• -였- : 어떤 사건이 과거에 완료되었거나 그 사건의 결과가 현재까지 지속되는 상황을 나타내는 어미.
  Тохирох Үг хэллэг байхгҮй байна
  ямар нэгэн Үйл явдал өнгөрсөн цагт төгссөн буюу тухайн Үйл явдлын Үр дҮн өнөөг
  хҮртэл Үргэлжилж буй байдлыг илэрхийлдэг нөхцөл.

• -지 : (두루낮춤으로) 이미 알고 있는 것을 다시 확인하듯이 물을 때 쓰는 종결 어미.
  Тохирох Үг хэллэг байхгҮй байна
  (хҮндэтгэлийн бус энгийн Үг хэллэг) хэдийн мэдэж байгаа зҮйлийн талаар лавлах
  мэтээр асуухад хэрэглэдэг төгсгөх нөхцөл.

응.

그런데 날씨+가 좋+으니까 영화+를 보+[는 대신에] 공원+에 놀+러 <u>가+ㄹ까</u>?
갈까

• 응 (аялга Үг) : 상대방의 물음이나 명령 등에 긍정하여 대답할 때 쓰는 말.
  за, тиймээ, тэгье
  харилцагч хҮн юм асуух, захиран хҮсэх Үгэнд зөвшөөрөн хариулах Үг.

• 그런데 (дайвар Үг) : 이야기를 앞의 내용과 관련시키면서 다른 방향으로 바꿀 때 쓰는 말.
  гэхдээ
  яриаг өмнөх агуулгатай холбонгоо өөр тийш нь хандуулахад хэрэглэдэг Үг.

• 날씨 (нэр Үг) : 그날그날의 기온이나 공기 중에 비, 구름, 바람, 안개 등이 나타나는 상태.
  цаг агаар
  тухайн өдрийн уур амьсгал болон агаарт бороо, цас, ҮҮл, салхи, манан зэрэг ҮҮсэн
  бий болсон байдал.

• 가 : 어떤 상태나 상황에 놓인 대상이나 동작의 주체를 나타내는 조사.
  Тохирох Үг хэллэг байхгҮй байна
  ямар нэгэн төлөв, байдлын субьект, мөн Үйл хөдлөлийн эзэн болохыг илэрхийлэх
  нөхцөл.

- **좋다 (тэмдэг нэр)** : 날씨가 맑고 화창하다.

  сайхан

  цаг агаар цэлмэг, нарлаг.

- **-으니까** : 뒤에 오는 말에 대하여 앞에 오는 말이 원인이나 근거, 전제가 됨을 강조하여 나타내는 연결
  어미.

  Тохирох Үг хэллэг байхгүй байна

  ард ирэх Үгийн талаар өмнө ирэх Үг нь учир шалтгаан буюу болзол болохыг
  илэрхийлдэг холбох нөхцөл.

- **영화 (нэр Үг)** : 일정한 의미를 갖고 움직이는 대상을 촬영하여 영사기로 영사막에 비추어서 보게 하는
  종합 예술.

  кино

  тодорхой агуулгын дагуу хөдөлгөөнт зҮйлийн зургийг авч, кино зургийн аппаратаар
  дэлгэцэнд гарган Үзүүлдэг нэгдмэл урлаг.

- **를** : 동작이 직접적으로 영향을 미치는 대상을 나타내는 조사.

  -ыг/-ийг/-г

  Үйл хөдлөл шууд нөлөөлж буй тусагдахууныг илэрхийлэх нөхцөл.

- **보다 (Үйл Үг)** : 눈으로 대상을 즐기거나 감상하다.

  Үзэж харах, Үзэн танилцах, авч Үзэх, харах, мэдрэх, харж мэдрэх

  нҮдээрээ юмыг харж таашаах буюу Үзэж сонирхох.

- **-는 대신에** : 앞에 오는 말이 나타내는 행동이나 상태를 비슷하거나 맞먹는 다른 행동이나 상태로 바꾸
  는 것을 나타내는 표현.

  Тохирох Үг хэллэг байхгүй байна

  өмнөх байдал буюу Үйлдэлтэй харилцан нийцэх эсвэл өөр зҮйлээр нөхөж болохыг
  илэрхийлдэг Үг хэллэг.

- **공원 (нэр Үг)** : 사람들이 놀고 쉴 수 있도록 풀밭, 나무, 꽃 등을 가꾸어 놓은 넓은 장소.

  цэцэрлэгт хҮрээлэн

  хҮмҮҮс амарч зугаацах боломжтой зҮлэг, мод, цэцэг зэргийг тарьж тохижуулсан өргөн
  талбайтай газар.ор.

- **에** : 앞말이 목적지이거나 어떤 행위의 진행 방향임을 나타내는 조사.

  -руу/-рҮҮ, -луу/-лҮҮ

  өмнөх Үг зорьсон газар буюу ямар нэгэн Үйлийн чиглэлийг зааж байгаа болохыг
  илэрхийлж буй нөхцөл.

- **놀다 (Үйл Үг)** : 놀이 등을 하면서 재미있고 즐겁게 지내다.

  тоглох, зугаацах, хөгжилдөх, наадах, цагийг зугаатай өнгөрҮҮлэх

  тоглоом наадам тоглож сонирхолтой, хөгжилтэй өнгөрҮҮлэх.

• -러 : 가거나 오거나 하는 동작의 목적을 나타내는 연결 어미.
Тохирох Үг хэллэг байхгүй байна
явах буюу ирэх үйлдлийн зорилгыг илэрхийлдэг холбох нөхцөл.

• **가다 (Үйл Үг)** : 어떤 목적을 가지고 일정한 곳으로 움직이다.
очих, зорих
ямар нэг зорилгоор тодорхой нэг газар руу хөдөлж явах.

• -ㄹ까 : (두루낮춤으로) 듣는 사람의 의사를 물을 때 쓰는 종결 어미.
Тохирох Үг хэллэг байхгүй байна
(хүндэтгэлийн бус энгийн үг хэллэг) өгүүлэгчийн бодол санаа, таамгийг илэрхийлэх буюу нөгөө хүний санал бодлыг асуух үед хэрэглэдэг төгсгөх нөхцөл.

< 대화(ярилцлага) > - 35

열 시가 다 돼 가는데도 지우가 집에 안 들어오네요.
열 시가 다 돼 가는데도 지우가 지베 안 드러오네요.
yeol siga da dwae ganeundedo jiuga jibe an deureooneyo.

벌써 시간이 그렇게 됐네요. 제가 전화해 볼게요.
벌써 시가니 그러케 됐네요. 제가 전화해 볼께요.
beolsseo sigani geureoke dwaenneyo. jega jeonhwahae bolgeyo.

< 설명(тайлбар) / 번역(орчуулга) >

열 시+가 다 <u>되+[어 가]</u>+는데도 지우+가 집+에 안 들어오+네요.
돼 가는데도

- **열 (тодотгол Үг)** : 아홉에 하나를 더한 수의.
  арван
  ес дээр нэгийг нэмсэн тооны.

- **시 (нэр Үг)** : 하루를 스물넷으로 나누었을 때 그 하나를 나타내는 시간의 단위.
  цаг
  нэг өдрийг хорин дөрвөн цагт хуваахад түүний нэг цагийг илэрхийлдэг цагийн нэгж.

- **가** : 바뀌게 되는 대상이나 부정하는 대상임을 나타내는 조사.
  Тохирох Үг хэллэг байхгүй байна
  өөрчлөгдсөн, мөн үгүйсгэсэн зүйл болохыг илэрхийлдэг нэрийн нөхцөл.

- **다 (дайвар Үг)** : 행동이나 상태의 정도가 한정된 정도에 거의 가깝게.
  бараг
  үйл хөдлөл буюу байр байдлын хэр хэмжээ тодорхой заагт бараг ойрхон.

- **되다 (Үйл Үг)** : 어떤 때나 시기, 상태에 이르다.
  болох
  ямар нэгэн цаг үе буюу нөхцөл байдалд хүрэх.

- **-어 가다** : 앞의 말이 나타내는 행동이나 상태가 계속 진행됨을 나타내는 표현.
  Тохирох Үг хэллэг байхгүй байна
  өмнөх үгийн илэрхийлж буй үйлдэл буюу байдал нь үргэлжлэх явдлыг илэрхийлдэг үг хэллэг.

• -는데도 : 앞에 오는 말이 나타내는 상황에 상관없이 뒤에 오는 말이 나타내는 상황이 일어남을 나타내
는 표현.
Тохирох Үг хэллэг байхгүй байна
өмнөх байдлаас хамааралгүйгээр дараах байдал болсныг илэрхийлдэг Үг хэллэг.

• **지우 (нэр Үг)** : нэр

• **가** : 어떤 상태나 상황에 놓인 대상이나 동작의 주체를 나타내는 조사.
Тохирох Үг хэллэг байхгүй байна
ямар нэгэн төлөв, байдлын субьект, мөн Үйл хөдлөлийн эзэн болохыг илэрхийлэх
нөхцөл.

• **집 (нэр Үг)** : 사람이나 동물이 추위나 더위 등을 막고 그 속에 들어 살기 위해 지은 건물.
гэр, сууц, Үүр
хүн, амьтан халуун хүйтнээс хоргодох ба дотор нь амьдрахын тулд барьсан зүйл.

• **에** : 앞말이 목적지이거나 어떤 행위의 진행 방향임을 나타내는 조사.
-руу/-рүү, -луу/-лүү
өмнөх Үг зорьсон газар буюу ямар нэгэн Үйлийн чиглэлийг зааж байгаа болохыг
илэрхийлж буй нөхцөл.

• **안 (дайвар Үг)** : 부정이나 반대의 뜻을 나타내는 말.
эс, Үл, Үгүй, -гүй
сөрөг буюу эсрэг утгыг илэрхийлдэг Үг.

• **들어오다 (Үйл Үг)** : 어떤 범위의 밖에서 안으로 이동하다.
орох, орж ирэх
ямар нэг хүрээний гаднаас дотогш шилжин хөдлөх.

• -네요 : (두루높임으로) 말하는 사람이 직접 경험하여 새롭게 알게 된 사실에 대해 감탄함을 나타낼 때
쓰는 표현.
Тохирох Үг хэллэг байхгүй байна
(хүндэтгэлийн энгийн Үг хэллэг) өгүүлэгч өөрийн биеэр Үзэж өнгөрүүлж, шинээр
мэдсэн зүйлийнхээ талаар гайхан биширч байгааг илэрхийлэхэд хэрэглэдэг хэлбэр.

벌써 시간+이 그렇+[게 되]+었+네요.
그렇게 됐네요

제+가 전화하+[여 보]+ㄹ게요.
전화해 볼게요

- **벌써 (дайвар Үг)** : 생각보다 빠르게.
  хэдийнээ, аль хэдийнээ, бүр
  бодсоноос илүү хурдан.

- **시간 (нэр Үг)** : 어떤 일을 하도록 정해진 때. 또는 하루 중의 어느 한 때.
  цаг, үе, хугацаа
  ямар нэгэн юмыг хийхээр тогтсон үе. мөн өдрийн аль нэг үе.

- **이** : 어떤 상태나 상황의 대상이나 동작의 주체를 나타내는 조사.
  Тохирох үг хэллэг байхгүй байна
  ямар нэгэн төлөв, байдлын субьект, мөн үйл хөдлөлийн эзэн болохыг илэрхийлэх нөхцөл.

- **그렇다 (тэмдэг нэр)** : 상태, 모양, 성질 등이 그와 같다.
  тийм, тиймэрхүү
  нөхцөл байдал, хэлбэр дүрс, шинж чанар нь дараагийн хэлсэн үгтэй адил байх.

- **-게 되다** : 앞의 말이 나타내는 상태나 상황이 됨을 나타내는 표현.
  Тохирох үг хэллэг байхгүй байна
  өмнөх үгийн илэрхийлж буй нөхцөл байдал үүсэх буюу тийм байдалд хүрэх явдлыг илэрхийлдэг үг хэллэг.

- **-었-** : 어떤 사건이 과거에 완료되었거나 그 사건의 결과가 현재까지 지속되는 상황을 나타내는 어미.
  Тохирох үг хэллэг байхгүй байна
  ямар нэгэн хэрэг явдал өнгөрсөн үед болж өнгөрсөн буюу тухайн үйлийн үр дүн өнөөг хүртэл үргэлжилж буй нөхцөл байдлыг илэрхийлдэг нөхцөл.

- **-네요** : (두루높임으로) 말하는 사람이 직접 경험하여 새롭게 알게 된 사실에 대해 감탄함을 나타낼 때 쓰는 표현.
  Тохирох үг хэллэг байхгүй байна
  (хүндэтгэлийн энгийн үг хэллэг) өгүүлэгч өөрийн биеэр үзэж өнгөрүүлж, шинээр мэдсэн зүйлийнхээ талаар гайхан биширч байгааг илэрхийлэхэд хэрэглэдэг хэлбэр.

- **제 (төлөөний үг)** : 말하는 사람이 자신을 낮추어 가리키는 말인 '저'에 조사 '가'가 붙을 때의 형태.
  би
  ярьж буй хүн өөрийгөө доошлуулж хэлдэг үг '저' дээр нөхцөл '가' залгасан хэлбэр.

• 가 : 어떤 상태나 상황에 놓인 대상이나 동작의 주체를 나타내는 조사.

Тохирох Үг хэллэг байхгҮй байна

ямар нэгэн төлөв, байдлын субьект, мөн Үйл хөдлөлийн эзэн болохыг илэрхийлэх нөхцөл.

• **전화하다 (Үйл Үг)** : 전화기를 통해 사람들끼리 말을 주고받다.

утсаар ярих, утасдах

утасны аппаратаар хҮмҮҮс хоорондоо ярих.

• -여 보다 : 앞의 말이 나타내는 행동을 시험 삼아 함을 나타내는 표현.

Тохирох Үг хэллэг байхгҮй байна

өмнөх Үгийн илэрхийлж буй Үйлдлийг туршиж Үзэх явдлыг илэрхийлдэг Үг хэллэг.

• -ㄹ게요 : (두루높임으로) 말하는 사람이 어떤 행동을 할 것을 듣는 사람에게 약속하거나 의지를 나타내는 표현.

Тохирох Үг хэллэг байхгҮй байна

(хҮндэтгэлийн энгийн Үг хэллэг) өгҮҮлэгч ямар нэгэн Үйл хийхээ сонсч буй хҮндээ амлах буюу мэдэгдэж байгаагаа илэрхийлнэ.

< 대화(ярилцлага) > - 36

친구들이랑 여행 갈 건데 너도 갈래?
친구드리랑 여행 갈 건데 너도 갈래?
chingudeurirang yeohaeng gal geonde neodo gallae?

저도 가도 돼요? 어디로 가는데요? 혹시 제주도로 가요?
저도 가도 돼요? 어디로 가는데요? 혹씨 제주도로 가요?
jeodo gado dwaeyo? eodiro ganeundeyo? hoksi jejudoro gayo?

< 설명(тайлбар) / 번역(орчуулга) >

친구+들+이랑 여행 <u>가+[ㄹ 것(거)]+(이)+ㄴ데</u> 너+도 <u>가+ㄹ래</u>?
　　　　　　　　　　갈 건데　　　　　　　　　　갈래

- **친구 (нэр Үг)** : 사이가 가까워 서로 친하게 지내는 사람.
  найз, анд нөхөр
  харилцаа ойртой хоорондоо дотно нөхөрлөдөг хүн.

- **들** : '복수'의 뜻을 더하는 접미사.
  Тохирох Үг хэллэг байхгүй байна
  олон тооны утга нэмдэг дагавар.

- **이랑** : 어떤 일을 함께 하는 대상임을 나타내는 조사.
  -тай (-тэй, -той)
  ямар нэгэн үйлийг хамт хийж буй хүнийг зааж буй нөхцөл.

- **여행 (нэр Үг)** : 집을 떠나 다른 지역이나 외국을 두루 구경하며 다니는 일.
  аялал, жуулчлал
  гэрээ орхин, өөр газар нутаг, гадаад орон үзэж сонирхон явах.

- **가다 (Үйл Үг)** : 어떤 일을 하기 위해서 다른 곳으로 이동하다.
  шилжих, явах
  ямар нэг үйлийг хийхийн тулд өөр тийш шилжих.

• -ㄹ 것 : 명사가 아닌 것을 문장에서 명사처럼 쓰이게 하거나 '이다' 앞에 쓰일 수 있게 할 때 쓰는 표현.

Тохирох Үг хэллэг байхгүй байна

нэр Үг биш боловч өгүүлбэрт нэр Үгийн үүргээр орж, өгүүлэгдэхүүн ба тусагдахуун гишүүний үүрэг гүйцэтгэх буюу '<ида>(байх)'-н өмнө орох боломжтой болгодог Үг хэллэг.

• 이다 : 주어가 지시하는 대상의 속성이나 부류를 지정하는 뜻을 나타내는 서술격 조사.

Тохирох Үг хэллэг байхгүй байна

эзэн биеийн зааж буй обьектын шинж чанар, төрөл зүйлийг тодорхойлох утгыг илэрхийлэх өгүүлэхүүний тийн ялгалын нөхцөл.

• -ㄴ데 : 뒤의 말을 하기 위하여 그 대상과 관련이 있는 상황을 미리 말함을 나타내는 연결 어미.

Тохирох Үг хэллэг байхгүй байна

дараагийн агуулгаар үргэлжлүүлэн ярихын тулд тухайн зүйлтэй холбоотой нөхцөл байдлыг урьдчилан хэлж буйг илэрхийлдэг холбох нөхцөл.

• 너 (**төлөөний Үг**) : 듣는 사람이 친구나 아랫사람일 때, 그 사람을 가리키는 말.

чи

сонсогч нь найз буюу дүү байх тохиолдолд, тухайн хүнийг заадаг Үг.

• 도 : 이미 있는 어떤 것에 다른 것을 더하거나 포함함을 나타내는 조사.

ч

нэгэнт байгаа зүйл дээр өөр зүйлийг нэмэх буюу хамруулсныг илэрхийлж буй нөхцөл.

• 가다 (**Үйл Үг**) : 어떤 일을 하기 위해서 다른 곳으로 이동하다.

шилжих, явах

ямар нэг үйлийг хийхийн тулд өөр тийш шилжих.

• -ㄹ래 : (두루낮춤으로) 앞으로 어떤 일을 하려고 하는 자신의 의사를 나타내거나 그 일에 대하여 듣는 사람의 의사를 물어봄을 나타내는 종결 어미.

Тохирох Үг хэллэг байхгүй байна

(хүндэтгэлийн бус энгийн Үг хэллэг) цаашид ямар нэгэн зүйл хийж гэж байгаа өөрийн санал бодлыг илэрхийлэх буюу тухайн зүйлийн талаар сонсч буй хүний санал бодлыг асууж байгааг илэрхийлдэг төгсгөх нөхцөл.

저+도 <u>가</u>+[<u>(아)도 되]</u>+어요?

가도 돼요

어디+로 가+는데요?

혹시 제주도+로 <u>가</u>+(아)요?

가요

- **저 (төлөөний үг)** : 말하는 사람이 듣는 사람에게 자신을 낮추어 가리키는 말.
  би
  сонсож буй хүнээ хүндэтгэн өөрийгөө доошлуулж хэлэх үг.

- **도** : 이미 있는 어떤 것에 다른 것을 더하거나 포함함을 나타내는 조사.
  ч
  нэгэнт байгаа зүйл дээр өөр зүйлийг нэмэх буюу хамруулсныг илэрхийлж буй нөхцөл.

- **가다 (үйл үг)** : 어떤 일을 하기 위해서 다른 곳으로 이동하다.
  шилжих, явах
  ямар нэг үйлийг хийхийн тулд өөр тийш шилжих.

- **-아도 되다** : 어떤 행동에 대한 허락이나 허용을 나타낼 때 쓰는 표현.
  Тохирох үг хэллэг байхгүй байна
  ямар нэг үйл хөдлөлийн талаарх зөвшөөрөл болон хүлээн зөвшөөрөх утгыг
  илэрхийлэхэд хэрэглэдэг илэрхийлэл.

- **-어요** : (두루높임으로) 어떤 사실을 서술하거나 질문, 명령, 권유함을 나타내는 종결 어미.
  Тохирох үг хэллэг байхгүй байна
  (хүндэтгэлийн энгийн үг хэллэг) ямар нэгэн зүйлийг хүүрнэх, асуух, тушаах, уриалах
  явдлыг илэрхийлдэг төгсгөх нөхцөл. <асуулт>

- **어디 (төлөөний үг)** : 모르는 곳을 가리키는 말.
  хаана
  мэдэхгүй нэгэн газар.

- **로** : 움직임의 방향을 나타내는 조사.
  -руу/-рүү, -луу/-лүү
  хөдөлгөөний зүг чигийг илэрхийлж буй нөхцөл.

- **가다 (үйл үг)** : 어떤 일을 하기 위해서 다른 곳으로 이동하다.
  шилжих, явах
  ямар нэг үйлийг хийхийн тулд өөр тийш шилжих.

- -는데요 : (두루높임으로) 듣는 사람에게 어떤 대답을 요구할 때 쓰는 표현.

  Тохирох Үг хэллэг байхгүй байна

  (хүндэтгэлийн энгийн үг хэллэг) сонсогч этгээдээс ямар нэгэн хариулт шаардахад хэрэглэдэг илэрхийлэл.

- **혹시 (дайвар үг)** : 그러리라 생각하지만 분명하지 않아 말하기를 망설일 때 쓰는 말.

  магадгүй

  тийм гэж бодож байгаа боловч тодорхой мэдэхгүй учир ярих үедээ эргэлзэхэд хэрэглэдэг үг.

- **제주도 (нэр үг)** : 한국 서남해에 있는 화산섬. 한국에서 가장 큰 섬으로 화산 활동 지형의 특색이 잘 드러나 있어 관광 산업이 발달하였다. 해녀, 말, 귤이 유명하다.

  Жэжү арал

  Өмнөд Солонгосын баруун өмнөд далайд байрлах галт уулт арал. Солонгосын хамгийн том арал бөгөөд галт уулын өнгө үзэмж нь үзэсгэлэн төгөлдөр, аялал жуулчлал ихээр хөгжсөн. далайд шумбагч эмэгтэй, морь, бэрсүүт жүржээрээ алдартай.

- 로 : 움직임의 방향을 나타내는 조사.

  -руу/-рүү, -луу/-лүү

  хөдөлгөөний зүг чигийг илэрхийлж буй нөхцөл.

- **가다 (үйл үг)** : 어떤 일을 하기 위해서 다른 곳으로 이동하다.

  шилжих, явах

  ямар нэг үйлийг хийхийн тулд өөр тийш шилжих.

- -아요 : (두루높임으로) 어떤 사실을 서술하거나 질문, 명령, 권유함을 나타내는 종결 어미.

  Тохирох үг хэллэг байхгүй байна

  (хүндэтгэлийн энгийн үг хэллэг) ямар нэгэн зүйлийг хүүрнэх, асуух, тушаах, уриалах явдлыг илэрхийлдэг төгсгөх нөхцөл. <асуулт>

< 대화(ярилцлага) > - 37

요새 아르바이트하느라 힘들지 않니?
요새 아르바이트하느라 힘들지 안니?
yosae areubaiteuhaneura himdeulji anni?

네. 아르바이트를 하면 경험을 쌓는 동시에 돈도 벌 수 있어서 좋아요.
네. 아르바이트를 하면 경허믈 싼는 동시에 돈도 벌 쑤 이써서 조아요.
ne. areubaiteureul hamyeon gyeongheomeul ssanneun dongsie dondo beol su isseoseo joayo.

< 설명(тайлбар) / 번역(орчуулга) >

요새 아르바이트하+느라 힘들+[지 않]+니?

- **요새 (нэр Yг)** : 얼마 전부터 이제까지의 매우 짧은 동안.
сҮҮлийн Yед, ойрд
саяханаас өнөөдрийг хYртэлх маш богино хугацаа.

- **아르바이트하다 (Yйл Yг)** : 짧은 기간 동안 돈을 벌기 위해 자신의 본업 외에 임시로 하는 일을 하다.
цагаар ажиллах, цагийн ажил хийх
богино хугацаанд мөнгө олох зорилгоор өөрийн гол ажлаас гадна тYр хийх ажил хийх.

- **-느라** : 앞에 오는 말이 나타내는 행동이 뒤에 오는 말의 목적이나 원인이 됨을 나타내는 연결 어미.
Тохирох Yг хэллэг байхгYй байна
өмнөх Yгийн илэрхийлж буй Yйлдэл ард ирэх Yгийн зорилго, учир шалтгаан болохыг илэрхийлдэг холбох нөхцөл.

- **힘들다 (тэмдэг нэр)** : 힘이 많이 쓰이는 면이 있다.
хэцYY, бэрх
хYч их зарцуулагдах.

- **-지 않다** : 앞의 말이 나타내는 행위나 상태를 부정하는 뜻을 나타내는 표현.
Тохирох Yг хэллэг байхгYй байна
өмнөх Yгийн илэрхийлж буй Yйлдэл буюу байдлыг YгYйсгэх утгыг илэрхийлдэг Yг хэллэг.

- **-니** : (아주낮춤으로) 물음을 나타내는 종결 어미.
Тохирох Yг хэллэг байхгYй байна
(огт хYндэтгэлгYй Yг хэллэг) асуултыг илэрхийлдэг төгсгөх нөхцөл.

네.

아르바이트+를 하+면 경험+을 쌓+[는 동시에]

돈+도 벌(버)+[ㄹ 수 있]+어서 좋+아요.
　　　　벌 수 있어서

- 네 (аялга Үг) : 윗사람의 물음이나 명령 등에 긍정하여 대답할 때 쓰는 말.
  тийм, тиймээ, за, мэдлээ, ойлголоо, тэгье
  ахмад хүний асуулт, хүсэлт даалгавар зэргийг зөвшөөрөн сонсож хариулах үг.

- 아르바이트 (нэр Үг) : 돈을 벌기 위해 자신의 본업 외에 임시로 하는 일.
  цагийн ажил, хөлсний ажил
  мөнгө олох зорилгоор өөрийн үндсэн ажлаас гадна түр хугацаанд хийдэг ажил.

- 를 : 동작이 직접적으로 영향을 미치는 대상을 나타내는 조사.
  -ыг/-ийг/-г
  үйл хөдлөл шууд нөлөөлж буй тусагдахууныг илэрхийлэх нөхцөл.

- 하다 (Үйл Үг) : 어떤 행동이나 동작, 활동 등을 행하다.
  үйлдэх, хийх, гүйцэтгэх
  аливаа үйл хөдлөл, хөдөлгөөн, ажиллагаа зэргийг гүйцэтгэх.

- -면 : 뒤에 오는 말에 대한 근거나 조건이 됨을 나타내는 연결 어미.
  Тохирох үг хэллэг байхгүй байна
  ард ирэх агуулгын талаарх учир шалтгаан буюу болзол болохыг илэрхийлдэг холбох нөхцөл.

- 경험 (нэр Үг) : 자신이 실제로 해 보거나 겪어 봄. 또는 거기서 얻은 지식이나 기능.
  туршлага, хийж үзэх, туршин үзэх, биеэрээ хийж үзэх, биеэрээ мэдрэх
  өөрөө бодитоор хийж үзэх буюу өөрөө биеэрээ туулах явдал. мөн түүнээс олсон мэдлэг, чадвар дадал.

- 을 : 동작이 직접적으로 영향을 미치는 대상을 나타내는 조사.
  -ыг/-ийг/-г
  үйл хөдлөл шууд нөлөөлж буй тусагдахууныг илэрхийлэх нөхцөл.

- 쌓다 (Үйл Үг) : 오랫동안 기술이나 경험, 지식 등을 많이 익히다.
  хуримтлуулах
  удаан хугацааны турш ур чадвар, туршлага, мэдлэг зэргийг ихээр хуримтлуулах.

- -는 동시에 : 앞에 오는 말과 뒤에 오는 말이 나타내는 행동이나 상태가 함께 일어남을 나타내는 표현.

  Тохирох Үг хэллэг байхгҮй байна

  өмнөх Үг ба ардах Үгийн илэрхийлж буй Үйлдэлтэй хамт өрнөх явдлыг илэрхийлдэг хэлбэр.

- **돈 (нэр Үг)** : 물건을 사고팔 때나 일한 값으로 주고받는 동전이나 지폐.

  мөнгө

  эд зҮйл худалдан авах буюу зарахад, мөн ажлын хөлсөнд өгч авалцдаг зоос болон цаасан дэвсгэрт.

- 도 : 이미 있는 어떤 것에 다른 것을 더하거나 포함함을 나타내는 조사.

  ч

  нэгэнт байгаа зҮйл дээр өөр зҮйлийг нэмэх буюу хамруулсныг илэрхийлж буй нөхцөл.

- **벌다 (Үйл Үг)** : 일을 하여 돈을 얻거나 모으다.

  олох, цуглуулах

  ажил хийж мөнгө олох буюу цуглуулах

- -ㄹ 수 있다 : 어떤 행동이나 상태가 가능함을 나타내는 표현.

  -ж болох, -ж мэдэх

  ямар нэгэн Үйл хөдлөл, байдал өрнөх боломжтой болохыг илэрхийлэх хэллэг.

- -어서 : 이유나 근거를 나타내는 연결 어미.

  Тохирох Үг хэллэг байхгҮй байна

  учир шалтгаан буюу Үндэслэлийг илэрхийлдэг холбох нөхцөл.

- **좋다 (тэмдэг нэр)** : 어떤 일이나 대상이 마음에 들고 만족스럽다.

  сайн, сайхан

  ямар нэгэн хэрэг явдал ба зҮйл сэтгэлд нийцэн хангалуун байх.

- -아요 : (두루높임으로) 어떤 사실을 서술하거나 질문, 명령, 권유함을 나타내는 종결 어미.

  Тохирох Үг хэллэг байхгҮй байна

  (хҮндэтгэлийн энгийн Үг хэллэг) ямар нэгэн зҮйлийг хҮҮрнэх, асуух, тушаах, уриалах явдлыг илэрхийлдэг төгсгөх нөхцөл. <дҮрслэл>

< 대화(ярилцлага) > - 38

저는 지금부터 청소를 할게요.
저는 지금부터 청소를 할께요.
jeoneun jigeumbuteo cheongsoreul halgeyo.

그럼, 시우 씨가 청소하는 동안 저는 장을 보러 다녀올게요.
그럼, 시우 씨가 청소하는 동안 저는 장을 보러 다녀올께요.
geureom, siu ssiga cheongsohaneun dongan jeoneun jangeul boreo danyeoolgeyo.

< 설명(тайлбар) / 번역(орчуулга) >

저+는 지금+부터 청소+를 <u>하</u>+ㄹ게요.
할게요

- **저 (төлөөний үг)** : 말하는 사람이 듣는 사람에게 자신을 낮추어 가리키는 말.
  би
  сонсож буй хүнээ хүндэтгэн өөрийгөө доошлуулж хэлэх үг.

- **는** : 문장 속에서 어떤 대상이 화제임을 나타내는 조사.
  Тохирох үг хэллэг байхгүй байна
  өгүүлбэрт ярианы сэдэв болж буйг илэрхийлдэг нөхцөл.

- **지금 (нэр үг)** : 말을 하고 있는 바로 이때.
  одоо, одоо цаг
  юм ярьж буй энэ цаг мөч.

- **부터** : 어떤 일의 시작이나 처음을 나타내는 조사.
  -аас, -ээс, -оос, -өөс
  ямар нэгэн ажлын эхлэлийг илэрхийлдэг нэрийн нөхцөл.

- **청소 (нэр үг)** : 더럽고 지저분한 것을 깨끗하게 치움.
  цэвэрлэгээ
  бохир заваан зүйлийг цэвэрлэх явдал.

- **를** : 동작이 직접적으로 영향을 미치는 대상을 나타내는 조사.
  -ыг/-ийг/-г
  үйл хөдлөл шууд нөлөөлж буй тусагдахууныг илэрхийлэх нөхцөл.

• 하다 (Үйл Үг) : 어떤 행동이나 동작, 활동 등을 행하다.

Үйлдэх, хийх, гүйцэтгэх

аливаа Үйл хөдлөл, хөдөлгөөн, ажиллагаа зэргийг гүйцэтгэх.

• -ㄹ게요 : (두루높임으로) 말하는 사람이 어떤 행동을 할 것을 듣는 사람에게 약속하거나 의지를 나타내
　　　　 는 표현.

Тохирох Үг хэллэг байхгүй байна

(хүндэтгэлийн энгийн Үг хэллэг) өгүүлэгч ямар нэгэн Үйл хийхээ сонсч буй хүндээ
амлах буюу мэдэгдэж байгаагаа илэрхийлнэ.

그럼, 시우 씨+가 청소하+[는 동안] 저+는 장+을 보+러 다녀오+ㄹ게요.
다녀올게요

• 그럼 (дайвар Үг) : 앞의 내용을 받아들이거나 그 내용을 바탕으로 하여 새로운 주장을 할 때 쓰는 말.

тэгвэл, тийм бол

өмнө өгүүлсэн зүйлийг хүлээн зөвшөөрөх буюу уг зүйлд тулгуурлан шинэ бодол санаа
илэрхийлэхэд хэрэглэдэг Үг.

• 시우 (нэр Үг) : нэр

• 씨 (нэр Үг) : 그 사람을 높여 부르거나 이르는 말.

гуай

тухайн хүнийг хүндэтгэн дуудах юмуу нэрлэх Үг.

• 가 : 어떤 상태나 상황에 놓인 대상이나 동작의 주체를 나타내는 조사.

Тохирох Үг хэллэг байхгүй байна

ямар нэгэн төлөв, байдлын субьект, мөн Үйл хөдлөлийн эзэн болохыг илэрхийлэх
нөхцөл.

• 청소하다 (Үйл Үг) : 더럽고 지저분한 것을 깨끗하게 치우다.

цэвэрлэгээ хийх, цэвэрлэх

бохир заваан зүйлийг цэвэрлэх.

• -는 동안 : 앞에 오는 말이 나타내는 행동이나 상태가 계속되는 시간 만큼을 나타내는 표현.

Тохирох Үг хэллэг байхгүй байна

өмнө хэлсэн Үгийн илэрхийлж буй Үйл хөдлөл болон нөхцөл байдал нь Үргэлжилж
байгаа хугацааны хэмжээгээр гэсэн утгыг илэрхийлдэг.

• 저 (төлөөний Үг) : 말하는 사람이 듣는 사람에게 자신을 낮추어 가리키는 말.

би

сонсож буй хүнээ хүндэтгэн өөрийгөө доошлуулж хэлэх Үг.

• 는 : 문장 속에서 어떤 대상이 화제임을 나타내는 조사.

Тохирох Үг хэллэг байхгүй байна

өгүүлбэрт ярианы сэдэв болж буйг илэрхийлдэг нөхцөл.

• 장 (нэр үг) : 여러 가지 상품을 사고파는 곳.

зах

төрөл бүрийн бараа бүтээгдэхүүнийг худалдан авч, зарж борлуулдаг газар.

• 을 : 동작이 직접적으로 영향을 미치는 대상을 나타내는 조사.

-ыг/-ийг/-г

үйл хөдлөл шууд нөлөөлж буй тусагдахууныг илэрхийлэх нөхцөл.

• 보다 (Үйл үг) : 시장에 가서 물건을 사다.

худалдаж авах, авах, юм авах

зах гарч эд зүйл худалдаж авах.

• -러 : 가거나 오거나 하는 동작의 목적을 나타내는 연결 어미.

Тохирох Үг хэллэг байхгүй байна

явах буюу ирэх үйлдлийн зорилгыг илэрхийлдэг холбох нөхцөл.

• 다녀오다 (Үйл үг) : 어떤 일을 하기 위해 갔다가 오다.

яваад ирэх

ямар нэгэн ажил хэргийг хийхийн тулд яваад ирэх.

• -ㄹ게요 : (두루높임으로) 말하는 사람이 어떤 행동을 할 것을 듣는 사람에게 약속하거나 의지를 나타내는 표현.

Тохирох Үг хэллэг байхгүй байна

(хүндэтгэлийн энгийн үг хэллэг) өгүүлэгч ямар нэгэн үйл хийхээ сонсч буй хүндээ амлах буюу мэдэгдэж байгаагаа илэрхийлнэ.

< 대화(ярилцлага) > - 39

지우는 어디 갔어? 아까부터 안 보이네.
지우는 어디 가써? 아까부터 안 보이네.
jiuneun eodi gasseo? akkabuteo an boine.

글쎄, 급한 일이 있는 듯 뛰어가더라.
글쎄, 그판 이리 인는 듣 뛰어가더라.
geulsse, geupan iri inneun deut ttwieogadeora.

< 설명(тайлбар) / 번역(орчуулга) >

지우+는 어디 <u>가+았+어</u>?
갔어

아까+부터 안 보이+네.

• **지우 (нэр үг)** : нэр

• **는** : 문장 속에서 어떤 대상이 화제임을 나타내는 조사.
  Тохирох үг хэллэг байхгүй байна
  өгүүлбэрт ярианы сэдэв болж буйг илэрхийлдэг нөхцөл.

• **어디 (төлөөний үг)** : 모르는 곳을 가리키는 말.
  хаана
  мэдэхгүй нэгэн газар.

• **가다 (үйл үг)** : 한 곳에서 다른 곳으로 장소를 이동하다.
  явах, очих
  нэг газраас нөгөө газар руу шилжиж хөдлөх явах.

• **-았-** : 어떤 사건이 과거에 완료되었거나 그 사건의 결과가 현재까지 지속되는 상황을 나타내는 어미.
  Тохирох үг хэллэг байхгүй байна
  ямар нэгэн үйл явдал өнгөрсөн цагт болж дуссан буюу тухайн үйл явдлын үр дүн
  өнөөг хүртэл үргэлжилж буй байдлыг илэрхийлдэг нөхцөл.

- **-어** : (두루낮춤으로) 어떤 사실을 서술하거나 물음, 명령, 권유를 나타내는 종결 어미.

  Тохирох Үг хэллэг байхгүй байна

  (хүндэтгэлийн бус энгийн үг хэллэг) ямар нэгэн зүйлийг дүрслэх буюу асуулт, тушаал, зөвлөмж зэргийг илэрхийлдэг төгсгөх нөхцөл. <асуулт>

- **아까 (нэр үг)** : 조금 전.

  түрүү, саяхан

  түрүүхэн.

- **부터** : 어떤 일의 시작이나 처음을 나타내는 조사.

  -аас, -ээс, -оос, -өөс

  ямар нэгэн ажлын эхлэлийг илэрхийлдэг нэрийн нөхцөл.

- **안 (дайвар үг)** : 부정이나 반대의 뜻을 나타내는 말.

  эс, үл, үгүй, -гүй

  сөрөг буюу эсрэг утгыг илэрхийлдэг үг.

- **보이다 (үйл үг)** : 눈으로 대상의 존재나 겉모습을 알게 되다.

  харагдах

  нүдэнд ямар нэг зүйлийн оршихуй буюу хэлбэр дүрс харагдан мэдэгдэх.

- **-네** : (아주낮춤으로) 지금 깨달은 일에 대하여 말함을 나타내는 종결 어미.

  Тохирох үг хэллэг байхгүй байна

  (огт хүндэтгэлгүй үг хэллэг) одоо ойлгож ухаарсан зүйлийнхээ талаар ярьж байгааг илэрхийлдэг төгсгөх нөхцөл.

글쎄, <u>급하+ㄴ</u> 일+이 있+[는 듯] 뛰어가+더라.
급한

- **글쎄 (аялга үг)** : 상대방의 물음이나 요구에 대하여 분명하지 않은 태도를 나타낼 때 쓰는 말.

  харин ээ, харин л дээ

  ярилцагчийнхаа асуулт болон шаардлагад юу гэж хариулахаа мэдэхгүй байх, тээнэгэлзэх үед хэрэглэх үг.

- **급하다 (тэмдэг нэр)** : 사정이나 형편이 빨리 처리해야 할 상태에 있다.

  яаралтай, түргэн

  нөхцөл байдал, учир шалтгаан нь хурдан шийдвэрлэх шаардлагатай нөхцөл байдалд байх.

- **-ㄴ** : 앞의 말이 관형어의 기능을 하게 만들고 현재의 상태를 나타내는 어미.

  Тохирох үг хэллэг байхгүй байна

  өмнөх үгийг тодотгол гишүүний үүрэгтэй болгож, одоогийн байдлыг илэрхийлдэг нөхцөл.

- 123 -

- 일 (нэр үг) : 어떤 내용을 가진 상황이나 사실.
  зүйл, явдал
  ямар нэг утга агуулга бүхий нөхцөл байдал буюу үнэн.

- 이 : 어떤 상태나 상황의 대상이나 동작의 주체를 나타내는 조사.
  Тохирох үг хэллэг байхгүй байна
  ямар нэгэн төлөв, байдлын субьект, мөн үйл хөдлөлийн эзэн болохыг илэрхийлэх
  нөхцөл.

- 있다 (тэмдэг нэр) : 어떤 일이 이루어지거나 벌어질 계획이다.
  -тай4
  ямар нэгэн ажил хэрэг болох төлөвлөгөөтэй.

- -는 듯 : 뒤에 오는 말의 내용과 관련하여 짐작할 수 있거나 비슷하다고 여겨지는 상태나 상황을 나타
  낼 때 쓰는 표현.
  Тохирох үг хэллэг байхгүй байна
  дараа нь өгүүлэх утга нь өмнөхтэйгөө төстэй гэсэн таамаглалыг илэрхийлнэ.

- 뛰어가다 (үйл үг) : 어떤 곳으로 빨리 뛰어서 가다.
  гүйн явах, гүйх
  хаа нэгт тийшээ хурднаар гүйн явах.

- -더라 : (아주낮춤으로) 말하는 이가 직접 경험하여 새롭게 알게 된 사실을 지금 전달함을 나타내는 종
  결 어미.
  Тохирох үг хэллэг байхгүй байна
  (огт хүндэтгэлгүй үг хэллэг) өгүүлэгч биеэр үзэж туулж шинээр олж мэдсэн зүйлийн
  талаар одоо бусдад дамжуулах утгыг илэрхийлэх төгсгөх нөхцөл.

< 대화(ярилцлага) > - 40

지아 씨, 어디서 타는 듯한 냄새가 나요.
지아 씨, 어디서 타는 드탄 냄새가 나요.
jia ssi, eodiseo taneun deutan naemsaega nayo.

어머, 냄비를 불에 올려놓고 깜빡 잊어버렸네요.
어머, 냄비를 부레 올려노코 깜빡 이저버련네요.
eomeo, naembireul bure ollyeonoko kkamppak ijeobeoryeonneyo.

< 설명(тайлбар) / 번역(орчуулга) >

지아 씨, 어디+서 <u>타+[는 듯하]+ㄴ</u> 냄새+가 <u>나+(아)요</u>.
　　　　　　　타는 듯한　　　　　　　나요

- **지아 (нэр Үг)** : нэр

- **씨 (нэр Үг)** : 그 사람을 높여 부르거나 이르는 말.
  гуай
  тухайн хүнийг хүндэтгэн дуудах юмуу нэрлэх Үг.

- **어디 (төлөөний Үг)** : 정해져 있지 않거나 정확하게 말할 수 없는 어느 곳을 가리키는 말.
  хаана, хаашаа
  тогтоогүй эсвэл тодорхой хэлэх боломжгүй аль нэг газар.

- **서** : 앞말이 출발점의 뜻을 나타내는 조사.
  -аас (-ээс, -оос, -өөс)
  тухайн Үг хөдөлгөөний эхлэх цэг болохыг илэрхийлдэг нөхцөл.

- **타다 (Үйл Үг)** : 뜨거운 열을 받아 검은색으로 변할 정도로 지나치게 익다.
  түлэгдэх, шатах
  халууны нөлөөгөөр хар өнгөтэй болж хувиртал хэтэрхий болох.

- **-는 듯하다** : 앞에 오는 말의 내용을 추측함을 나타내는 표현.
  Тохирох Үг хэллэг байхгүй байна
  өмнөх Үгийн илэрхийлж буй агуулгыг таамаглал төдийгөөр илэрхийлдэг Үг хэллэг.

• -ㄴ : 앞의 말이 관형어의 기능을 하게 만들고 현재의 상태를 나타내는 어미.
Тохирох Үг хэллэг байхгҮй байна
өмнөх Үгийг тодотгол гишҮҮний ҮҮрэгтэй болгож, одоогийн байдлыг илэрхийлдэг
нөхцөл.

• 냄새 (нэр Үг) : 코로 맡을 수 있는 기운.
Үнэр
хамраар Үнэртэх уур амьсгал.

• 가 : 어떤 상태나 상황에 놓인 대상이나 동작의 주체를 나타내는 조사.
Тохирох Үг хэллэг байхгҮй байна
ямар нэгэн төлөв, байдлын субьект, мөн Үйл хөдлөлийн эзэн болохыг илэрхийлэх
нөхцөл.

• 나다 (Үйл Үг) : 알아차릴 정도로 소리나 냄새 등이 드러나다.
гарах
илт мэдэгдэхҮйц дуу чимээ, Үнэр зэрэг гарах.

• -아요 : (두루높임으로) 어떤 사실을 서술하거나 질문, 명령, 권유함을 나타내는 종결 어미.
Тохирох Үг хэллэг байхгҮй байна
(хҮндэтгэлийн энгийн Үг хэллэг) ямар нэгэн зҮйлийг хҮҮрнэх, асуух, тушаах, уриалах
явдлыг илэрхийлдэг төгсгөх нөхцөл. <дҮрслэл>

어머, 냄비+를 불+에 올려놓+고 깜빡 잊어버리+었+네요.
잊어버렸네요

• 어머 (аялга Үг) : 주로 여자들이 예상하지 못한 일로 갑자기 놀라거나 감탄할 때 내는 소리.
яанаа, пөөх, хөөх
голдуу эмэгтэйчҮҮд гэнэтийн явдалд цочих буюу бахдан бишир сэн Үед хэлэх аялга
Үг.

• 냄비 (нэр Үг) : 음식을 끓이는 데 쓰는, 솥보다 작고 뚜껑과 손잡이가 있는 그릇.
сав, хувин
хоол буцалгахад хэрэглэдэг, тогооноос бага таглаа болон бариул бҮхий сав.

• 를 : 동작이 직접적으로 영향을 미치는 대상을 나타내는 조사.
-ыг/-ийг/-г
Үйл хөдлөл шууд нөлөөлж буй тусагдахууныг илэрхийлэх нөхцөл.

• 불 (нэр Үг) : 물질이 빛과 열을 내며 타는 것.
гал
эд юмс гэрэл болон дулаан ялгаруулан шатах явдал.

- 126 -

- 에 : 앞말이 어떤 행위나 작용이 미치는 대상임을 나타내는 조사.
  -д/-т
  өмнөх Үг ямар нэгэн Үйлдэл буюу Үйлчлэлийн тусагдахуун болохыг илэрхийлж буй нөхцөл.

- **올려놓다 (Үйл Үг)** : 어떤 물건을 무엇의 위쪽에 옮겨다 두다.
  гаргаж тавих, тавих
  ямар нэгэн эд зҮйлийг өөр юман дээр гарган тавих.

- -고 : 앞의 말이 나타내는 행동이나 그 결과가 뒤에 오는 행동이 일어나는 동안에 그대로 지속됨을 나타내는 연결 어미.
  Тохирох Үг хэллэг байхгҮй байна
  өмнөх Үгийн илэрхийлж буй Үйлдэл буюу тухайн Үр дҮн нь арын Үйлдэл бий болох хугацаанд тэр хэвээрээ Үргэлжлэх явдлыг илэрхийлдэг холбох нөхцөл.

- **깜빡 (дайвар Үг)** : 기억이나 의식 등이 잠깐 흐려지는 모양.
  тас мартах
  ой санамж буй оюун ухаан тҮр зуур орж гарах байдал.

- **잊어버리다 (Үйл Үг)** : 기억해야 할 것을 한순간 전혀 생각해 내지 못하다.
  мартах, санахгҮй байх
  санах хэрэгтэй зҮйлийг нэг хэсэг хугацаанд огт санахгҮй байх.

- -었- : 어떤 사건이 과거에 완료되었거나 그 사건의 결과가 현재까지 지속되는 상황을 나타내는 어미.
  Тохирох Үг хэллэг байхгҮй байна
  ямар нэгэн хэрэг явдал өнгөрсөн Үед болж өнгөрсөн буюу тухайн Үйлийн Үр дҮн өнөөг хҮртэл Үргэлжилж буй нөхцөл байдлыг илэрхийлдэг нөхцөл.

- -네요 : (두루높임으로) 말하는 사람이 직접 경험하여 새롭게 알게 된 사실에 대해 감탄함을 나타낼 때 쓰는 표현.
  Тохирох Үг хэллэг байхгҮй байна
  (хҮндэтгэлийн энгийн Үг хэллэг) өгҮҮлэгч өөрийн биеэр Үзэж өнгөрҮҮлж, шинээр мэдсэн зҮйлийнхээ талаар гайхан биширч байгааг илэрхийлэхэд хэрэглэдэг хэлбэр.

< 대화(ярилцлага) > - 41

너 왜 저녁을 다 안 먹고 남겼니?
너 왜 저녀글 다 안 먹꼬 남견니?
neo wae jeonyeogeul da an meokgo namgyeonni?

저는 먹는 만큼 살이 쪄서 식사량을 줄여야겠어요.
저는 멍는 만큼 사리 쩌서 식싸량을 주려야게써요.
jeoneun meongneun mankeum sari jjeoseo siksaryangeul juryeoyagesseoyo.

< 설명(тайлбар) / 번역(орчуулга) >

너 왜 저녁+을 다 안 먹+고 남기+었+니?
남겼니

- 너 (төлөөний Үг) : 듣는 사람이 친구나 아랫사람일 때, 그 사람을 가리키는 말.
  чи
  сонсогч нь найз буюу дҮҮ байх тохиолдолд, тухайн хҮнийг заадаг Үг.

- 왜 (дайвар Үг) : 무슨 이유로. 또는 어째서.
  яагаад, ямар учраас
  ямар шалтгаанаар. мөн яагаад.

- 저녁 (нэр Үг) : 저녁에 먹는 밥.
  оройн хоол
  орой иддэг хоол.

- 을 : 동작이 직접적으로 영향을 미치는 대상을 나타내는 조사.
  -ыг/-ийг/-г
  Үйл хөдлөл шууд нөлөөлж буй тусагдахууныг илэрхийлэх нөхцөл.

- 다 (дайвар Үг) : 남거나 빠진 것이 없이 모두.
  бҮгд, цөм, бҮх, булт
  Үлдэж гээгдсэн зҮйлгҮй бҮгд.

- 안 (дайвар Үг) : 부정이나 반대의 뜻을 나타내는 말.
  эс, Үл, ҮгҮй, -гҮй
  сөрөг буюу эсрэг утгыг илэрхийлдэг Үг.

- **먹다 (Үйл Үг)** : 음식 등을 입을 통하여 배 속에 들여보내다.
  идэх
  хоол хүнс зэргийг амаар дамжуулан гэдсэндээ хийх.

- **-고** : 앞의 말과 뒤의 말이 차례대로 일어남을 나타내는 연결 어미.
  Тохирох үг хэллэг байхгүй байна
  өмнөх үйл ба арын үйл дэс дарааллын дагуу өрнөж байгааг илтгэдэг холбох нөхцөл.

- **남기다 (Үйл Үг)** : 다 쓰지 않고 나머지가 있게 하다.
  үлдээх
  бүгдийг нь хэрэглэхгүй үлдээх.

- **-었-** : 어떤 사건이 과거에 완료되었거나 그 사건의 결과가 현재까지 지속되는 상황을 나타내는 어미.
  Тохирох үг хэллэг байхгүй байна
  ямар нэгэн хэрэг явдал өнгөрсөн үед болж өнгөрсөн буюу тухайн үйлийн үр дүн
  өнөөг хүртэл үргэлжилж буй нөхцөл байдлыг илэрхийлдэг нөхцөл.

- **-니** : (아주낮춤으로) 물음을 나타내는 종결 어미.
  Тохирох үг хэллэг байхгүй байна
  (огт хүндэтгэлгүй үг хэллэг) асуултыг илэрхийлдэг төгсгөх нөхцөл.

저+는 먹+[는 만큼] 살+이 찌+어서 식사량+을 줄이+어야겠+어요.
쪄서   줄여야겠어요

- **저 (төлөөний үг)** : 말하는 사람이 듣는 사람에게 자신을 낮추어 가리키는 말.
  би
  сонсож буй хүнээ хүндэтгэн өөрийгөө доошлуулж хэлэх үг.

- **는** : 문장 속에서 어떤 대상이 화제임을 나타내는 조사.
  Тохирох үг хэллэг байхгүй байна
  өгүүлбэрт ярианы сэдэв болж буйг илэрхийлдэг нөхцөл.

- **먹다 (Үйл Үг)** : 음식 등을 입을 통하여 배 속에 들여보내다.
  идэх
  хоол хүнс зэргийг амаар дамжуулан гэдсэндээ хийх.

- **-는 만큼** : 뒤에 오는 말이 앞에 오는 말과 비례하거나 비슷한 정도 혹은 수량임을 나타내는 표현.
  Тохирох үг хэллэг байхгүй байна
  ардах агуулгатай өмнөх агуулгыг жиших буюу өмнөх агуулгатай мөн төстэй тоо,
  хэмжээ болохыг илэрхийлдэг үг хэллэг.

• 살 (нэр Үг) : 사람이나 동물의 몸에서 뼈를 둘러싸고 있는 부드러운 부분.
мах, ööх
хүн амьтны бие, ясыг бүрхсэн зөөлөн хэсэг.

• 이 : 어떤 상태나 상황의 대상이나 동작의 주체를 나타내는 조사.
Тохирох Үг хэллэг байхгүй байна
ямар нэгэн төлөв, байдлын субьект, мөн үйл хөдлөлийн эзэн болохыг илэрхийлэх
нөхцөл.

• 찌다 (Үйл Үг) : 몸에 살이 붙어 뚱뚱해지다.
таргалах, бүдүүрэх
биед ööх тогтон таргалах.

• -어서 : 이유나 근거를 나타내는 연결 어미.
Тохирох Үг хэллэг байхгүй байна
учир шалтгаан буюу үндэслэлийг илэрхийлдэг холбох нөхцөл.

• 식사량 (нэр Үг) : 음식을 먹는 양.
хоолны хэмжээ
хоол идэх хэмжээ.

• 을 : 동작이 직접적으로 영향을 미치는 대상을 나타내는 조사.
-ыг/-ийг/-г
үйл хөдлөл шууд нөлөөлж буй тусагдахууныг илэрхийлэх нөхцөл.

• 줄이다 (Үйл Үг) : 수나 양을 원래보다 적게 하다.
багасгах, богиносгох
тоо ширхэг, хэмжээг уг байсан хэмжээнээс багасгах.

• -어야겠- : 앞의 말이 나타내는 행동에 대한 강한 의지를 나타내거나 그 행동을 할 필요가 있음을 완곡
하게 말할 때 쓰는 표현.
Тохирох Үг хэллэг байхгүй байна
өмнөх үгийн илэрхийлж буй үйлийн талаар хүчтэй бодол санаагаа илэрхийлэх буюу уг
үйлийг хийх шаардлагатай болохыг таамаглахад хэрэглэдэг илэрхийлэл.

• -어요 : (두루높임으로) 어떤 사실을 서술하거나 질문, 명령, 권유함을 나타내는 종결 어미.
Тохирох Үг хэллэг байхгүй байна
(хүндэтгэлийн энгийн үг хэллэг) ямар нэгэн зүйлийг хүүрнэх, асуух, тушаах, уриалах
явдлыг илэрхийлдэг төгсгөх нөхцөл. <дүрслэл>

< 대화(ярилцлага) > - 42

이 늦은 시간에 라면을 먹어?
이 느즌 시가네 라며늘 머거?
i neujeun sigane ramyeoneul meogeo?

야근하느라 저녁도 못 먹는 바람에 배고파 죽겠어.
야근하느라 저녁또 몯 멍는 바라메 배고파 죽께써.
yageunhaneura jeonyeokdo mot meongneun barame baegopa jukgesseo.

< 설명(тайлбар) / 번역(орчуулга) >

이 늦+은 시간+에 라면+을 먹+어?

- 이 (тодотгол Үг) : 말하는 사람에게 가까이 있거나 말하는 사람이 생각하고 있는 대상을 가리킬 때 쓰는 말.

    энэ

    өгҮҮлэгч этгээдэд ойр байгаа зҮйл ба өгҮҮлэгч этгээдийн бодож байгаа зҮйлийг заасан Үг.

- 늦다 (тэмдэг нэр) : 적당한 때를 지나 있다. 또는 시기가 한창인 때를 지나 있다.

    оройтох

    тохиромжтой Үеийг өнгөрөөсөн байх. мөн юмны ид өрнөх Үеийг өнгөрөөсөн байх.

- -은 : 앞의 말이 관형어의 기능을 하게 만들고 현재의 상태를 나타내는 어미.

    Тохирох Үг хэллэг байхгҮй байна

    өмнөх Үгийг тодотгол гишҮҮний ҮҮрэгтэй болгож одоогийн нөхцөл байдлыг илэрхийлж буй нөхцөл.

- 시간 (нэр Үг) : 어떤 일을 하도록 정해진 때. 또는 하루 중의 어느 한 때.

    цаг, Үе, хугацаа

    ямар нэгэн юмыг хийхээр тогтсон Үе. мөн өдрийн аль нэг Үе.

- 에 : 앞말이 시간이나 때임을 나타내는 조사.

    -д/-т

    өмнөх Үг цаг хугацаа болохыг илэрхийлж буй нөхцөл.

• **라면 (нэр үг)** : 기름에 튀겨 말린 국수와 가루 스프가 들어 있어서 물에 끓이기만 하면 간편하게 먹을 수 있는 음식.

бэлэн гоймон, рамён

тосонд чанаж хатаасан гоймон болон нунтаг амтлагчтай, усанд буцалган хялбархнаар хооллож болох хоол.

• **을** : 동작이 직접적으로 영향을 미치는 대상을 나타내는 조사.

-ыг/-ийг/-г

Үйл хөдлөл шууд нөлөөлж буй тусагдахууныг илэрхийлэх нөхцөл.

• **먹다 (үйл үг)** : 음식 등을 입을 통하여 배 속에 들여보내다.

идэх

хоол хүнс зэргийг амаар дамжуулан гэдсэндээ хийх.

• **-어** : (두루낮춤으로) 어떤 사실을 서술하거나 물음, 명령, 권유를 나타내는 종결 어미.

Тохирох үг хэллэг байхгүй байна

(хүндэтгэлийн бус энгийн үг хэллэг) ямар нэгэн зүйлийг дүрслэх буюу асуулт, тушаал, зөвлөмж зэргийг илэрхийлдэг төгсгөх нөхцөл. <асуулт>

야근하+느라고 저녁+도 못 먹+[는 바람에] 배고프(배고ㅍ)+[아 죽]+겠+어.

배고파 죽겠어

• **야근하다 (үйл үг)** : 퇴근 시간이 지나 밤늦게까지 일하다.

шөнө ажиллах, ажил орой тарах

ажил тарах цагаас өнгөрч шөнө орой болтол ажиллах.

• **-느라고** : 앞에 오는 말이 나타내는 행동이 뒤에 오는 말의 목적이나 원인이 됨을 나타내는 연결 어미.

Тохирох үг хэллэг байхгүй байна

өмнөх үгийн илэрхийлж буй үйлдэл ард ирэх үгийн зорилго, учир шалтгаан болохыг илэрхийлдэг холбох нөхцөл.

• **저녁 (нэр үг)** : 저녁에 먹는 밥.

оройн хоол

орой иддэг хоол.

• **도** : 극단적인 경우를 들어 다른 경우는 말할 것도 없음을 나타내는 조사.

ч

туйлын тохиолдлыг авч үзэн өөр тохиолдолд ярихын ч хэрэггүй болохыг илэрхийлж буй нөхцөл.

• **못 (дайвар үг)** : 동사가 나타내는 동작을 할 수 없게.

-гүй байх

Үйл үг илэрхийлж буй хөдөлгөөнийг хийж чадахгүй байх.

- **먹다 (Үйл Үг)** : 음식 등을 입을 통하여 배 속에 들여보내다.

  идэх

  хоол хүнс зэргийг амаар дамжуулан гэдсэндээ хийх.

- **-는 바람에** : 앞의 말이 나타내는 행동이나 상태가 뒤에 오는 말의 원인이나 이유가 됨을 나타내는 표현.

  Тохирох Үг хэллэг байхгүй байна

  өмнөх Үйлдэл арын нөхцөл байдлын учир, шалтгаан болохыг илэрхийлдэг Үг хэллэг.

- **배고프다 (тэмдэг нэр)** : 배 속이 빈 것을 느껴 음식이 먹고 싶다.

  гэдэс өлсөх

  хоол тэжээл идэхийг хүсч байгаагаа мэдрэх.

- **-아 죽다** : 앞의 말이 나타내는 상태의 정도가 매우 심함을 나타내는 표현.

  Тохирох Үг хэллэг байхгүй байна

  өмнөх Үгийн илэрхийлж буй байдал буюу мэдрэмжийн хэмжээ маш ноцтой болохыг илэрхийлдэг Үг хэллэг.

- **-겠-** : 미래의 일이나 추측을 나타내는 어미.

  Тохирох Үг хэллэг байхгүй байна

  ирээдүйн явдал буюу таамаглалыг илэрхийлдэг нөхцөл.

- **-어** : (두루낮춤으로) 어떤 사실을 서술하거나 물음, 명령, 권유를 나타내는 종결 어미.

  Тохирох Үг хэллэг байхгүй байна

  (хүндэтгэлийн бус энгийн Үг хэллэг) ямар нэгэн зүйлийг дүрслэх буюу асуулт, тушаал, зөвлөмж зэргийг илэрхийлдэг төгсгөх нөхцөл. <дүрслэл>

< 대화(ярилцлага) > - 43

겨울이 가면 봄이 오는 법이야. 힘들다고 포기하면 안 돼.
겨우리 가면 보미 오는 버비야. 힘들다고 포기하면 안 돼.
gyeouri gamyeon bomi oneun beobiya. himdeuldago pogihamyeon an dwae.

고마워. 네 말에 다시 힘이 나는 것 같아.
고마워. 네 마레 다시 히미 나는 걷 가타.
gomawo. ne mare dasi himi naneun geot gata.

< 설명(тайлбар) / 번역(орчуулга) >

겨울+이 가+면 봄+이 오+[는 법이]+야.

힘들+다고 포기하+[면 안 되]+어.
포기하면 안 돼

- **겨울 (нэр Үг)** : 네 계절 중의 하나로 가을과 봄 사이의 추운 계절.
  өвөл
  жилийн дөрвөн улирөлын нэг бөгөөд намар ба хаврын дундах хҮйтэн улирал.

- **이** : 어떤 상태나 상황의 대상이나 동작의 주체를 나타내는 조사.
  Тохирох Үг хэллэг байхгҮй байна
  ямар нэгэн төлөв, байдлын субьект, мөн Үйл хөдлөлийн эзэн болохыг илэрхийлэх нөхцөл.

- **가다 (Үйл Үг)** : 시간이 지나거나 흐르다.
  өнгөрөх, урсах, явах
  цаг хугацаа өнгөрөх буюу урсах.

- **-면** : 뒤에 오는 말에 대한 근거나 조건이 됨을 나타내는 연결 어미.
  Тохирох Үг хэллэг байхгҮй байна
  ард ирэх агуулгын талаарх учир шалтгаан буюу болзол болохыг илэрхийлдэг холбох нөхцөл.

- **봄 (нэр Үг)** : 네 계절 중의 하나로 겨울과 여름 사이의 계절.
  хавар
  дөрвөн улирлын нэг бөгөөд өвөл болон зуны хоорондхи улирал.

• 이 : 어떤 상태나 상황의 대상이나 동작의 주체를 나타내는 조사.
  Тохирох Үг хэллэг байхгүй байна
  ямар нэгэн төлөв, байдлын субьект, мөн Үйл хөдлөлийн эзэн болохыг илэрхийлэх
  нөхцөл.

• **오다 (Үйл Үг)** : 어떤 때나 계절 등이 닥치다.
  болох
  ямар нэгэн Үе, улирал болох.

• -는 법이다 : 앞의 말이 나타내는 동작이나 상태가 이미 그렇게 정해져 있거나 그런 것이 당연하다는
  뜻을 나타내는 표현.
  Тохирох Үг хэллэг байхгүй байна
  өмнөх Үгийн илэрхийлж буй Үйл буюу байдал нэгэнт тэгэхээр тогтсон буюу тэгэх нь
  мэдээж гэсэн утгыг илэрхийлдэг Үг хэллэг.

• -야 : (두루낮춤으로) 어떤 사실에 대하여 서술하거나 물음을 나타내는 종결 어미.
  Тохирох Үг хэллэг байхгүй байна
  (хҮндэтгэлийн бус энгийн Үг хэллэг) ямар нэгэн зҮйлийн талаар хҮҮрнэх буюу асуух
  явдлыг илэрхийлдэг төгсгөх нөхцөл. <дҮрслэл>

• **힘들다 (тэмдэг нэр)** : 마음이 쓰이거나 수고가 되는 면이 있다.
  хэцҮҮ
  сэтгэл таагҮй буюу зовлонтой байх.

• -다고 : 어떤 행위의 목적, 의도를 나타내거나 어떤 상황의 이유, 원인을 나타내는 연결 어미.
  Тохирох Үг хэллэг байхгүй байна
  ямар нэгэн Үйлдлийн санаа зорилгыг илэрхийлэх буюу ямар нэгэн нөхцөл байдлын
  учир шалтгаан, Үндэслэлийг илэрхийлдэг холбох нөхцөл.

• **포기하다 (Үйл Үг)** : 하려던 일이나 생각을 중간에 그만두다.
  болих, хаях, орхих, няцах, ухрах
  хийх гэж байсан зҮйл болон бодлоо явцын дунд больж орхих.

• -면 안 되다 : 어떤 행동이나 상태를 금지하거나 제한함을 나타내는 표현.
  Тохирох Үг хэллэг байхгүй байна
  ямар нэг Үйл хөдлөл, нөхцөл байдлыг хориглох буюу хязгаарлах явдлыг илэрхийлдэг
  Үг хэллэг.

• -어 : (두루낮춤으로) 어떤 사실을 서술하거나 물음, 명령, 권유를 나타내는 종결 어미.
  Тохирох Үг хэллэг байхгүй байна
  (хҮндэтгэлийн бус энгийн Үг хэллэг) ямар нэгэн зҮйлийг дҮрслэх буюу асуулт,
  тушаал, зөвлөмж зэргийг илэрхийлдэг төгсгөх нөхцөл. <тушаал>

<u>고맙(고마우)+어</u>.
고마워

<u>너+의</u> 말+에 다시 힘+이 나+[는 것 같]+아.
네

• **고맙다 (тэмдэг нэр)** : 남이 자신을 위해 무엇을 해주어서 마음이 흐뭇하고 보답하고 싶다.
баярлах
өөр хүн өөрийнх нь төлөө ямар нэгэн зүйлийг хийж өгсөнд талархан баярлаж ачийг хариулах сэтгэл төрөх.

• **-어** : (두루낮춤으로) 어떤 사실을 서술하거나 물음, 명령, 권유를 나타내는 종결 어미.
Тохирох үг хэллэг байхгүй байна
(хүндэтгэлийн бус энгийн үг хэллэг) ямар нэгэн зүйлийг дүрслэх буюу асуулт, тушаал, зөвлөмж зэргийг илэрхийлдэг төгсгөх нөхцөл. <дүрслэл>

• **너 (төлөөний үг)** : 듣는 사람이 친구나 아랫사람일 때, 그 사람을 가리키는 말.
чи
сонсогч нь найз буюу дүү байх тохиолдолд, тухайн хүнийг заадаг үг.

• **의** : 앞의 말이 뒤의 말에 대하여 소유, 소속, 소재, 관계, 기원, 주체의 관계를 가짐을 나타내는 조사.
-н/-ийн/-ын/-ий/-ы
өмнөх үг хойдох үгтэй эзэмшил, харьяа, хэрэглэгдэхүүн, сэдвийн хамааралтай болохыг илэрхийлсэн нөхцөл.

• **말 (нэр үг)** : 생각이나 느낌을 표현하고 전달하는 사람의 소리.
яриа, үг
бодол санаа, сэтгэлээ илэрхийлэх хүний дуу хоолой.

• **에** : 앞말이 어떤 일의 원인임을 나타내는 조사.
-д/-т
өмнөх үг ямар нэгэн үйл хэргийн учир шалтгаан болохыг илэрхийлж буй нөхцөл.

• **다시 (дайвар үг)** : 방법이나 목표 등을 바꿔서 새로이.
дахин, шинээр
арга зам, зорилгоо өөрчлөн шинээр.

• **힘 (нэр үг)** : 용기나 자신감.
хүч, итгэл
зориг болон өөртөө итгэх итгэл.

• 이 : 어떤 상태나 상황의 대상이나 동작의 주체를 나타내는 조사.

Тохирох Үг хэллэг байхгҮй байна

ямар нэгэн төлөв, байдлын субьект, мөн Үйл хөдлөлийн эзэн болохыг илэрхийлэх нөхцөл.

• 나다 (Үйл Үг) : 어떤 감정이나 느낌이 생기다.

төрөх, хҮрэх

ямар нэг сэтгэл хөдлөл мэдрэмж бий болох.

• -는 것 같다 : 추측을 나타내는 표현.

Тохирох Үг хэллэг байхгҮй байна

таамаглалыг илэрхийлдэг Үг хэллэг.

• -아 : (두루낮춤으로) 어떤 사실을 서술하거나 물음, 명령, 권유를 나타내는 종결 어미.

Тохирох Үг хэллэг байхгҮй байна

(хҮндэтгэлийн бус энгийн Үг хэллэг) ямар нэгэн зҮйлийг дҮрслэх буюу асуулт, тушаал, зөвлөмж зэргийг илэрхийлдэг төгсгөх нөхцөл. <дҮрслэл>

< 대화(ярилцлага) > - 44

재는 도대체 여기 언제 온 거야?
재는 도대체 여기 언제 온 거야?
jyaeneun dodaeche yeogi eonje on geoya?

아까 네가 잠깐 조는 사이에 왔을걸.
아까 네가 잠깐 조는 사이에 와쓸껄.
akka nega jamkkan joneun saie wasseulgeol.

< 설명(тайлбар) / 번역(орчуулга) >

재+는 도대체 여기 언제 <u>오+[ㄴ 것(거)]+(이)+야</u>?
온 거야

- 재 (хураангуй Үг) : '저 아이'가 줄어든 말.
  тэр хҮҮхэд
  '저(тэр) 아이(гуравдагч этгээд)'-н товч хэлбэр.

- 는 : 문장 속에서 어떤 대상이 화제임을 나타내는 조사.
  Тохирох Үг хэллэг байхгҮй байна
  өгҮҮлбэрт ярианы сэдэв болж буйг илэрхийлдэг нөхцөл.

- 도대체 (дайвар Үг) : 아주 궁금해서 묻는 말인데.
  ингэхэд, ер нь
  Үнэхээр мэдэхгҮй болоод асуух тохиолдолд хэлэх Үг.

- 여기 (төлөөний Үг) : 말하는 사람에게 가까운 곳을 가리키는 말.
  энэ, энд
  ярьж байгаа хҮн өөртөө ойр байгаа газрыг заан хэлэх Үг.

- 언제 (дайвар Үг) : 알지 못하는 어느 때에.
  хэзээ
  тодорхойгҮй аль нэг цаг хугацаанд.

- 오다 (Үйл Үг) : 무엇이 다른 곳에서 이곳으로 움직이다.
  ирэх
  ямар нэгэн зҮйл нэг газраас наашаа хөдлөх.

• -ㄴ 것 : 명사가 아닌 것을 문장에서 명사처럼 쓰이게 하거나 '이다' 앞에 쓰일 수 있게 할 때 쓰는 표현.

Тохирох Үг хэллэг байхгүй байна

өгүүлбэрт нэр үгийн үүргээр орж өгүүлэгдэхүүн буюу тусагдахуун гишүүний үүрэг гүйцэтгэх буюу '<ида>(байх)'-н өмнө ирэх боломжтой болгодог үг хэллэг.

• 이다 : 주어가 지시하는 대상의 속성이나 부류를 지정하는 뜻을 나타내는 서술격 조사.

Тохирох Үг хэллэг байхгүй байна

эзэн биеийн зааж буй обьектын шинж чанар, төрөл зүйлийг тодорхойлох утгыг илэрхийлэх өгүүлэхүүний тийн ялгалын нөхцөл.

• -야 : (두루낮춤으로) 어떤 사실에 대하여 서술하거나 물음을 나타내는 종결 어미.

Тохирох Үг хэллэг байхгүй байна

(хүндэтгэлийн бус энгийн үг хэллэг) ямар нэгэн зүйлийн талаар хүүрнэх буюу асуух явдлыг илэрхийлдэг төгсгөх нөхцөл. <асуулт>

아까 네+가 잠깐 졸(조)+[는 사이]+에 오+았+을걸.
조는 사이에   왔을걸

• 아까 (дайвар үг) : 조금 전에.

түрүү, саяхан

түрүүхэн.

• 네 (төлөөний үг) : '너'에 조사 '가'가 붙을 때의 형태.

чи

төлөөний үг "너" дээр нэрлэхийн тийн ялгалын нөхцөл "가" залгахад хувирсан хэлбэр.

• 가 : 어떤 상태나 상황에 놓인 대상이나 동작의 주체를 나타내는 조사.

Тохирох Үг хэллэг байхгүй байна

ямар нэгэн төлөв, байдлын субьект, мөн үйл хөдлөлийн эзэн болохыг илэрхийлэх нөхцөл.

• 잠깐 (дайвар үг) : 아주 짧은 시간 동안에.

түр, түр зуур, агшин зуур

маш богино хугацааны дотор.

• 졸다 (үйл үг) : 완전히 잠이 들지는 않으면서 자꾸 잠이 들려는 상태가 되다.

нойрмоглох, зүүрмэглэх

гүйцэд унтахгүй атлаа байнга нойр хүрэх байдалтай байх.

• -는 사이 : 어떤 행동이나 상황이 일어나는 중간의 어느 짧은 시간을 나타내는 표현.

Тохирох Үг хэллэг байхгҮй байна

ямар нэгэн Үйл буюу байдал өрнөн болох хоорондох богино хугацааг илэрхийлдэг Үг хэллэг.

• 에 : 앞말이 시간이나 때임을 나타내는 조사.

-д/-т

өмнөх Үг цаг хугацаа болохыг илэрхийлж буй нөхцөл.

• 오다 (Үйл Үг) : 무엇이 다른 곳에서 이곳으로 움직이다.

ирэх

ямар нэгэн зҮйл нэг газраас наашаа хөдлөх.

• -았- : 어떤 사건이 과거에 완료되었거나 그 사건의 결과가 현재까지 지속되는 상황을 나타내는 어미.

Тохирох Үг хэллэг байхгҮй байна

ямар нэгэн Үйл явдал өнгөрсөн цагт болж дууссан буюу тухайн Үйл явдлын Үр дҮн өнөөг хҮртэл Үргэлжилж буй байдлыг илэрхийлдэг нөхцөл.

• -을걸 : (두루낮춤으로) 미루어 짐작하거나 추측함을 나타내는 종결 어미.

Тохирох Үг хэллэг байхгҮй байна

(хҮндэтгэлийн бус энгийн Үг хэллэг) хойшлуулж таамаглах буюу тааварлах явдлыг илэрхийлдэг төгсгөх нөхцөл.

< 대화(ярилцлага) > - 45

오빠, 저 내일 친구들이랑 스키 타러 갈 거예요.
오빠, 저 내일 친구드리랑 스키 타러 갈 꺼예요.
oppa, jeo naeil chingudeurirang seuki tareo gal geoyeyo.

그래? 자칫하면 다칠 수 있으니까 조심해라.
그래? 자치타면 다칠 쑤 이쓰니까 조심해라.
geurae? jachitamyeon dachil su isseunikka josimhaera.

< 설명(тайлбар) / 번역(орчуулга) >

오빠, 저 내일 친구+들+이랑 스키 타+러 <u>가+[ㄹ 것(거)]+이+에요</u>.
갈 거예요

• **오빠 (нэр үг)** : 여자가 자기보다 나이 많은 남자를 다정하게 이르거나 부르는 말.
  ах
  эмэгтэй хүн өөрөөсөө насаар ах эрэгтэй хүнийг дотночлон нэрлэн болон дуудах үг.

• **저 (төлөөний үг)** : 말하는 사람이 듣는 사람에게 자신을 낮추어 가리키는 말.
  би
  сонсож буй хүнээ хүндэтгэн өөрийгөө доошлуулж хэлэх үг.

• **내일 (дайвар үг)** : 오늘의 다음 날에.
  маргааш
  өнөөдрийн дараах өдөр.

• **친구 (нэр үг)** : 사이가 가까워 서로 친하게 지내는 사람.
  найз, анд нөхөр
  харилцаа ойртой хоорондоо дотно нөхөрлөдөг хүн.

• **들** : '복수'의 뜻을 더하는 접미사.
  Тохирох үг хэллэг байхгүй байна
  олон тооны утга нэмдэг дагавар.

• **이랑** : 어떤 일을 함께 하는 대상임을 나타내는 조사.
  -тай (-тэй, -той)
  ямар нэгэн үйлийг хамт хийж буй хүнийг зааж буй нөхцөл.

• 스키 (нэр Үг) : 눈 위로 미끄러져 가도록 나무나 플라스틱으로 만든 좁고 긴 기구.
цана
цасан дээр гулгах зориулттай, мод болон хуванцраар хийсэн нарийн урт хэрэгсэл.

• 타다 (Үйл Үг) : 바닥이 미끄러운 곳에서 기구를 이용해 미끄러지다.
гулгах
гөлгөр гадаргуутай газарт хэрэгсэл ашиглан гулгаж явах.

• -러 : 가거나 오거나 하는 동작의 목적을 나타내는 연결 어미.
Тохирох Үг хэллэг байхгүй байна
явах буюу ирэх Үйлдлийн зорилгыг илэрхийлдэг холбох нөхцөл.

• 가다 (Үйл Үг) : 어떤 목적을 가지고 일정한 곳으로 움직이다.
очих, зорих
ямар нэг зорилгоор тодорхой нэг газар руу хөдөлж явах.

• -ㄹ 것 : 명사가 아닌 것을 문장에서 명사처럼 쓰이게 하거나 '이다' 앞에 쓰일 수 있게 할 때 쓰는 표현.
Тохирох Үг хэллэг байхгүй байна
нэр Үг биш боловч өгүүлбэрт нэр Үгийн үүргээр орж, өгүүлэгдэхүүн ба тусагдахуун гишүүний үүрэг гүйцэтгэх буюу '<ида>(байх)'-н өмнө орох боломжтой болгодог Үг хэллэг.

• 이다 : 주어가 지시하는 대상의 속성이나 부류를 지정하는 뜻을 나타내는 서술격 조사.
Тохирох Үг хэллэг байхгүй байна
эзэн биеийн зааж буй обьектын шинж чанар, төрөл зүйлийг тодорхойлох утгыг илэрхийлэх өгүүлэхүүний тийн ялгалын нөхцөл.

• -에요 : (두루높임으로) 어떤 사실을 서술하거나 질문함을 나타내는 종결 어미.
Тохирох Үг хэллэг байхгүй байна
(хүндэтгэлийн энгийн Үг хэллэг) ямар нэгэн зүйлийг хүүрнэх, асуух явдлыг илэрхийлдэг төгсгөх нөхцөл. <дүрслэл>

그래?

자칫하+면 <u>다치+[ㄹ 수 있]+으니까</u> 조심하+여라.
　　　　　다칠 수 있으니까　　　조심해라

• 그래 (аялга Үг) : 상대편의 말에 대한 감탄이나 가벼운 놀라움을 나타낼 때 쓰는 말.
тийм үү?
ярилцагч хүнийхээ хэлсэн Үгэнд гайхах, алмайрах Үед хэлэх Үг.

• **자칫하다 (Үйл Үг)** : 어쩌다가 조금 어긋나거나 잘못되다.

아ягҮйтэх, эвгҮйтэх

жоохон л хазайх ба буруудах.

• **-면** : 뒤에 오는 말에 대한 근거나 조건이 됨을 나타내는 연결 어미.

Тохирох Үг хэллэг байхгҮй байна

ард ирэх агуулгын талаарх учир шалтгаан буюу болзол болохыг илэрхийлдэг холбох нөхцөл.

• **다치다 (Үйл Үг)** : 부딪치거나 맞거나 하여 몸이나 몸의 일부에 상처가 생기다. 또는 상처가 생기게 하다.

гэмтэх, гэмтээх, шархдах, шалбалах

мөргөх буюу цохиулснаас бие буюу биеийн нэг хэсэгт шарх бий болох. мөн шархдуулах.

• **-ㄹ 수 있다** : 어떤 행동이나 상태가 가능함을 나타내는 표현.

-ж болох, -ж мэдэх

ямар нэгэн Үйл хөдлөл, байдал өрнөх боломжтой болохыг илэрхийлэх хэллэг.

• **-으니까** : 뒤에 오는 말에 대하여 앞에 오는 말이 원인이나 근거, 전제가 됨을 강조하여 나타내는 연결 어미.

Тохирох Үг хэллэг байхгҮй байна

ард ирэх Үгийн талаар өмнө ирэх Үг нь учир шалтгаан буюу болзол болохыг илэрхийлдэг холбох нөхцөл.

• **조심하다 (Үйл Үг)** : 좋지 않은 일을 겪지 않도록 말이나 행동 등에 주의를 하다.

болгоомжлох, анхаарах

таагҮй муу зҮйлд өртөхгҮйн тулд Үг яриа, Үйл хөдлөл зэрэгтээ анхаарах.

• **-여라** : (아주낮춤으로) 명령을 나타내는 종결 어미.

Тохирох Үг хэллэг байхгҮй байна

(огт хҮндэтгэлгҮй Үг хэллэг) тушаалыг илэрхийлдэг төгсгөх нөхцөл.

< 대화(ярилцлага) > - 46

우산이 없는데 어떻게 하지?
우사니 엄는데 어떠케 하지?
usani eomneunde eotteoke haji?

그냥 비를 맞는 수밖에 없지, 뭐. 뛰어.
그냥 비를 만는 수바께 업찌, 뭐. 뛰어.
geunyang bireul manneun subakke eopji, mwo. ttwieo.

< 설명(тайлбар) / 번역(орчуулга) >

우산+이 없+는데 어떻게 하+지?

- **우산 (нэр Yг)** : 긴 막대 위에 지붕 같은 막을 펼쳐서 비가 올 때 손에 들고 머리 위를 가리는 도구.
  борооны шYхэр
  урт бариулан дээр дээвэр мэт бYрхэвч дэлгэгдэж бороо ороход гартаа барьж толгой дээгYYрээ халхалдаг хэрэгсэл.

- **이** : 어떤 상태나 상황의 대상이나 동작의 주체를 나타내는 조사.
  Тохирох Yг хэллэг байхгYй байна
  ямар нэгэн төлөв, байдлын субьект, мөн Yйл хөдлөлийн эзэн болохыг илэрхийлэх нөхцөл.

- **없다 (тэмдэг нэр)** : 어떤 물건을 가지고 있지 않거나 자격이나 능력 등을 갖추지 않은 상태이다.
  байхгYй
  ямар нэгэн эд зYйл байхгYй юм уу, эрх болон чадвар зэргийг эзэмшээгYй байдал.

- **-는데** : 뒤의 말을 하기 위하여 그 대상과 관련이 있는 상황을 미리 말함을 나타내는 연결 어미.
  Тохирох Yг хэллэг байхгYй байна
  арын агуулгыг ярихын тулд тухайн зYйлтэй холбоотой нөхцөл байдлыг урьдчилан хэлж буйг илэрхийлдэг холбох нөхцөл.

- **어떻게 (дайвар Yг)** : 어떤 방법으로. 또는 어떤 방식으로.
  яаж, хэрхэн
  ямар аргаар. мөн ямар арга хэлбэрээр.

- **하다 (Үйл Үг)** : 어떤 방식으로 행위를 이루다.
  хийх
  ямар нэгэн аргаар Үйлдлийг гҮйцэтгэх.

- **-지** : (두루낮춤으로) 말하는 사람이 듣는 사람에게 친근함을 나타내며 물을 때 쓰는 종결 어미.
  Тохирох Үг хэллэг байхгҮй байна
  (хҮндэтгэлийн бус энгийн Үг хэллэг) өгҮҮлэгч сонсч буй хҮнд дотноор хандан асуухад хэрэглэдэг төгсгөх нөхцөл.

그냥 비+를 맞+[는 수밖에 없]+지, 뭐. 뛰+어.

- **그냥 (дайвар Үг)** : 그런 모양으로 그대로 계속하여.
  зҮгээр
  байгаа хэвээрээ ҮргэлжлҮҮлэн.

- **비 (нэр Үг)** : 높은 곳에서 구름을 이루고 있던 수증기가 식어서 뭉쳐 떨어지는 물방울.
  бороо
  өндөрт ҮҮл болж хуран байсан усны уур хөрч нягтраад доош унах усан дусал.

- **를** : 동작이 직접적으로 영향을 미치는 대상을 나타내는 조사.
  -ыг/-ийг/-г
  Үйл хөдлөл шууд нөлөөлж буй тусагдахууныг илэрхийлэх нөхцөл.

- **맞다 (Үйл Үг)** : 내리는 눈이나 비 등이 닿는 것을 그대로 받다.
  цохиулах, норох
  орж буй цас бороо зэрэг зҮйлийг тэр хэвээр нь хҮлээн авах.

- **-는 수밖에 없다** : 그것 말고는 다른 방법이나 가능성이 없음을 나타내는 표현.
  Тохирох Үг хэллэг байхгҮй байна
  тҮҮнээс өөр арга буюу боломжгҮй болохыг илэрхийлдэг Үг хэллэг.

- **-지** : (두루낮춤으로) 말하는 사람이 자신에 대한 이야기나 자신의 생각을 친근하게 말할 때 쓰는 종결 어미.
  Тохирох Үг хэллэг байхгҮй байна
  (хҮндэтгэлийн бус энгийн Үг хэллэг) өгҮҮлэгч өөрийнхөө тухай ярих буюу өөрийн бодлыг дотноор хэлэхэд хэрэглэхэд төгсгөх нөхцөл.

- **뭐 (аялга Үг)** : 더 이상 여러 말 할 것 없다는 뜻으로 어떤 사실을 체념하여 받아들이며 하는 말.
  яая гэхэв, яахав дээ
  өөр хэлэх Үг байхгҮй гэсэн утгаар, ямар нэг бодит Үнэнийг хҮлээн зөвшөөрөх Үед хэлдэг Үг.

• 뛰다 (Үйл Үг) : 발을 재빠르게 움직여 빨리 나아가다.

гҮйх, гҮйж явах

хөлөө маш тҮргэн хөдөлгөн хурдан урагш явах.

• -어 : (두루낮춤으로) 어떤 사실을 서술하거나 물음, 명령, 권유를 나타내는 종결 어미.

Тохирох Үг хэллэг байхгҮй байна

(хҮндэтгэлийн бус энгийн Үг хэллэг) ямар нэгэн зҮйлийг дҮрслэх буюу асуулт, тушаал, зөвлөмж зэргийг илэрхийлдэг төгсгөх нөхцөл. <тушаал>

< 대화(ярилцлага) > - 47

지우는 성격이 참 좋은 것 같아요.
지우는 성꺼기 참 조은 걷 가타요.
jiuneun seonggyeogi cham joeun geot gatayo.

맞아요. 걔는 아무리 일이 바빠도 인상 한 번 찌푸리는 적이 없어요.
마자요. 걔는 아무리 이리 바빠도 인상 한 번 찌푸리는 저기 업써요.
majayo. gyaeneun amuri iri bappado insang han beon jjipurineun jeogi eopseoyo.

< 설명(тайлбар) / 번역(орчуулга) >

지우+는 성격+이 참 좋+[은 것 같]+아요.

• 지우 (нэр үг) : нэр

• 는 : 문장 속에서 어떤 대상이 화제임을 나타내는 조사.
  Тохирох үг хэллэг байхгүй байна
  өгүүлбэрт ярианы сэдэв болж буйг илэрхийлдэг нөхцөл.

• 성격 (нэр үг) : 개인이 가지고 있는 고유한 성질이나 품성.
  зан чанар
  хувь хүний онцлог шинж ба ааш ааль.

• 이 : 어떤 상태나 상황의 대상이나 동작의 주체를 나타내는 조사.
  Тохирох үг хэллэг байхгүй байна
  ямар нэгэн төлөв, байдлын субьект, мөн үйл хөдлөлийн эзэн болохыг илэрхийлэх нөхцөл.

• 참 (дайвар үг) : 사실이나 이치에 조금도 어긋남이 없이 정말로.
  үнэхээр
  үнэн байдал, ёс зүйгээс огтхон ч гажаагүй үнэхээр.

• 좋다 (тэмдэг нэр) : 성격 등이 원만하고 착하다.
  сайн
  зан чанар зэрэг найрсаг, цагаан цайлган.

• -은 것 같다 : 추측을 나타내는 표현.
Тохирох Үг хэллэг байхгүй байна
таамаглалыг илэрхийлдэг үг хэллэг.

• -아요 : (두루높임으로) 어떤 사실을 서술하거나 질문, 명령, 권유함을 나타내는 종결 어미.
Тохирох Үг хэллэг байхгүй байна
(хүндэтгэлийн энгийн үг хэллэг) ямар нэгэн зүйлийг хүүрнэх, асуух, тушаах, уриалах явдлыг илэрхийлдэг төгсгөх нөхцөл. <дүрслэл>

맞+아요.

걔+는 아무리 일+이 <u>바쁘(바빠)+아도</u> 인상 한 번 찌푸리+[는 적이 없]+어요.
바빠도

• 맞다 (Үйл Үг) : 그렇거나 옳다.
зөв, тийм
тийм, зөв байх.

• -아요 : (두루높임으로) 어떤 사실을 서술하거나 질문, 명령, 권유함을 나타내는 종결 어미.
Тохирох Үг хэллэг байхгүй байна
(хүндэтгэлийн энгийн үг хэллэг) ямар нэгэн зүйлийг хүүрнэх, асуух, тушаах, уриалах явдлыг илэрхийлдэг төгсгөх нөхцөл. <дүрслэл>

• 걔 (хураангуй Үг) : '그 아이'가 줄어든 말.
тэр хүүхэд
"그(тэр) 아이(гуравдагч этгээд)"-н товч хэлбэр.

• 는 : 문장 속에서 어떤 대상이 화제임을 나타내는 조사.
Тохирох Үг хэллэг байхгүй байна
өгүүлбэрт ярианы сэдэв болж буйг илэрхийлдэг нөхцөл.

• 아무리 (дайвар Үг) : 정도가 매우 심하게.
хичнээн
хэмжээнээс хэтэрсэн.

• 일 (нэр Үг) : 무엇을 이루려고 몸이나 정신을 사용하는 활동. 또는 그 활동의 대상.
ажил хэрэг
ямар нэгэн зүйлийг биелүүлэх гэж бие, сэтгэлээ дайчлах үйл ажиллагаа. мөн тэрхүү үйл ажиллагааны объект.

• 이 : 어떤 상태나 상황의 대상이나 동작의 주체를 나타내는 조사.

Тохирох үг хэллэг байхгүй байна

ямар нэгэн төлөв, байдлын субьект, мөн үйл хөдлөлийн эзэн болохыг илэрхийлэх нөхцөл.

• 바쁘다 (тэмдэг нэр) : 할 일이 많거나 시간이 없어서 다른 것을 할 여유가 없다.

завгүй, зав чөлөөгүй

хийх ажил ихтэй байх буюу цаг завгүйгээс өөр зүйл хийх боломжгүй байх.

• -아도 : 앞에 오는 말을 가정하거나 인정하지만 뒤에 오는 말에는 관계가 없거나 영향을 끼치지 않음을 나타내는 연결 어미.

Тохирох үг хэллэг байхгүй байна

өмнөх агуулгыг тооцоолох буюу хүлээн зөвшөөрч байгаа боловч, ардах агуулгад нь хамааралгүй буюу нөлөө үзүүлэхгүй болохыг илэрхийлдэг холбох нөхцөл.

• 인상 (нэр үг) : 사람 얼굴의 생김새.

төрх, царай

хүний нүүрний төрх байдал.

• 한 (тодотгол үг) : 하나의.

нэг

нэгэн.

• 번 (нэр үг) : 일의 횟수를 세는 단위.

удаа

юмны давтамж илэрхийлэх үг.

• 찌푸리다 (үйл үг) : 얼굴의 근육이나 눈살 등을 몹시 찡그리다.

зангидах, үрчийлгэх

нүүрний булчин болон хоёр хөмсөгний хоорондох зай зэргээ үрчийлгэх.

• -는 적이 없다 : 앞의 말이 나타내는 동작이 진행되거나 그 상태가 나타나는 때가 없음을 나타내는 표현.

Тохирох үг хэллэг байхгүй байна

өмнөх үгийн илэрхийлж буй үйлдэл үргэлжлэх буюу тухайн байдал нь илрэх үе тохиолдол байхгүй болохыг илэрхийлдэг үг хэллэг.

• -어요 : (두루높임으로) 어떤 사실을 서술하거나 질문, 명령, 권유함을 나타내는 종결 어미.

Тохирох үг хэллэг байхгүй байна

(хүндэтгэлийн энгийн үг хэллэг) ямар нэгэн зүйлийг хүүрнэх, асуух, тушаах, уриалах явдлыг илэрхийлдэг төгсгөх нөхцөл. <дүрслэл>

< 대화(ярилцлага) > - 48

명절에 한복 입어 본 적 있어요?
명저레 한복 이버 본 적 이써요?
myeongjeore hanbok ibeo bon jeok isseoyo?

그럼요. 어렸을 때 부모님하고 고향에 내려가면서 입었었죠.
그러묘. 어려쓸 때 부모님하고 고향에 내려가면서 이버썰죠.
geureomyo. eoryeosseul ttae bumonimhago gohyange naeryeogamyeonseo ibeosseotjyo.

< 설명(тайлбар) / 번역(орчуулга) >

명절+에 한복 입+[어 보]+[ㄴ 적 있]+어요?
입어 본 적 있어요

- **명절 (нэр Үг)** : 설이나 추석 등 해마다 일정하게 돌아와 전통적으로 즐기거나 기념하는 날.
  баяр ёслол
  цагаан сар, ургацын баяр мэтийн жил бҮр тодорхой хугацаанд тохиож тэмдэглэдэг уламжлалт баярын өдөр.

- **에** : 앞말이 시간이나 때임을 나타내는 조사.
  -д/-т
  өмнөх Үг цаг хугацаа болохыг илэрхийлж буй нөхцөл.

- **한복 (нэр Үг)** : 한국의 전통 의복.
  ханьбуг
  Солонгосын Үндэсний хувцас.

- **입다 (Үйл Үг)** : 옷을 몸에 걸치거나 두르다.
  өмсөх
  хувцсыг биедээ углах буюу биеэ ороох.

- **-어 보다** : 앞의 말이 나타내는 행동을 이전에 경험했음을 나타내는 표현.
  Тохирох Үг хэллэг байхгҮй байна
  өмнөх Үгийн илэрхийлж буй Үйлдлийг өмнө нь биеэрээ туулж Үзсэн болохыг илэрхийлдэг Үг хэллэг.

• -ㄴ 적 있다 : 앞의 말이 나타내는 동작이 일어나거나 그 상태가 나타난 때가 있음을 나타내는 표현.

Тохирох Үг хэллэг байхгүй байна

өмнөх Үгийн илэрхийлж буй Үйлдэл Үргэлжлэх буюу тухайн байдал нь илрэх тохиолдол байдгийг илэрхийлдэг Үг хэллэг.

• -어요 : (두루높임으로) 어떤 사실을 서술하거나 질문, 명령, 권유함을 나타내는 종결 어미.

Тохирох Үг хэллэг байхгүй байна

(хҮндэтгэлийн энгийн Үг хэллэг) ямар нэгэн зҮйлийг хҮҮрнэх, асуух, тушаах, уриалах явдлыг илэрхийлдэг төгсгөх нөхцөл. <асуулт>

그럼+요.

<u>어리+었+[을 때]</u> 부모님+하고 고향+에 내려가+면서 입+었었+죠.
   어렸을 때

• **그럼 (аялга Үг)** : 말할 것도 없이 당연하다는 뜻으로 대답할 때 쓰는 말.

тэгэлгҮй яахав, мэдээж

ярих ч хэрэггҮй мэдээж гэсэн утгаар хариулахад хэрэглэдэг Үг.

• **요** : 높임의 대상인 상대방에게 존대의 뜻을 나타내는 조사.

Тохирох Үг хэллэг байхгүй байна

эсрэг хҮнээ хҮндэтгэж буй утгыг илэрхийлдэг нөхцөл.

• **어리다 (тэмдэг нэр)** : 나이가 적다.

бага балчир, насанд хҮрээгҮй

нас бага байх.

• **-었-** : 사건이 과거에 일어났음을 나타내는 어미.

Тохирох Үг хэллэг байхгүй байна

Үйл явдал өнгөрсөн Үед болсныг илэрхийлдэг төгсгөх нөхцөл.

• **-을 때** : 어떤 행동이나 상황이 일어나는 동안이나 그 시기 또는 그러한 일이 일어난 경우를 나타내는 표현.

Тохирох Үг хэллэг байхгүй байна

ямар нэг Үйл болон нөхцөл байдал өрнөж байх явцад буюу тэр цаг Үе, мөн тийм зҮйл болсон тохиолдлыг илэрхийлдэг Үг хэллэг.

• **부모님 (нэр Үг)** : (높이는 말로) 부모.

эцэг эх

(хҮндэтгэх Үг) аав ээж

• 하고 : 어떤 일을 함께 하는 대상임을 나타내는 조사.
  -тай (-тэй, -той)
  ямар нэгэн Үйлийг хамт хийж буй хҮнийг илэрхийлдэг нөхцөл.

• **고향 (нэр Үг)** : 태어나서 자란 곳.
  төрсөн нутаг
  төрж өссөн газар.

• 에 : 앞말이 목적지이거나 어떤 행위의 진행 방향임을 나타내는 조사.
  -руу/-рҮҮ, -луу/-лҮҮ
  өмнөх Үг зорьсон газар буюу ямар нэгэн Үйлийн чиглэлийг зааж байгаа болохыг
  илэрхийлж буй нөхцөл.

• **내려가다 (Үйл Үг)** : 도심이나 중심지에서 지방으로 가다.
  хөдөө гарах, явах
  хотын төв буюу төв газраас хөдөө рҮҮ явах.

• -면서 : 두 가지 이상의 동작이나 상태가 함께 일어남을 나타내는 연결 어미.
  Тохирох Үг хэллэг байхгҮй байна
  хоёр төрлөөс дээш Үйлдэл ба байдал хамт болох явдлыг илэрхийлэхэд хэрэглэдэг
  холбох нөхцөл.

• **입다 (Үйл Үг)** : 옷을 몸에 걸치거나 두르다.
  өмсөх
  хувцсыг биедээ углах буюу биеэ бороох.

• -었었- : 현재와 비교하여 다르거나 현재로 이어지지 않는 과거의 사건을 나타내는 어미.
  Тохирох Үг хэллэг байхгҮй байна
  одоо цагтай харьцуулан Үзэхэд өөр байх буюу өнөө Үетэ холбогдоогҮй эрт өнгөрсөн
  Үеийн Үйл явдлыг илэрхийлдэг нөхцөл.

• -죠 : (두루높임으로) 말하는 사람이 자신에 대한 이야기나 자신의 생각을 친근하게 말할 때 쓰는 종결
       어미.
  Тохирох Үг хэллэг байхгҮй байна
  (хҮндэтгэлийн энгийн Үг хэллэг) өгҮҮлэгч этгээд өөрийнхөө тухай ярих буюу өөрийн
  бодлыг найрсгаар илэрхийлэхэд хэрэглэдэг төгсгөх нөхцөл.

< 대화(ярилцлага) > - 49

왜 이렇게 늦었어? 한참 기다렸잖아.
왜 이러케 느저써? 한참 기다렫짜나.
wae ireoke neujeosseo? hancham gidaryeotjana.

미안해, 오후에도 이렇게 차가 막히는 줄 몰랐어.
미안해, 오후에도 이러케 차가 마키는 줄 몰라써.
mianhae, ohuedo ireoke chaga makineun jul mollasseo.

< 설명(тайлбар) / 번역(орчуулга) >

왜 이렇+게 늦+었+어?

한참 <u>기다리+었+잖아</u>.
　　　기다렸잖아

- 왜 (дайвар Үг) : 무슨 이유로. 또는 어째서.
  яагаад, ямар учраас
  ямар шалтгаанаар. мөн яагаад.

- 이렇다 (тэмдэг нэр) : 상태, 모양, 성질 등이 이와 같다.
  ийм байх, ийм, ингэх
  байдал, дүр төрх, шинж чанар зэрэг үүнтэй адил байх.

- -게 : 앞의 말이 뒤에서 가리키는 일의 목적이나 결과, 방식, 정도 등이 됨을 나타내는 연결 어미.
  Тохирох Үг хэллэг байхгүй байна
  өмнөх агуулга ард нь зааж буй байдал, зорилго, үр дүн, арга барил, хэмжээ зэрэг болохыг илэрхийлдэг холбох нөхцөл.

- 늦다 (Үйл Үг) : 정해진 때보다 지나다.
  хоцрох, оройтох
  тогтоосон хугацаанаас хоцрох.

- -었- : 어떤 사건이 과거에 완료되었거나 그 사건의 결과가 현재까지 지속되는 상황을 나타내는 어미.
  Тохирох Үг хэллэг байхгүй байна
  ямар нэгэн хэрэг явдал өнгөрсөн үед болж өнгөрсөн буюу тухайн үйлийн үр дүн өнөөг хүртэл үргэлжилж буй нөхцөл байдлыг илэрхийлдэг нөхцөл.

- -어 : (두루낮춤으로) 어떤 사실을 서술하거나 물음, 명령, 권유를 나타내는 종결 어미.
  Тохирох үг хэллэг байхгүй байна
  (хүндэтгэлийн бус энгийн үг хэллэг) ямар нэгэн зүйлийг дүрслэх буюу асуулт, тушаал, зөвлөмж зэргийг илэрхийлдэг төгсгөх нөхцөл. <асуулт>

- 한참 (нэр үг) : 시간이 꽤 지나는 동안.
  нэлээд удаан хугацаа
  цаг хугацаа нэлээд өнгөрөх хооронд.

- 기다리다 (үйл үг) : 사람, 때가 오거나 어떤 일이 이루어질 때까지 시간을 보내다.
  хүлээх
  хүн ирэх цаг үе болох юмуу ямар нэг зүйл бий болох хүртэлх цаг хугацааг өнгөрүүлэх.

- -었- : 어떤 사건이 과거에 완료되었거나 그 사건의 결과가 현재까지 지속되는 상황을 나타내는 어미.
  Тохирох үг хэллэг байхгүй байна
  ямар нэгэн хэрэг явдал өнгөрсөн үед болж өнгөрсөн буюу тухайн үйлийн үр дүн өнөөг хүртэл үргэлжилж буй нөхцөл байдлыг илэрхийлдэг нөхцөл.

- -잖아 : (두루낮춤으로) 어떤 상황에 대해 말하는 사람이 상대방에게 확인하거나 정정해 주듯이 말함을 나타내는 표현.
  Тохирох үг хэллэг байхгүй байна
  (хүндэтгэлийн бус энгийн үг хэллэг) ямар нэг нөхцөл байдлын талаар өгүүлэгч эсрэг этгээдээс лавлах буюу залруулах мэтээр хэлж байгааг илэрхийлдэг үг хэллэг.

미안하+여.
미안해

오후+에+도 이렇+게 차+가 막히+[는 줄] 모르(몰르)+았+어.
몰랐어

- 미안하다 (тэмдэг нэр) : 남에게 잘못을 하여 마음이 편치 못하고 부끄럽다.
  өршөөл хүсэх, уучлал хүсэх
  бусдад буруу зүйл хийсэндээ сэтгэл тайван бус ичгэвтэр байх.

- -여 : (두루낮춤으로) 어떤 사실을 서술하거나 물음, 명령, 권유를 나타내는 종결 어미.
  Тохирох үг хэллэг байхгүй байна
  (хүндэтгэлийн бус энгийн үг хэллэг) ямар нэгэн зүйлийг хүүрнэх, асуух буюу тушаал, зөвлөмж зэргийг илэрхийлдэг төгсгөх нөхцөл. <дүрслэл>

- 오후 (нэр үг) : 정오부터 해가 질 때까지의 동안.

  Үдээш хойш

  Үд дундаас нар жаргах хүртлэх хугацаа.

- 에 : 앞말이 시간이나 때임을 나타내는 조사.

  -д/-т

  өмнөх үг цаг хугацаа болохыг илэрхийлж буй нөхцөл.

- 도 : 일반적이지 않은 경우나 의외의 경우를 강조함을 나타내는 조사.

  ч гэсэн

  ердийн бус, санаснаас өөр тохиолдлыг онцолж буйг илэрхийлдэг нөхцөл.

- 이렇다 (тэмдэг нэр) : 상태, 모양, 성질 등이 이와 같다.

  ийм байх, ийм, ингэх

  байдал, дүр төрх, шинж чанар зэрэг үүнтэй адил байх.

- -게 : 앞의 말이 뒤에서 가리키는 일의 목적이나 결과, 방식, 정도 등이 됨을 나타내는 연결 어미.

  Тохирох үг хэллэг байхгүй байна

  өмнөх агуулга ард нь зааж буй байдал, зорилго, үр дүн, арга барил, хэмжээ зэрэг болохыг илэрхийлдэг холбох нөхцөл.

- 차 (нэр үг) : 바퀴가 달려 있어 사람이나 짐을 실어 나르는 기관.

  машин, тэрэг

  хүн болон ачаа ачиж зөөвөрлөдөг дугуйтай техник.

- 가 : 어떤 상태나 상황에 놓인 대상이나 동작의 주체를 나타내는 조사.

  Тохирох үг хэллэг байхгүй байна

  ямар нэгэн төлөв, байдлын субьект, мөн үйл хөдлөлийн эзэн болохыг илэрхийлэх нөхцөл.

- 막히다 (үйл үг) : 길에 차가 많아 차가 제대로 가지 못하게 되다.

  зам бөглөрөх

  зам дээр олон машин бөөгнөрснөөс машинууд явж чадахгүй зогсох.

- -는 줄 : 어떤 사실이나 상태에 대해 알고 있거나 모르고 있음을 나타내는 표현.

  Тохирох үг хэллэг байхгүй байна

  аливаа ажил үйлийг хийх арга болон ямар нэгэн зүйлийн талаар мэдэх буюу мэдэхгүй байхыг илэрхийлдэг үг хэллэг.

- 모르다 (үйл үг) : 사람이나 사물, 사실 등을 알지 못하거나 이해하지 못하다.

  мэдэхгүй байх, мэдэхгүй

  хүн, эд юм, үнэн зүйлийн талаар мэдээгүй буюу ойлгохгүй байх.

- -았- : 어떤 사건이 과거에 완료되었거나 그 사건의 결과가 현재까지 지속되는 상황을 나타내는 어미.

Тохирох Үг хэллэг байхгүй байна

ямар нэгэн Үйл явдал өнгөрсөн цагт болж дууссан буюу тухайн Үйл явдлын Үр дҮн өнөөг хҮртэл Үргэлжилж буй байдлыг илэрхийлдэг нөхцөл.

- -어 : (두루낮춤으로) 어떤 사실을 서술하거나 물음, 명령, 권유를 나타내는 종결 어미.

Тохирох Үг хэллэг байхгүй байна

(хҮндэтгэлийн бус энгийн Үг хэллэг) ямар нэгэн зҮйлийг дҮрслэх буюу асуулт, тушаал, зөвлөмж зэргийг илэрхийлдэг төгсгөх нөхцөл. **<дҮрслэл>**

< 대화(ярилцлага) > - 50

지아 씨, 하던 일은 다 됐어요?
지아 씨, 하던 이른 다 돼써요?
jia ssi, hadeon ireun da dwaesseoyo?

네, 잠깐만요. 지금 마무리하는 중이에요.
네, 잠깐마뇨. 지금 마무리하는 중이에요.
ne, jamkkanmanyo. jigeum mamurihaneun jungieyo.

< 설명(тайлбар) / 번역(орчуулга) >

지아 씨, 하+던 일+은 다 <u>되+었+어요</u>?
됐어요

- 지아 (нэр үг) : нэр

- 씨 (нэр үг) : 그 사람을 높여 부르거나 이르는 말.
  гуай
  тухайн хүнийг хүндэтгэн дуудах юмуу нэрлэх үг.

- 하다 (үйл үг) : 어떤 행동이나 동작, 활동 등을 행하다.
  үйлдэх, хийх, гүйцэтгэх
  аливаа үйл хөдлөл, хөдөлгөөн, ажиллагаа зэргийг гүйцэтгэх.

- -던 : 앞의 말이 관형어의 기능을 하게 만들고 사건이나 동작이 과거에 완료되지 않고 중단되었음을 나타내는 어미.
  Тохирох үг хэллэг байхгүй байна
  өмнөх үгийг тодотгол гишүүний үүрэгтэй болгож, хэрэг явдал буюу үйлдэл өнгөрсөн үед дуусаагүй түр завсарласан болохыг илэрхийлдэг нөхцөл.

- 일 (нэр үг) : 무엇을 이루려고 몸이나 정신을 사용하는 활동. 또는 그 활동의 대상.
  ажил хэрэг
  ямар нэгэн зүйлийг биелүүлэх гэж бие, сэтгэлээ дайчлах үйл ажиллагаа. мөн тэрхүү үйл ажиллагааны объект.

- 은 : 문장 속에서 어떤 대상이 화제임을 나타내는 조사.
  Тохирох үг хэллэг байхгүй байна
  өгүүлбэрт ямар зүйл ярианы сэдэв болж буйг илэрхийлдэг нөхцөл.

- **다 (дайвар Yг)** : 남거나 빠진 것이 없이 모두.
  бҮгд, цөм, бҮх, булт
  Үлдэж гээгдсэн зҮйлгҮй бҮгд.

- **되다 (Yйл Yг)** : 어떤 사물이나 현상이 생겨나거나 만들어지다.
  болох, бэлэн болох
  ямар нэгэн эд зҮйл болон Yзэгдэл YYсэх буюу бҮтээгдэх.

- **-었-** : 어떤 사건이 과거에 완료되었거나 그 사건의 결과가 현재까지 지속되는 상황을 나타내는 어미.
  Тохирох Yг хэллэг байхгҮй байна
  ямар нэгэн хэрэг явдал өнгөрсөн Yед болж өнгөрсөн буюу тухайн Yйлийн Yр дҮн
  өнөөг хҮртэл Yргэлжилж буй нөхцөл байдлыг илэрхийлдэг нөхцөл.

- **-어요** : (두루높임으로) 어떤 사실을 서술하거나 질문, 명령, 권유함을 나타내는 종결 어미.
  Тохирох Yг хэллэг байхгҮй байна
  (хҮндэтгэлийн энгийн Yг хэллэг) ямар нэгэн зҮйлийг хҮҮрнэх, асуух, тушаах, уриалах
  явдлыг илэрхийлдэг төгсгөх нөхцөл. <асуулт>

네, 잠깐+만+요.

지금 마무리하+[는 중이]+에요.

- **네 (аялга Yг)** : 윗사람의 물음이나 명령 등에 긍정하여 대답할 때 쓰는 말.
  тийм, тиймээ, за, мэдлээ, ойлголоо, тэгье
  ахмад хҮний асуулт, хҮсэлт даалгавар зэргийг зөвшөөрөн сонсож хариулах Yг.

- **잠깐 (нэр Yг)** : 아주 짧은 시간 동안.
  тҮр, тҮр зуур, агшин зуур.
  маш богино хугацааны турш.

- **만** : 무엇을 강조하는 뜻을 나타내는 조사.
  л
  ямар нэгэн зҮйлийг чухалчилсан утгыг илэрхийлж буй нөхцөл.

- **요** : 높임의 대상인 상대방에게 존대의 뜻을 나타내는 조사.
  Тохирох Yг хэллэг байхгҮй байна
  эсрэг хҮнээ хҮндэтгэж буй утгыг илэрхийлдэг нөхцөл.

- **지금 (дайвар Yг)** : 말을 하고 있는 바로 이때에. 또는 그 즉시에.
  одоо, одоо цагт
  юм ярьж буй яг одоо цаг Yед. мөн тэр даруй.

• **마무리하다 (Үйл Үг)** : 일을 끝내다.

дуусгах, төгсгөх

ажлыг дуусгах.

• **-는 중이다** : 어떤 일이 진행되고 있음을 나타내는 표현.

Тохирох Үг хэллэг байхгүй байна

ямар нэгэн зүйл үргэлжилж буй явдлыг илэрхийлдэг үг хэллэг.

• **-에요** : (두루높임으로) 어떤 사실을 서술하거나 질문함을 나타내는 종결 어미.

Тохирох Үг хэллэг байхгүй байна

(хүндэтгэлийн энгийн үг хэллэг) ямар нэгэн зүйлийг хүүрнэх, асуух явдлыг
илэрхийлдэг төгсгөх нөхцөл. <дүрслэл>

< 대화(ярилцлага) > - 51

추워? 내 옷 벗어 줄까?
추워? 내 옫 버서 줄까?
chuwo? nae ot beoseo julkka?

괜찮아. 너도 추위를 많이 타는데 괜히 멋있는 척하지 않아도 돼.
괜차나. 너도 추위를 마니 타는데 괜히 머신는 처카지 아나도 돼.
gwaenchana. neodo chuwireul mani taneunde gwaenhi meosinneun cheokaji anado dwae.

< 설명(тайлбар) / 번역(орчуулга) >

춥(추우)+어?
　　추워

나+의 옷 벗+[어 주]+ㄹ까?
내　　　벗어 줄까

- **춥다 (тэмдэг нэр)** : 몸으로 느끼기에 기온이 낮다.
  даарах, хүйтэн
  биеэр мэдрэх агаарын хэм бага байх.

- **-어** : (두루낮춤으로) 어떤 사실을 서술하거나 물음, 명령, 권유를 나타내는 종결 어미.
  Тохирох үг хэллэг байхгүй байна
  (хүндэтгэлийн бус энгийн үг хэллэг) ямар нэгэн зүйлийг дүрслэх буюу асуулт,
  тушаал, зөвлөмж зэргийг илэрхийлдэг төгсгөх нөхцөл. <асуулт>

- **나 (төлөөний үг)** : 말하는 사람이 친구나 아랫사람에게 자기를 가리키는 말.
  би
  өгүүлэгч этгээд найз буюу өөрөөсөө дүү хүнтэй ярихад өөрийг заасан үг.

- **의** : 앞의 말이 뒤의 말에 대하여 소유, 소속, 소재, 관계, 기원, 주체의 관계를 가짐을 나타내는 조사.
  -н/-ийн/-ын/-ий/-ы
  өмнөх үг хойдох үгтэй эзэмшил, харьяа, хэрэглэгдэхүүн, сэдвийн хамааралтай
  болохыг илэрхийлсэн нөхцөл.

• 옷 (нэр үг) : 사람의 몸을 가리고 더위나 추위 등으로부터 보호하며 멋을 내기 위하여 입는 것.
хувцас
хүний биеийг хүйтэн халуунаас хамгаалах болон өмсөж гоёход зориулагдсан зүйл.

• 벗다 (үйл үг) : 사람이 몸에 지닌 물건이나 옷 등을 몸에서 떼어 내다.
тайлах, нүцэглэх
хүний биед байсан эд зүйл болон хувцас зэргийг биеэс салгаж холдуулах.

• -어 주다 : 남을 위해 앞의 말이 나타내는 행동을 함을 나타내는 표현.
Тохирох үг хэллэг байхгүй байна
бусдад зориулж өмнөх үгийн илэрхийлж буй үйлдлийг хийх явдлыг илэрхийлдэг үг хэллэг.

• -ㄹ까 : (두루낮춤으로) 듣는 사람의 의사를 물을 때 쓰는 종결 어미.
Тохирох үг хэллэг байхгүй байна
(хүндэтгэлийн бус энгийн үг хэллэг) өгүүлэгчийн бодол санаа, таамгийг илэрхийлэх буюу нөгөө хүний санал бодлыг асуух үед хэрэглэдэг төгсгөх нөхцөл.

괜찮+아.

너+도 추위+를 많이 타+는데 괜히 멋있+[는 척하]+[지 않]+[아도 되]+어.
멋있는 척하지 않아도 돼

• 괜찮다 (тэмдэг нэр) : 별 문제가 없다.
зүгээр, гайгүй
нэг их асуудалгүй.

• -아 : (두루낮춤으로) 어떤 사실을 서술하거나 물음, 명령, 권유를 나타내는 종결 어미.
Тохирох үг хэллэг байхгүй байна
(хүндэтгэлийн бус энгийн үг хэллэг) ямар нэгэн зүйлийг дүрслэх буюу асуулт, тушаал, зөвлөмж зэргийг илэрхийлдэг төгсгөх нөхцөл. <дүрслэл>

• 너 (төлөөний үг) : 듣는 사람이 친구나 아랫사람일 때, 그 사람을 가리키는 말.
чи
сонсогч нь найз буюу дүү байх тохиолдолд, тухайн хүнийг заадаг үг.

• 도 : 이미 있는 어떤 것에 다른 것을 더하거나 포함함을 나타내는 조사.
ч
нэгэнт байгаа зүйл дээр өөр зүйлийг нэмэх буюу хамруулсныг илэрхийлж буй нөхцөл.

• 추위 (нэр Үг) : 주로 겨울철의 추운 기운이나 추운 날씨.

хҮйтэн

ихэвчлэн өвлийн улирлын хҮйтэн агаар юмуу хҮйтэн цаг агаар.

• 를 : 동작이 직접적으로 영향을 미치는 대상을 나타내는 조사.

-ыг/-ийг/-г

Үйл хөдлөл шууд нөлөөлж буй тусагдахууныг илэрхийлэх нөхцөл.

• 많이 (дайвар Үг) : 수나 양. 정도 등이 일정한 기준보다 넘게.

их, олон

тоо, хэр хэмжээ мэтийн зҮйл тодорхой нэг тҮвшингөөс хэтэрсэн.

• 타다 (Үйл Үг) : 날씨나 계절의 영향을 쉽게 받다.

мэдрэх, мэдрэмтгий

цаг агаар, улирлын нөлөөг хялбар авах.

• -는데 : 뒤의 말을 하기 위하여 그 대상과 관련이 있는 상황을 미리 말함을 나타내는 연결 어미.

Тохирох Үг хэллэг байхгҮй байна

арын агуулгыг ярихын тулд тухайн зҮйлтэй холбоотой нөхцөл байдлыг урьдчилан хэлж буйг илэрхийлдэг холбох нөхцөл.

• 괜히 (дайвар Үг) : 특별한 이유나 실속이 없게.

дэмий, хэрэггҮй, зҮгээр, шал дэмий

тодорхой шалтгаан, утга учиргҮй.

• 멋있다 (тэмдэг нэр) : 매우 좋거나 훌륭하다.

ганган, хээнцэр, догь, чамин, гоё, уран, гоёмсог

маш гоё сайхан, дэгжин гоёмсог.

• -는 척하다 : 실제로 그렇지 않은데도 어떤 행동이나 상태를 거짓으로 꾸밈을 나타내는 표현.

Тохирох Үг хэллэг байхгҮй байна

бодитоор тийм биш мөртлөө ямар нэгэн Үйлдэл буюу байдлыг хуурмагаар зохиох явдлыг илэрхийлдэг Үг хэллэг.

• -지 않다 : 앞의 말이 나타내는 행위나 상태를 부정하는 뜻을 나타내는 표현.

Тохирох Үг хэллэг байхгҮй байна

өмнөх Үгийн илэрхийлж буй Үйлдэл буюу байдлыг ҮгҮйсгэх утгыг илэрхийлдэг Үг хэллэг.

• -아도 되다 : 어떤 행동에 대한 허락이나 허용을 나타낼 때 쓰는 표현.

Тохирох Үг хэллэг байхгҮй байна

ямар нэг Үйл хөдлөлийн талаарх зөвшөөрөл болон хҮлээн зөвшөөрөх утгыг илэрхийлэхэд хэрэглэдэг илэрхийлэл.

• -어 : (두루낮춤으로) 어떤 사실을 서술하거나 물음, 명령, 권유를 나타내는 종결 어미.

Тохирох Үг хэллэг байхгүй байна

(хүндэтгэлийн бус энгийн үг хэллэг) ямар нэгэн зүйлийг дүрслэх буюу асуулт, тушаал, зөвлөмж зэргийг илэрхийлдэг төгсгөх нөхцөл. **<дүрслэл>**

< 대화(ярилцлага) > - 52

어제 친구들이 너 몰래 생일 파티를 준비해서 깜짝 놀랐다면서?
어제 친구드리 너 몰래 생일 파티를 준비해서 깜짝 놀랃따면서?
eoje chingudeuri neo mollae saengil patireul junbihaeseo kkamjjak nollatdamyeonseo?

사실은 미리 눈치를 챘었는데 그래도 놀라는 체했지.
사시른 미리 눈치를 채썬는데 그래도 놀라는 체핻찌.
sasireun miri nunchireul chaesseonneunde geuraedo nollaneun chehaetji.

< 설명(тайлбар) / 번역(орчуулга) >

어제 친구+들+이 너 몰래 생일 파티+를 준비하+여서 깜짝 놀라+았+다면서?
　　　　　　　　　　　　　　　　준비해서　　　　　놀랐다면서

- 어제 (дайвар үг) : 오늘의 하루 전날에.
  өчигдөр
  өнөөдрөөс нэг өдрийн өмнө.

- 친구 (нэр үг) : 사이가 가까워 서로 친하게 지내는 사람.
  найз, анд нөхөр
  харилцаа ойртой хоорондоо дотно нөхөрлөдөг хүн.

- 들 : '복수'의 뜻을 더하는 접미사.
  Тохирох үг хэллэг байхгүй байна
  олон тооны утга нэмдэг дагавар.

- 이 : 어떤 상태나 상황의 대상이나 동작의 주체를 나타내는 조사.
  Тохирох үг хэллэг байхгүй байна
  ямар нэгэн төлөв, байдлын субьект, мөн үйл хөдлөлийн эзэн болохыг илэрхийлэх
  нөхцөл.

- 너 (төлөөний үг) : 듣는 사람이 친구나 아랫사람일 때, 그 사람을 가리키는 말.
  чи
  сонсогч нь найз буюу дүү байх тохиолдолд, тухайн хүнийг заадаг үг.

- 몰래 (дайвар үг) : 남이 알지 못하게.
  бусдад мэдэгдэлгүй, нүднээс далд, сэм
  бусдад мэдэгдэхгүйгээр.

- **생일 (нэр Үг)** : 사람이 세상에 태어난 날.

  төрсөн өдөр

  хэн нэгэн хүн хорвоод мэндэлсэн өдөр.

- **파티 (нэр Үг)** : 친목을 도모하거나 무엇을 기념하기 위한 잔치나 모임.

  үдэшлэг, цэнгүүн

  ойртон дотносохын тулд юм уу эсвэл юуг ч юм тэмдэглэхийн төлөө хийх найр буюу цуглаан.

- **를** : 동작이 직접적으로 영향을 미치는 대상을 나타내는 조사.

  -ыг/-ийг/-г

  Үйл хөдлөл шууд нөлөөлж буй тусагдахууныг илэрхийлэх нөхцөл.

- **준비하다 (Үйл Үг)** : 미리 마련하여 갖추다.

  бэлтгэх, базаах, төхөөрөх

  урьдчилан бэлтгэн авах.

- **-여서** : 이유나 근거를 나타내는 연결 어미.

  Тохирох Үг хэллэг байхгүй байна

  учир шалтгаан буюу үндэслэлийг илэрхийлдэг холбох нөхцөл.

- **깜짝 (дайвар Үг)** : 갑자기 놀라는 모양.

  гэнэт цочих

  гэнэт цочих байдал.

- **놀라다 (Үйл Үг)** : 뜻밖의 일을 당하거나 무서워서 순간적으로 긴장하거나 가슴이 뛰다.

  айх, цочих

  гэнэтийн явдал тохиолдсонд айж цочин, хоромхон зуур сандран зүрх хурдан цохилох.

- **-았-** : 사건이 과거에 일어났음을 나타내는 어미.

  Тохирох Үг хэллэг байхгүй байна

  Үйл явдал өнгөрсөн үед болсныг илэрхийлдэг нөхцөл.

- **-다면서** : (두루낮춤으로) 말하는 사람이 들어서 아는 사실을 확인하여 물음을 나타내는 종결 어미.

  Тохирох Үг хэллэг байхгүй байна

  (хүндэтгэлийн бус энгийн үг хэллэг) сонсоод мэдсэн зүйлийн талаар батлан асуухад хэрэглэдэг төгсгөх нөхцөл.

사실+은 미리 눈치+를 채+었었+는데 그러+어도 놀라+[는 체하]+였+지.
챘었는데   그래도   놀라는 체했지

- **사실 (нэр үг)** : 겉으로 드러나지 않은 일을 솔직하게 말할 때 쓰는 말.
  Үнэндээ
  ил шулуун нуулгүй хэлэх гэсэн үедээ хэлэх үг

- **은** : 문장 속에서 어떤 대상이 화제임을 나타내는 조사.
  Тохирох үг хэллэг байхгүй байна
  өгүүлбэрт ямар зүйл ярианы сэдэв болж буйг илэрхийлдэг нөхцөл.

- **미리 (дайвар үг)** : 어떤 일이 있기 전에 먼저.
  урьдчилан, эртлэн, түрүүлэн
  аливаа хэрэг явдлаас өмнө түрүүнд.

- **눈치 (нэр үг)** : 상대가 말하지 않아도 그 사람의 마음이나 일의 상황을 이해하고 아는 능력.
  мэдрэмж
  харилцагчийнхаа хэлж ойлгуулах гэсэн зүйлийг урьдчилан сэтгэлээрээ мэдрэх чадвар

- **를** : 동작이 직접적으로 영향을 미치는 대상을 나타내는 조사.
  -ыг/-ийг/-г
  үйл хөдлөл шууд нөлөөлж буй тусагдахууныг илэрхийлэх нөхцөл.

- **채다 (үйл үг)** : 사정이나 형편을 재빨리 미루어 헤아리거나 깨닫다.
  анзаарах, мэдэх, ажиглах
  учир шалтгаан, нөхцөл байдлыг маш түргэн сэтгэн, ойлгож ухаарах.

- **-었었-** : 현재와 비교하여 다르거나 현재로 이어지지 않는 과거의 사건을 나타내는 어미.
  Тохирох үг хэллэг байхгүй байна
  одоо цагтай харьцуулан үзэхэд өөр байх буюу өнөө үетэ холбогдоогүй эрт өнгөрсөн үеийн үйл явдлыг илэрхийлдэг нөхцөл.

- **-는데** : 뒤의 말을 하기 위하여 그 대상과 관련이 있는 상황을 미리 말함을 나타내는 연결 어미.
  Тохирох үг хэллэг байхгүй байна
  арын агуулгыг ярихын тулд тухайн зүйлтэй холбоотой нөхцөл байдлыг урьдчилан хэлж буйг илэрхийлдэг холбох нөхцөл.

- **그러다 (үйл үг)** : 앞에서 일어난 일이나 말한 것과 같이 그렇게 하다.
  тэгэх
  өмнө болсон явдал буюу хэлсэн зүйлтэй адил тэгж хийх, түүнтэй адил хийх.

• -어도 : 앞에 오는 말을 가정하거나 인정하지만 뒤에 오는 말에는 관계가 없거나 영향을 끼치지 않음을
　　　　 나타내는 연결 어미.

Тохирох Үг хэллэг байхгүй байна

өмнөх агуулгыг тооцоолох буюу хүлээн зөвшөөрч байгаа ч ардах агуулгад нь
хамааралгүй буюу нөлөө үзүүлэхгүй болохыг илэрхийлдэг холбох нөхцөл.

• **놀라다 (Үйл Үг)** : 뜻밖의 일을 당하거나 무서워서 순간적으로 긴장하거나 가슴이 뛰다.

айх, цочих

гэнэтийн явдал тохиолдсонд айж цочин, хоромхон зуур сандран зүрх хурдан цохилох.

• -는 체하다 : 실제로 그렇지 않은데도 어떤 행동이나 상태를 거짓으로 꾸밈을 나타내는 표현.

Тохирох Үг хэллэг байхгүй байна

бодитоор тийм биш мөртлөө ямар нэгэн үйлдэл буюу байдлыг хуурмагаар зохиох
явдлыг илэрхийлдэг үг хэллэг.

• -였- : 사건이 과거에 일어났음을 나타내는 어미.

Тохирох Үг хэллэг байхгүй байна

үйл явдал өнгөрсөн цагт өрнөснийг илэрхийлдэг төгсгөх нөхцөл.

• -지 : (두루낮춤으로) 말하는 사람이 자신에 대한 이야기나 자신의 생각을 친근하게 말할 때 쓰는 종결
　　　 어미.

Тохирох Үг хэллэг байхгүй байна

(хүндэтгэлийн бус энгийн үг хэллэг) өгүүлэгч өөрийнхөө тухай ярих буюу өөрийн
бодлыг дотноор хэлэхэд хэрэглэхэд төгсгөх нөхцөл.

< 대화(ярилцлага) > - 53

영화를 보는 것이 취미라고 하셨는데 영화를 자주 보세요?
영화를 보는 거시 취미라고 하션는데 영화를 자주 보세요?
yeonghwareul boneun geosi chwimirago hasyeonneunde yeonghwareul jaju boseyo?

일주일에 한 편 이상 보니까 자주 보는 편이죠.
일쭈이레 한 편 이상 보니까 자주 보는 펴니죠.
iljuire han pyeon isang bonikka jaju boneun pyeonijyo.

< 설명(тайлбар) / 번역(орчуулга) >

영화+를 보+[는 것]+이 <u>취미+(이)+라고</u> <u>하+시+었+는데</u> 영화+를 자주 보+세요?
　　　　　　　　　　　취미라고　　　　　하셨는데

- **영화 (нэр Yг)** : 일정한 의미를 갖고 움직이는 대상을 촬영하여 영사기로 영사막에 비추어서 보게 하는 종합 예술.
  кино
  тодорхой агуулгын дагуу хөдөлгөөнт зYйлийн зургийг авч, кино зургийн аппаратаар дэлгэцэнд гарган YзYYлдэг нэгдмэл урлаг.

- **를** : 동작이 직접적으로 영향을 미치는 대상을 나타내는 조사.
  -ыг/-ийг/-г
  Yйл хөдлөл шууд нөлөөлж буй тусагдахууныг илэрхийлэх нөхцөл.

- **보다 (Yйл Yг)** : 눈으로 대상을 즐기거나 감상하다.
  Yзэж харах, Yзэн танилцах, авч Yзэх, харах, мэдрэх, харж мэдрэх
  нYдээрээ юмыг харж таашаах буюу Yзэж сонирхох.

- **-는 것** : 명사가 아닌 것을 문장에서 명사처럼 쓰이게 하거나 '이다' 앞에 쓰일 수 있게 할 때 쓰는 표현.
  Тохирох Yг хэллэг байхгYй байна
  өгYYлбэрт нэр Yгийн YYргээр орж өгYYлэгдэхYYн буюу тусагдахуун гишYYний YYрэг гYйцэтгэх буюу '이다'-н өмнө ирэх боломжтой болгодог Yг хэллэг.

- **이** : 어떤 상태나 상황의 대상이나 동작의 주체를 나타내는 조사.
  Тохирох Yг хэллэг байхгYй байна
  ямар нэгэн төлөв, байдлын субьект, мөн Yйл хөдлөлийн эзэн болохыг илэрхийлэх нөхцөл.

• 취미 (нэр Үг) : 좋아하여 재미로 즐겨서 하는 일.

сонирхол, хобби

дуртай сонирхлын журмаар байнга хийдэг Үйл.

• 이다 : 주어가 지시하는 대상의 속성이나 부류를 지정하는 뜻을 나타내는 서술격 조사.

Тохирох Үг хэллэг байхгҮй байна

эзэн биеийн зааж буй обьектын шинж чанар, төрөл зҮйлийг тодорхойлох утгыг илэрхийлэх өгҮҮлэхҮҮний тийн ялгалын нөхцөл.

• -라고 : 다른 사람에게서 들은 내용을 간접적으로 전달하거나 주어의 생각, 의견 등을 나타내는 표현.

Тохирох Үг хэллэг байхгҮй байна

бусдаас сонссон зҮйлийг дам дамжуулах буюу эзэн биеийн бодол, санаа зэргийг илэрхийлдэг Үг хэллэг.

• 하다 (Үйл Үг) : 무엇에 대해 말하다.

гэх

ямар нэгэн юмны талаар ярих.

• -시- : 어떤 동작이나 상태의 주체를 높이는 뜻을 나타내는 어미.

Тохирох Үг хэллэг байхгҮй байна

ямар нэгэн Үйлдэл буюу байдлын эзэн биеийг хҮндэтгэх утгыг илэрхийлдэг нөхцөл.

• -었- : 사건이 과거에 일어났음을 나타내는 어미.

Тохирох Үг хэллэг байхгҮй байна

Үйл явдал өнгөрсөн Үед болсныг илэрхийлдэг төгсгөх нөхцөл.

• -는데 : 뒤의 말을 하기 위하여 그 대상과 관련이 있는 상황을 미리 말함을 나타내는 연결 어미.

Тохирох Үг хэллэг байхгҮй байна

арын агуулгыг ярихын тулд тухайн зҮйлтэй холбоотой нөхцөл байдлыг урьдчилан хэлж буйг илэрхийлдэг холбох нөхцөл.

• 영화 (нэр Үг) : 일정한 의미를 갖고 움직이는 대상을 촬영하여 영사기로 영사막에 비추어서 보게 하는 종합 예술.

кино

тодорхой агуулгын дагуу хөдөлгөөнт зҮйлийн зургийг авч, кино зургийн аппаратаар дэлгэцэнд гарган ҮзҮҮлдэг нэгдмэл урлаг.

• 를 : 동작이 직접적으로 영향을 미치는 대상을 나타내는 조사.

-ыг/-ийг/-г

Үйл хөдлөл шууд нөлөөлж буй тусагдахууныг илэрхийлэх нөхцөл.

• 자주 (дайвар Үг) : 같은 일이 되풀이되는 간격이 짧게.

байнга, дандаа

ижил зҮйл давтагдах хугацаа богиноор.

- 보다 (Үйл Үг) : 눈으로 대상을 즐기거나 감상하다.

  Үзэж харах, Үзэн танилцах, авч Үзэх, харах, мэдрэх, харж мэдрэх

  нҮдээрээ юмыг харж таашаах буюу Үзэж сонирхох.

- -세요 : (두루높임으로) 설명, 의문, 명령, 요청의 뜻을 나타내는 종결 어미.

  Тохирох Үг хэллэг байхгҮй байна

  (хҮндэтгэлийн энгийн Үг хэллэг) тайлбар, асуулт, тушаал, хҮсэлтийн утгыг илэрхийлдэг төгсгөх нөхцөл. <асуулт>

일주일+에 한 편 이상 보+니까 자주 보+[는 편이]+죠.

- 일주일 (нэр Үг) : 월요일부터 일요일까지 칠 일. 또는 한 주일.

  долоо хоног

  даваа гарагаас ням гараг хҮртлэх долоон хоног. мөн нэг долоо хоног.

- 에 : 앞말이 기준이 되는 대상이나 단위임을 나타내는 조사.

  -д/-т

  өмнөх Үг хэм хэмжҮҮрийн тусагдахуун буюу нэгж болохыг илэрхийлж буй нөхцөл.

- 한 (тодотгол Үг) : 하나의.

  нэг

  нэгэн.

- 편 (нэр Үг) : 책이나 문학 작품, 또는 영화나 연극 등을 세는 단위.

  боть, анги

  ном, утга зохиолын бҮтээл, кино, жҮжиг мэтийг тоолдог нэгж.

- 이상 (нэр Үг) : 수량이나 정도가 일정한 기준을 포함하여 그보다 많거나 나은 것.

  дээш, илҮҮ, их

  тоо ширхэг болон хэмжээ тогтсон тҮвшинээс их буюу дээр байх явдал.

- 보다 (Үйл Үг) : 눈으로 대상을 즐기거나 감상하다.

  Үзэж харах, Үзэн танилцах, авч Үзэх, харах, мэдрэх, харж мэдрэх

  нҮдээрээ юмыг харж таашаах буюу Үзэж сонирхох.

- -니까 : 뒤에 오는 말에 대하여 앞에 오는 말이 원인이나 근거, 전제가 됨을 강조하여 나타내는 연결 어

     미.

  ~ болохоор

  ард нь ирэх агуулга нь өмнөх Үгийн учир шалтгаан Үндэслэл суурь болохыг илэрхийлдэг холбох нөхцөл.

- 자주 (дайвар Үг) : 같은 일이 되풀이되는 간격이 짧게.
  байнга, дандаа
  ижил зүйл давтагдах хугацаа богиноор.

- 보다 (Үйл Үг) : 눈으로 대상을 즐기거나 감상하다.
  Үзэж харах, Үзэн танилцах, авч Үзэх, харах, мэдрэх, харж мэдрэх
  нүдээрээ юмыг харж таашаах буюу Үзэж сонирхох.

- -는 편이다 : 어떤 사실을 단정적으로 말하기보다는 대체로 어떤 쪽에 가깝다거나 속한다고 말할 때 쓰
  는 표현.
  Тохирох Үг хэллэг байхгүй байна
  ямар нэгэн Үнэн зүйлийг шууд ярихаас илүүгээр ерөнхийдөө ямар нэгэн зүгт ойрхон
  гэх буюу харьяалагдана гэж ярих Үед хэрэглэдэг Үг хэллэг.

- -죠 : (두루높임으로) 말하는 사람이 자신에 대한 이야기나 자신의 생각을 친근하게 말할 때 쓰는 종결
  어미.
  Тохирох Үг хэллэг байхгүй байна
  (хүндэтгэлийн энгийн Үг хэллэг) өгүүлэгч этгээд өөрийнхөө тухай ярих буюу өөрийн
  бодлыг найрсгаар илэрхийлэхэд хэрэглэдэг төгсгөх нөхцөл.

< 대화(ярилцлага) > - 54

지아 씨, 이번 대회 우승을 축하합니다.
지아 씨, 이번 대회 우승을 추카합니다.
jia ssi, ibeon daehoe useungeul chukahamnida.

고맙습니다. 제가 음악을 계속하는 한 이 우승의 감격은 잊지 못할 것입니다.
고맙씀니다. 제가 으마글 계소카는 한 이 우승의(우승에) 감겨근 읻찌 모탈 꺼심니다.
gomapseumnida. jega eumageul gyesokaneun han i useungui(useunge) gamgyeogeun itji motal geosimnida.

< 설명(тайлбар) / 번역(орчуулга) >

지아 씨, 이번 대회 우승+을 <u>축하하+ㅂ니다</u>.
축하합니다

- **지아 (нэр үг)** : нэр

- **씨 (нэр үг)** : 그 사람을 높여 부르거나 이르는 말.
  гуай
  тухайн хүнийг хүндэтгэн дуудах юмуу нэрлэх үг.

- **이번 (нэр үг)** : 곧 돌아올 차례. 또는 막 지나간 차례.
  энэ удаагийн
  удахгүй болох ээлж дараа. мөн дөнгөж сая өнгөрсөн дараалал.

- **대회 (нэр үг)** : 여러 사람이 실력이나 기술을 겨루는 행사.
  тэмцээн
  олон хүн ур чадвараараа уралддаг үйл ажиллагаа.

- **우승 (нэр үг)** : 경기나 시합에서 상대를 모두 이겨 일 위를 차지함.
  тэргүүлэх, түрүүлэх, аварга болох
  тэмцээн, уралдаанд өрсөлдөгчөө бүгдийг нь ялж нэгдүгээр байр эзлэх явдал.

- **을** : 동작이 직접적으로 영향을 미치는 대상을 나타내는 조사.
  -ыг/-ийг/-г
  үйл хөдлөл шууд нөлөөлж буй тусагдахууныг илэрхийлэх нөхцөл.

- **축하하다 (Үйл Үг)** : 남의 좋은 일에 대하여 기쁜 마음으로 인사하다.
  баяр хүргэх
  бусдын сайн сайхан зүйлд баярласан сэтгэлээр мэндчилгээ хүргэх.

- **-ㅂ니다** : (아주높임으로) 현재의 동작이나 상태, 사실을 정중하게 설명함을 나타내는 종결 어미.
  Тохирох Үг хэллэг байхгүй байна
  (дээдлэн хүндэтгэх Үг хэллэг) одоогийн Үйлдэл буюу байдлыг ёсорхог байдлаар тайлбарлах явдлыг илэрхийлдэг төгсгөх нөхцөл.

고맙+습니다.

제+가 음악+을 계속하+[는 한]

이 우승+의 감격+은 잊+[지 못하]+[ㄹ 것]+이+ㅂ니다.
잊지 못할 것입니다

- **고맙다 (тэмдэг нэр)** : 남이 자신을 위해 무엇을 해주어서 마음이 흐뭇하고 보답하고 싶다.
  баярлах
  өөр хүн өөрийнх нь төлөө ямар нэгэн зүйлийг хийж өгсөнд талархан баярлаж ачийг хариулах сэтгэл төрөх.

- **-습니다** : (아주높임으로) 현재의 동작이나 상태, 사실을 정중하게 설명함을 나타내는 종결 어미.
  Тохирох Үг хэллэг байхгүй байна
  (дээдлэн хүндэтгэх Үг хэллэг) одоогийн Үйлдэл буюу байдлыг ёсорхог байдлаар тайлбарлах явдлыг илэрхийлдэг төгсгөх нөхцөл.

- **제 (төлөөний Үг)** : 말하는 사람이 자신을 낮추어 가리키는 말인 '저'에 조사 '가'가 붙을 때의 형태.
  би
  ярьж буй хүн өөрийгөө доошлуулж хэлдэг Үг '저' дээр нөхцөл '가' залгасан хэлбэр.

- **가** : 어떤 상태나 상황에 놓인 대상이나 동작의 주체를 나타내는 조사.
  Тохирох Үг хэллэг байхгүй байна
  ямар нэгэн төлөв, байдлын субьект, мөн Үйл хөдлөлийн эзэн болохыг илэрхийлэх нөхцөл.

- **음악 (нэр Үг)** : 목소리나 악기로 박자와 가락이 있게 소리 내어 생각이나 감정을 표현하는 예술.
  дуу хөгжим, ая
  дуу хоолой, хөгжмийн зэмсгээр хэмнэл болон аялгуутайгаар дуу гаргаж, бодол санаа, сэтгэл хөдлөлийг илэрхийлдэг урлаг.

- 173 -

- 을 : 동작이 직접적으로 영향을 미치는 대상을 나타내는 조사.
  -ыг/-ийг/-г
  Үйл хөдлөл шууд нөлөөлж буй тусагдахууныг илэрхийлэх нөхцөл.

- 계속하다 (Үйл Үг) : 끊지 않고 이어 나가다.
  Үргэлжлэх
  завсарлаж, зогсохгҮйгээр Үргэлжлэх.

- -는 한 : 앞에 오는 말이 뒤의 행위나 상태에 대해 전제나 조건이 됨을 나타내는 표현.
  Тохирох Үг хэллэг байхгҮй байна
  өмнөх Үг нь дараах Үйлдэл буюу байдлын зорилго буюу болзол болох явдлыг илэрхийлдэг Үг хэллэг.

- 이 (тодотгол Үг) : 말하는 사람에게 가까이 있거나 말하는 사람이 생각하고 있는 대상을 가리킬 때 쓰는 말.
  энэ
  өгҮҮлэгч этгээдэд ойр байгаа зҮйл ба өгҮҮлэгч этгээдийн бодож байгаа зҮйлийг заасан Үг.

- 우승 (нэр Үг) : 경기나 시합에서 상대를 모두 이겨 일 위를 차지함.
  тэргҮҮлэх, тҮрҮҮлэх, аварга болох
  тэмцээн, уралдаанд өрсөлдөгчөө бҮгдийг нь ялж нэгдҮгээр байр эзлэх явдал.

- 의 : 앞의 말이 뒤의 말에 대하여 속성이나 수량을 한정하거나 같은 자격임을 나타내는 조사.
  -н/-ийн/-ын/-ий/-ы
  өмнөх Үг хойдох Үгийн шинж чанар, тоо хэмжээг зааглаж байгааг илэрхийлдэг нөхцөл.

- 감격 (нэр Үг) : 마음에 깊이 느끼어 매우 감동함. 또는 그 감동.
  баяр хөөр, догдлол, сэтгэл хөдлөл
  ямар нэг зҮйлийг гҮн мэдэрч ихэд сэтгэл хөдлөх явдал. мөн тийм сэтгэл хөдлөл.

- 은 : 강조의 뜻을 나타내는 조사.
  Тохирох Үг хэллэг байхгҮй байна
  онцолсон утгыг илэрхийлж буй нөхцөл.

- 잊다 (Үйл Үг) : 한번 알았던 것을 기억하지 못하거나 기억해 내지 못하다.
  мартах, санахгҮй байх
  өмнө мэддэг байсан зҮйлээ санахгҮй байх буюу сэргээн санаж чадахгҮй байх.

- -지 못하다 : 앞의 말이 나타내는 행동을 할 능력이 없거나 주어의 의지대로 되지 않음을 나타내는 표현.
  Тохирох Үг хэллэг байхгҮй байна
  өмнөх Үгийн илэрхийлж буй Үйлдлийг хийх чадваргҮй буюу тийнхҮҮ хийх гэсэн эзэн биеийн санасны дагуу болохгҮй байх явдлыг илэрхийлдэг Үг хэллэг.

• -ㄹ 것 : 명사가 아닌 것을 문장에서 명사처럼 쓰이게 하거나 '이다' 앞에 쓰일 수 있게 할 때 쓰는 표현.

Тохирох Үг хэллэг байхгҮй байна

нэр Үг биш боловч өгҮҮлбэрт нэр Үгийн ҮҮргээр орж, өгҮҮлэгдэхҮҮн ба тусагдахуун гишҮҮний ҮҮрэг гҮйцэтгэх буюу '<ида>(байх)'-н өмнө орох боломжтой болгодог Үг хэллэг.

• 이다 : 주어가 지시하는 대상의 속성이나 부류를 지정하는 뜻을 나타내는 서술격 조사.

Тохирох Үг хэллэг байхгҮй байна

ээн биеийн зааж буй обьектын шинж чанар, төрөл зҮйлийг тодорхойлох утгыг илэрхийлэх өгҮҮлэхҮҮний тийн ялгалын нөхцөл.

• -ㅂ니다 : (아주높임으로) 현재의 동작이나 상태, 사실을 정중하게 설명함을 나타내는 종결 어미.

Тохирох Үг хэллэг байхгҮй байна

(дээдлэн хҮндэтгэх Үг хэллэг) одоогийн Үйлдэл буюу байдлыг ёсорхог байдлаар тайлбарлах явдлыг илэрхийлдэг төгсгөх нөхцөл.

< 대화(ярилцлага) > - 55

지아 씨, 영화 홍보는 어떻게 되고 있어요?
지아 씨, 영화 홍보는 어떠케 되고 이써요?
jia ssi, yeonghwa hongboneun eotteoke doego isseoyo?

길거리 홍보 활동을 벌이는 한편 관객을 초대해서 무료 시사회를 하기로 했어요.
길꺼리 홍보 활동을 버리는 한편 관개글 초대해서 무료 시사회를 하기로 해써요.
gilgeori hongbo hwaldongeul beorineun hanpyeon gwangaegeul chodaehaeseo muryo sisahoereul hagiro haesseoyo.

< 설명(тайлбар) / 번역(орчуулга) >

지아 씨, 영화 홍보+는 어떻게 되+[고 있]+어요?

• 지아 (нэр үг) : нэр

• 씨 (нэр үг) : 그 사람을 높여 부르거나 이르는 말.
гуай
тухайн хүнийг хүндэтгэн дуудах юмуу нэрлэх үг.

• 영화 (нэр үг) : 일정한 의미를 갖고 움직이는 대상을 촬영하여 영사기로 영사막에 비추어서 보게 하는 종합 예술.
кино
тодорхой агуулгын дагуу хөдөлгөөнт зүйлийн зургийг авч, кино зургийн аппаратаар дэлгэцэнд гарган үзүүлдэг нэгдмэл урлаг.

• 홍보 (нэр үг) : 널리 알림. 또는 그 소식.
зар сурталчилгаа
нийтэд мэдэгдэх явдал. мөн тэр мэдээ.

• 는 : 문장 속에서 어떤 대상이 화제임을 나타내는 조사.
Тохирох үг хэллэг байхгүй байна
өгүүлбэрт ярианы сэдэв болж буйг илэрхийлдэг нөхцөл.

• 어떻게 (дайвар үг) : 어떤 방법으로. 또는 어떤 방식으로.
яаж, хэрхэн
ямар аргаар. мөн ямар арга хэлбэрээр.

- **되다 (Үйл Үг)** : 일이 잘 이루어지다.
  бэлэн болох, ажил бүтэх
  ажил сайн бүтэх.

- **-고 있다** : 앞의 말이 나타내는 행동이 계속 진행됨을 나타내는 표현.
  Тохирох Үг хэллэг байхгүй байна
  өмнөх Үгийн илэрхийлж буй Үйлдэл Үргэлжилж буйг илэрхийлдэг Үг хэллэг.

- **-어요** : (두루높임으로) 어떤 사실을 서술하거나 질문, 명령, 권유함을 나타내는 종결 어미.
  Тохирох Үг хэллэг байхгүй байна
  (хҮндэтгэлийн энгийн Үг хэллэг) ямар нэгэн зҮйлийг хҮҮрнэх, асуух, тушаах, уриалах
  явдлыг илэрхийлдэг төгсгөх нөхцөл. <асуулт>

길거리 홍보 활동+을 벌이+[는 한편] 관객+을 <u>초대하+여서</u>
초대해서

무료 시사회+를 <u>하+[기로 하]+였+어요</u>.
하기로 했어요

- **길거리 (нэр Үг)** : 사람이나 차가 다니는 길.
  гудамжин зам, зам гудамж
  хҮн болон машин явдаг зам.

- **홍보 (нэр Үг)** : 널리 알림. 또는 그 소식.
  зар сурталчилгаа
  нийтэд мэдэгдэх явдал. мөн тэр мэдээ.

- **활동 (нэр Үг)** : 어떤 일에서 좋은 결과를 거두기 위해 힘씀.
  хөдөлгөөн, Үйл ажиллагаа
  аливаа зҮйлээс сайн Үр дҮн олохын тулд хҮч зҮтгэл гаргах явдал.

- **을** : 동작이 직접적으로 영향을 미치는 대상을 나타내는 조사.
  -ыг/-ийг/-г
  Үйл хөдлөл шууд нөлөөлж буй тусагдахууныг илэрхийлэх нөхцөл.

- **벌이다 (Үйл Үг)** : 일을 계획하여 시작하거나 펼치다.
  эхлҮҮлэх, өрнҮҮлэх, өдөөх
  ажлыг төлөвлөж эхлэх юм уу өрнҮҮлэх.

• -는 한편 : 앞의 말이 나타내는 일을 하는 동시에 다른 쪽에서 또 다른 일을 함을 나타내는 표현.

    Тохирох Үг хэллэг байхгүй байна

ямар нэгэн зүйлийг хийх явцадаа өөр газар өөр зүйл хийх явдлыг илэрхийлдэг үг хэллэг.

• **관객 (нэр үг)** : 운동 경기, 영화, 연극, 음악회, 무용 공연 등을 구경하는 사람.

    Үзэгч

тэмцээн, кино, тоглолт, бүжиг зэргийг үзэж сонирхож буй хүн.

• **을** : 동작이 직접적으로 영향을 미치는 대상을 나타내는 조사.

    -ыг/-ийг/-г

Үйл хөдлөл шууд нөлөөлж буй тусагдахууныг илэрхийлэх нөхцөл.

• **초대하다 (үйл үг)** : 다른 사람에게 어떤 자리, 모임, 행사 등에 와 달라고 요청하다.

    урих, залах

бусад хүнд ямар нэгэн газар, цуглаан, арга хэмжээ зэрэгт ирж оролцохыг хүсэх.

• -여서 : 앞의 말과 뒤의 말이 순차적으로 일어남을 나타내는 연결 어미.

    Тохирох үг хэллэг байхгүй байна

өмнөх үг ба ардах үг ээлж дараагаар бий болох явдлыг илэрхийлдэг холбох нөхцөл.

• **무료 (нэр үг)** : 요금이 없음.

    Үнэгүй

төлбөр үнэ байхгүй.

• **시사회 (нэр үг)** : 영화나 광고 등을 일반에게 보이기 전에 몇몇 사람들에게 먼저 보이고 평가를 받기 위한 모임.

    нээлт

кино буюу зар сурталчилгаа зэргийг нийтэд үзүүлэхийн өмнө, хэд хэдэн хүнд үзүүлж үнэлгээ авах зорилготой цугларалт.

• **를** : 동작이 직접적으로 영향을 미치는 대상을 나타내는 조사.

    -ыг/-ийг/-г

Үйл хөдлөл шууд нөлөөлж буй тусагдахууныг илэрхийлэх нөхцөл.

• **하다 (үйл үг)** : 어떤 행동이나 동작, 활동 등을 행하다.

    Үйлдэх, хийх, гүйцэтгэх

аливаа үйл хөдлөл, хөдөлгөөн, ажиллагаа зэргийг гүйцэтгэх.

• -기로 하다 : 앞의 말이 나타내는 행동을 할 것을 결심하거나 약속함을 나타내는 표현.

    Тохирох үг хэллэг байхгүй байна

өмнөх үгийн илэрхийлж буй үйлийг хийхээр шийдэх буюу амлаж байгааг илэрхийлдэг үг хэллэг.

- -였- : 어떤 사건이 과거에 완료되었거나 그 사건의 결과가 현재까지 지속되는 상황을 나타내는 어미.

Тохирох Үг хэллэг байхгүй байна

ямар нэгэн үйл явдал өнгөрсөн цагт төгссөн буюу тухайн үйл явдлын үр дүн өнөөг хүртэл үргэлжилж буй байдлыг илэрхийлдэг нөхцөл.

- -어요 : (두루높임으로) 어떤 사실을 서술하거나 질문, 명령, 권유함을 나타내는 종결 어미.

Тохирох Үг хэллэг байхгүй байна

(хүндэтгэлийн энгийн үг хэллэг) ямар нэгэн зүйлийг хүүрнэх, асуух, тушаах, уриалах явдлыг илэрхийлдэг төгсгөх нөхцөл. **<дүрслэл>**

< 대화(ярилцлага) > - 56

왜 절뚝거리면서 걸어요?
왜 절뚝꺼리면서 거러요?
wae jeolttukgeorimyeonseo georeoyo?

예전에 교통사고로 다리를 다쳤는데 평소에 괜찮다가도 비만 오면 다시 아파요.
예저네 교통사고로 다리를 다쳔는데 평소에 괜찬타가도 비만 오면 다시 아파요.
yejeone gyotongsagoro darireul dacheonneunde pyeongsoe gwaenchantagado biman omyeon dasi apayo.

< 설명(тайлбар) / 번역(орчуулга) >

왜 절뚝거리+면서 걷(걸)+어요?
걸어요

- **왜 (дайвар Үг)** : 무슨 이유로. 또는 어째서.
  яагаад, ямар учраас
  ямар шалтгаанаар. мөн яагаад.

- **절뚝거리다 (Үйл Үг)** : 한쪽 다리가 짧거나 다쳐서 자꾸 중심을 잃고 절다.
  доголох
  нэг талынх нь хөл богино байх юм уу эсвэл гэмтэж бэртээд тэгш алхаж чадахгүй доголох.

- **-면서** : 두 가지 이상의 동작이나 상태가 함께 일어남을 나타내는 연결 어미.
  Тохирох Үг хэллэг байхгүй байна
  хоёр төрлөөс дээш Үйлдэл ба байдал хамт болох явдлыг илэрхийлэхэд хэрэглэдэг холбох нөхцөл.

- **걷다 (Үйл Үг)** : 바닥에서 발을 번갈아 떼어 옮기면서 움직여 위치를 옮기다.
  алхах, алхаж явах
  шалан дээр хөлөө ээлжлэн зөөж байрлалаа өөрчлөх.

- **-어요** : (두루높임으로) 어떤 사실을 서술하거나 질문, 명령, 권유함을 나타내는 종결 어미.
  Тохирох Үг хэллэг байхгүй байна
  (хүндэтгэлийн энгийн Үг хэллэг) ямар нэгэн зүйлийг хүүрнэх, асуух, тушаах, уриалах явдлыг илэрхийлдэг төгсгөх нөхцөл. <асуулт>

예전+에 교통사고+로 다리+를 <u>다치+었+는데</u> 평소+에 괜찮+다가도
다쳤는데

비+만 오+면 다시 <u>아프(아ㅍ)+아요</u>.
아파요

- **예전 (нэр Үг)** : 꽤 시간이 흐른 지난날.
  хуучин, урьдын, өмнөх
  нэлээд хугацаа өнгөрсөний дараах өдөр.

- **에** : 앞말이 시간이나 때임을 나타내는 조사.
  -д/-т
  өмнөх Үг цаг хугацаа болохыг илэрхийлж буй нөхцөл.

- **교통사고 (нэр Үг)** : 자동차나 기차 등이 다른 교통 기관과 부딪치거나 사람을 치는 사고.
  замын осол
  автомашин ба галт тэрэг зэрэг нь өөр тээврийн хэрэгсэлтэй мөргөлдөх буюу хүн
  дайрсны улмаас үүсэх осол.

- **로** : 어떤 일의 원인이나 이유를 나타내는 조사.
  болж, шалтгаалан
  ямар нэгэн үйл хэргийн учир шалтгаан болохыг илэрхийлж буй нөхцөл.

- **다리 (нэр Үг)** : 사람이나 동물의 몸통 아래에 붙어, 서고 걷고 뛰는 일을 하는 신체 부위.
  хөл
  хүн ба амьтны эх биеийн доод хэсэгт залгаатай, зогсох, алхах, гүйх үүрэг
  гүйцэтгэдэг биеийн эрхтэн.

- **를** : 동작이 직접적으로 영향을 미치는 대상을 나타내는 조사.
  -ыг/-ийг/-г
  үйл хөдлөл шууд нөлөөлж буй тусагдахууныг илэрхийлэх нөхцөл.

- **다치다 (Үйл Үг)** : 부딪치거나 맞거나 하여 몸이나 몸의 일부에 상처가 생기다. 또는 상처가 생기게 하
  다.
  гэмтэх, гэмтээх, шархдах, шалбалах
  мөргөх буюу цохиулснаас бие буюу биеийн нэг хэсэгт шарх бий болох. мөн шархдуулах.

- **-었-** : 사건이 과거에 일어났음을 나타내는 어미.
  Тохирох Үг хэллэг байхгүй байна
  үйл явдал өнгөрсөн үед болсныг илэрхийлдэг төгсгөх нөхцөл.

• -는데 : 뒤의 말을 하기 위하여 그 대상과 관련이 있는 상황을 미리 말함을 나타내는 연결 어미.

Тохирох Үг хэллэг байхгҮй байна

арын агуулгыг ярихын тулд тухайн зҮйлтэй холбоотой нөхцөл байдлыг урьдчилан хэлж буйг илэрхийлдэг холбох нөхцөл.

• 평소 (нэр Үг) : 특별한 일이 없는 보통 때.

энгийн Үе

онцгой ажил хэрэг байхгҮй энгийн Үе.

• 에 : 앞말이 시간이나 때임을 나타내는 조사.

-д/-т

өмнөх Үг цаг хугацаа болохыг илэрхийлж буй нөхцөл.

• 괜찮다 (тэмдэг нэр) : 별 문제가 없다.

зҮгээр, гайгҮй

нэг их асуудалгҮй.

• -다가도 : 앞의 말이 나타내는 행위나 상태가 다른 행위나 상태로 쉽게 바뀜을 나타내는 표현.

Тохирох Үг хэллэг байхгҮй байна

ямар нэгэн Үйл хөдлөл болон байдал өөр Үйл хөдлөл буюу байдлаар хялбар өөрчлөгдөх явдлыг илэрхийлдэг Үг хэллэг.

• 비 (нэр Үг) : 높은 곳에서 구름을 이루고 있던 수증기가 식어서 뭉쳐 떨어지는 물방울.

бороо

өндөрт ҮҮл болж хуран байсан усны уур хөрч нягтраад доош унах усан дусал.

• 만 : 앞의 말이 어떤 것에 대한 조건임을 나타내는 조사.

л

өмнөх Үг ямар нэгэн зҮйлийн талаарх болзол болохыг илэрхийлж буй нөхцөл.

• 오다 (Үйл Үг) : 비, 눈 등이 내리거나 추위 등이 닥치다.

орох, болох

бороо, цас орох юм уу хҮйтэн болох.

• -면 : 뒤에 오는 말에 대한 근거나 조건이 됨을 나타내는 연결 어미.

Тохирох Үг хэллэг байхгҮй байна

ард ирэх агуулгын талаарх учир шалтгаан буюу болзол болохыг илэрхийлдэг холбох нөхцөл.

• 다시 (дайвар Үг) : 같은 말이나 행동을 반복해서 또.

бас, дахин, дахиад

ижил Үг ба Үйлдлийг давтан, дахин.

• **아프다 (тэмдэг нэр)** : 다치거나 병이 생겨 통증이나 괴로움을 느끼다.

өвдөх

бэртэх ба өвчин тусаж өвдөлт, шаналлыг мэдрэх.

• **-아요** : (두루높임으로) 어떤 사실을 서술하거나 질문, 명령, 권유함을 나타내는 종결 어미.

Тохирох Үг хэллэг байхгҮй байна

(хҮндэтгэлийн энгийн Үг хэллэг) ямар нэгэн зҮйлийг хҮҮрнэх, асуух, тушаах, уриалах явдлыг илэрхийлдэг төгсгөх нөхцөл. **<дҮрслэл>**

< 대화(ярилцлага) > - 57

한국어를 잘하게 된 방법이 뭐니?
한구거를 잘하게 된 방버비 뭐니?
hangugeoreul jalhage doen bangbeobi mwoni?

한국 음악을 좋아해서 많이 듣다 보니까 한국어를 잘하게 됐어.
한국 으마글 조아해서 마니 듣따 보니까 한구거를 잘하게 돼써.
hanguk eumageul joahaeseo mani deutda bonikka hangugeoreul jalhage dwaesseo.

< 설명(тайлбар) / 번역(орчуулга) >

한국어+를 잘하+[게 되]+ㄴ 방법+이 뭐+(이)+니?
　　　　　잘하게 된　　　　　　뭐니

- **한국어 (нэр үг)** : 한국에서 사용하는 말.
  солонгос хэл
  солонгост хэрэглэдэг хэл.

- **를** : 동작이 직접적으로 영향을 미치는 대상을 나타내는 조사.
  -ыг/-ийг/-г
  Үйл хөдлөл шууд нөлөөлж буй тусагдахууныг илэрхийлэх нөхцөл.

- **잘하다 (Үйл үг)** : 익숙하고 솜씨가 있게 하다.
  сайн хийх, чадварлаг хийх, сайн ярих
  дадсан, ур чадвартай хийх.

- **-게 되다** : 앞의 말이 나타내는 상태나 상황이 됨을 나타내는 표현.
  Тохирох үг хэллэг байхгүй байна
  өмнөх үгийн илэрхийлж буй нөхцөл байдал үүсэх буюу тийм байдалд хүрэх явдлыг илэрхийлдэг үг хэллэг.

- **-ㄴ** : 앞의 말이 관형어의 기능을 하게 만들고 사건이나 동작이 완료되어 그 상태가 유지되고 있음을 나타내는 어미.
  Тохирох үг хэллэг байхгүй байна
  өмнөх үгийг тодотгол гишүүний үүрэгтэй болгож, хэрэг явдал буюу үйлдэл нь бүрэн төгс болсон, тухайн байдал үргэлжилж буйг илэрхийлдэг нөхцөл.

- **방법 (нэр үг)** : 어떤 일을 해 나가기 위한 수단이나 방식.

  арга, арга зам, арга барил

  ямар нэгэн зүйлийг хийж дуусгахын төлөөх арга зам буюу арга хэлбэр.

- **이** : 어떤 상태나 상황의 대상이나 동작의 주체를 나타내는 조사.

  Тохирох үг хэллэг байхгүй байна

  ямар нэгэн төлөв, байдлын субьект, мөн үйл хөдлөлийн эзэн болохыг илэрхийлэх нөхцөл.

- **뭐 (төлөөний үг)** : 모르는 사실이나 사물을 가리키는 말.

  юу

  мэдэхгүй зүйл буюу эд зүйлийг заах үг.

- **이다** : 주어가 지시하는 대상의 속성이나 부류를 지정하는 뜻을 나타내는 서술격 조사.

  Тохирох үг хэллэг байхгүй байна

  эзэн биеийн зааж буй обьектын шинж чанар, төрөл зүйлийг тодорхойлох утгыг илэрхийлэх өгүүлэхүүний тийн ялгалын нөхцөл.

- **-니** : (아주낮춤으로) 물음을 나타내는 종결 어미.

  Тохирох үг хэллэг байхгүй байна

  (огт хүндэтгэлгүй үг хэллэг) асуултыг илэрхийлдэг төгсгөх нөхцөл.

한국 음악+을 <u>좋아하+여서</u> 많이 <u>듣+[다(가) 보]+니까</u>
         좋아해서   **듣다 보니까**

한국어+를 <u>잘하+[게 되]+었+어</u>.
         잘하게 됐어

- **한국 (нэр үг)** : 아시아 대륙의 동쪽에 있는 나라. 한반도와 그 부속 섬들로 이루어져 있으며, 대한민국이라고도 부른다. 1950년에 일어난 육이오 전쟁 이후 휴전선을 사이에 두고 국토가 둘로 나뉘었다. 언어는 한국어이고, 수도는 서울이다.

  Солонгос улс

  Зүүн Азийн өмнөд хэсэгт оршдог улс. Солонгосын хойг болон түүний эргэн тойрны арлуудаас бүрдэх бөгөөд Бүгд Найрамдах Улс гэж ч нэрлэнэ. 1950 онд дэгдсэн Солонгосын дайны дараа гал түр зогсоох гэрээ байгуулж хоёр хуваагджээ. Албан ёсны хэл нь солонгос хэл, нийслэл нь Сөүл хот.

- **음악 (нэр үг)** : 목소리나 악기로 박자와 가락이 있게 소리 내어 생각이나 감정을 표현하는 예술.

  дуу хөгжим, ая

  дуу хоолой, хөгжмийн зэмсгээр хэмнэл болон аялгуутайгаар дуу гаргаж, бодол санаа, сэтгэл хөдлөлийг илэрхийлдэг урлаг.

• 을 : 동작이 직접적으로 영향을 미치는 대상을 나타내는 조사.

-ыг/-ийг/-г

Үйл хөдлөл шууд нөлөөлж буй тусагдахууныг илэрхийлэх нөхцөл.

• 좋아하다 (Үйл Үг) : 무엇에 대하여 좋은 느낌을 가지다.

дуртай байх, дуртай

ямар нэгэн зүйлд дуртай байх мэдрэмжтэй болох.

• -여서 : 이유나 근거를 나타내는 연결 어미.

Тохирох Үг хэллэг байхгүй байна

учир шалтгаан буюу үндэслэлийг илэрхийлдэг холбох нөхцөл.

• 많이 (дайвар Үг) : 수나 양, 정도 등이 일정한 기준보다 넘게.

их, олон

тоо, хэр хэмжээ мэтийн зүйл тодорхой нэг түвшингөөс хэтэрсэн.

• 듣다 (Үйл Үг) : 귀로 소리를 알아차리다.

сонсох

чихээрээ дуу чимээг таньж мэдэх.

• -다가 보다 : 앞에 오는 말이 나타내는 행동을 하는 과정에서 뒤에 오는 말이 나타내는 사실을 새로 깨
닫게 됨을 나타내는 표현.

Тохирох Үг хэллэг байхгүй байна

өмнөх үгийн илэрхийлж буй үйлдлийг хийж байх явцад ардах үгийн илэрхийлж буй
үнэн зүйлийг дахин ухаарахад хүрснийг илэрхийлдэг үг хэллэг.

• -니까 : 뒤에 오는 말에 대하여 앞에 오는 말이 원인이나 근거, 전제가 됨을 강조하여 나타내는 연결 어
미.

~ болохоор

ард нь ирэх агуулга нь өмнөх үгийн учир шалтгаан үндэслэл суурь болохыг
илэрхийлдэг холбох нөхцөл.

• 한국어 (нэр Үг) : 한국에서 사용하는 말.

солонгос хэл

солонгост хэрэглэдэг хэл.

• 를 : 동작이 직접적으로 영향을 미치는 대상을 나타내는 조사.

-ыг/-ийг/-г

Үйл хөдлөл шууд нөлөөлж буй тусагдахууныг илэрхийлэх нөхцөл.

• 잘하다 (Үйл Үг) : 익숙하고 솜씨가 있게 하다.

сайн хийх, чадварлаг хийх, сайн ярих

дадсан, ур чадвартай хийх.

• -게 되다 : 앞의 말이 나타내는 상태나 상황이 됨을 나타내는 표현.

Тохирох Үг хэллэг байхгүй байна

өмнөх Үгийн илэрхийлж буй нөхцөл байдал ҮҮсэх буюу тийм байдалд хҮрэх явдлыг илэрхийлдэг Үг хэллэг.

• -었- : 어떤 사건이 과거에 완료되었거나 그 사건의 결과가 현재까지 지속되는 상황을 나타내는 어미.

Тохирох Үг хэллэг байхгүй байна

ямар нэгэн хэрэг явдал өнгөрсөн Үед болж өнгөрсөн буюу тухайн Үйлийн Үр дҮн өнөөг хҮртэл Үргэлжилж буй нөхцөл байдлыг илэрхийлдэг нөхцөл.

• -어 : (두루낮춤으로) 어떤 사실을 서술하거나 물음, 명령, 권유를 나타내는 종결 어미.

Тохирох Үг хэллэг байхгүй байна

(хҮндэтгэлийн бус энгийн Үг хэллэг) ямар нэгэн зҮйлийг дҮрслэх буюу асуулт, тушаал, зөвлөмж зэргийг илэрхийлдэг төгсгөх нөхцөл. <дҮрслэл>

< 대화(ярилцлага) > - 58

너 이 영화 봤어?
너 이 영화 봐써?
neo i yeonghwa bwasseo?

나는 못 보고 우리 형이 봤는데 내용이 엄청 슬프다고 그러더라.
나는 몯 보고 우리 형이 봗는데 내용이 엄청 슬프다고 그러더라.
naneun mot bogo uri hyeongi bwanneunde naeyongi eomcheong seulpeudago geureodeora.

< 설명(тайлбар) / 번역(орчуулга) >

너 이 영화 보+았+어?
봤어

- 너 (төлөөний Үг) : 듣는 사람이 친구나 아랫사람일 때, 그 사람을 가리키는 말.
  чи
  сонсогч нь найз буюу дҮҮ байх тохиолдолд, тухайн хҮнийг заадаг Үг.

- 이 (тодотгол Үг) : 말하는 사람에게 가까이 있거나 말하는 사람이 생각하고 있는 대상을 가리킬 때 쓰는 말.
  энэ
  өгҮҮлэгч этгээдэд ойр байгаа зҮйл ба өгҮҮлэгч этгээдийн бодож байгаа зҮйлийг заасан Үг.

- 영화 (нэр Үг) : 일정한 의미를 갖고 움직이는 대상을 촬영하여 영사기로 영사막에 비추어서 보게 하는 종합 예술.
  кино
  тодорхой агуулгын дагуу хөдөлгөөнт зҮйлийн зургийг авч, кино зургийн аппаратаар дэлгэцэнд гарган ҮзҮҮлдэг нэгдмэл урлаг.

- 보다 (Үйл Үг) : 눈으로 대상을 즐기거나 감상하다.
  Үзэж харах, Үзэн танилцах, авч Үзэх, харах, мэдрэх, харж мэдрэх
  нҮдээрээ юмыг харж таашаах буюу Үзэж сонирхох.

- -았- : 어떤 사건이 과거에 완료되었거나 그 사건의 결과가 현재까지 지속되는 상황을 나타내는 어미.
  Тохирох Үг хэллэг байхгҮй байна
  ямар нэгэн Үйл явдал өнгөрсөн цагт болж дууссан буюу тухайн Үйл явдлын Үр дҮн өнөөг хҮртэл Үргэлжилж буй байдлыг илэрхийлдэг нөхцөл.

• -어 : (두루낮춤으로) 어떤 사실을 서술하거나 물음, 명령, 권유를 나타내는 종결 어미.

Тохирох Үг хэллэг байхгүй байна

(хүндэтгэлийн бус энгийн үг хэллэг) ямар нэгэн зүйлийг дүрслэх буюу асуулт, тушаал, зөвлөмж зэргийг илэрхийлдэг төгсгөх нөхцөл. <асуулт>

나+는 못 보+고 우리 형+이 보+았+는데
봤는데

내용+이 엄청 슬프+다고 그러+더라.

• 나 (төлөөний Үг) : 말하는 사람이 친구나 아랫사람에게 자기를 가리키는 말.

би

өгүүлэгч этгээд найз буюу өөрөөсөө дүү хүнтэй ярихад өөрийг заасан үг.

• 는 : 어떤 대상이 다른 것과 대조됨을 나타내는 조사.

бол

ямар нэг зүйлийг өөр зүйлтэй харьцуулах, шалтгаан заах үг

• 못 (дайвар Үг) : 동사가 나타내는 동작을 할 수 없게.

-гүй байх

Үйл үг илэрхийлж буй хөдөлгөөнийг хийж чадахгүй байх.

• 보다 (Үйл Үг) : 눈으로 대상을 즐기거나 감상하다.

Үзэж харах, үзэн танилцах, авч үзэх, харах, мэдрэх, харж мэдрэх

нүдээрээ юмыг харж таашаах буюу үзэж сонирхох.

• -고 : 두 가지 이상의 대등한 사실을 나열할 때 쓰는 연결 어미.

Тохирох Үг хэллэг байхгүй байна

хоёроос дээш тооны хэрэг явдлыг зэрэгцүүлэн холбоход хэрэглэдэг холбох нөхцөл.

• 우리 (төлөөний Үг) : 말하는 사람이 자기보다 높지 않은 사람에게 자기와 관련된 것을 친근하게 나타 낼 때 쓰는 말.

манай

ярьж байгаа хүн өөрөөсөө дүүмэд хүнд өөртэйгөө холбоотой зүйлийн талаар дотночлон хэлж ярихдаа хэрэглэдэг үг.

• 형 (нэр Үг) : 남자가 형제나 친척 형제들 중에서 자기보다 나이가 많은 남자를 이르거나 부르는 말.

ах

эрэгтэй ах дүү нар юмуу хамаатгууд хоорондоо өөрөөсөө насаар ахмад эрэгтэйгээ нэрлэх юмуу дуудах үг.

• 이 : 어떤 상태나 상황의 대상이나 동작의 주체를 나타내는 조사.
Тохирох үг хэллэг байхгүй байна
ямар нэгэн төлөв, байдлын субьект, мөн үйл хөдлөлийн эзэн болохыг илэрхийлэх нөхцөл.

• 보다 (Үйл үг) : 눈으로 대상을 즐기거나 감상하다.
үзэж харах, үзэн танилцах, авч үзэх, харах, мэдрэх, харж мэдрэх
нүдээрээ юмыг харж таашаах буюу үзэж сонирхох.

• -았- : 어떤 사건이 과거에 완료되었거나 그 사건의 결과가 현재까지 지속되는 상황을 나타내는 어미.
Тохирох үг хэллэг байхгүй байна
ямар нэгэн үйл явдал өнгөрсөн цагт болж дууссан буюу тухайн үйл явдлын үр дүн өнөөг хүртэл үргэлжилж буй байдлыг илэрхийлдэг нөхцөл.

• -는데 : 뒤의 말을 하기 위하여 그 대상과 관련이 있는 상황을 미리 말함을 나타내는 연결 어미.
Тохирох үг хэллэг байхгүй байна
арын агуулгыг ярихын тулд тухайн зүйлтэй холбоотой нөхцөл байдлыг урьдчилан хэлж буйг илэрхийлдэг холбох нөхцөл.

• 내용 (нэр үг) : 말, 글, 그림, 영화 등의 줄거리. 또는 그것들로 전하고자 하는 것.
утга, агуулга, утга санаа
үг яриа, бичиг, зураг, кино зэргийн гол агуулга. мөн түүгээр дамжуулан үзүүлэх гэж буй зүйл.

• 이 : 어떤 상태나 상황의 대상이나 동작의 주체를 나타내는 조사.
Тохирох үг хэллэг байхгүй байна
ямар нэгэн төлөв, байдлын субьект, мөн үйл хөдлөлийн эзэн болохыг илэрхийлэх нөхцөл.

• 엄청 (дайвар үг) : 양이나 정도가 아주 지나치게.
маш их, хэтэрхий, дэндүү
тоо хэмжээ, хэм хэмжээ маш хэтэрхий.

• 슬프다 (тэмдэг нэр) : 눈물이 날 만큼 마음이 아프고 괴롭다.
уйтгартай, зовлонтой, гунигтай
нулимс гармаар сэтгэл өвдөж зовох.

• -다고 : 다른 사람에게서 들은 내용을 간접적으로 전달하거나 주어의 생각, 의견 등을 나타내는 표현.
Тохирох үг хэллэг байхгүй байна
бусдаас сонссон зүйлийг дам дамжуулах буюу эзэн биеийн бодол, санаа оноо зэргийг илэрхийлдэг үг хэллэг.

• 그러다 (Үйл үг) : 그렇게 말하다.
тэгэх, тэгж хэлэх
тэгж ярих.

• -더라 : (아주낮춤으로) 말하는 이가 직접 경험하여 새롭게 알게 된 사실을 지금 전달함을 나타내는 종
결 어미.

Тохирох Үг хэллэг байхгүй байна

(огт хүндэтгэлгүй үг хэллэг) өгүүлэгч биеэр үзэж туулж шинээр олж мэдсэн зүйлийн
талаар одоо бусдад дамжуулах утгыг илэрхийлэх төгсгөх нөхцөл.

< 대화(ярилцлага) > - 59

뭘 만들기에 이렇게 냄새가 좋아요?
뭘 만들기에 이러케 냄새가 조아요?
mwol mandeulgie ireoke naemsaega joayo?

지우가 입맛이 없다길래 이것저것 만드는 중이에요.
지우가 임마시 업따길래 이걷쩌걷 만드는 중이에요.
jiuga immasi eopdagillae igeotjeogeot mandeuneun jungieyo.

< 설명(тайлбар) / 번역(орчуулга) >

<u>뭐</u>+를 만들+기에 이렇+게 냄새+가 좋+아요?
뭘

• 뭐 (төлөөний үг) : 모르는 사실이나 사물을 가리키는 말.
  юу
  мэдэхгүй зүйл буюу эд зүйлийг заах үг.

• 를 : 동작이 직접적으로 영향을 미치는 대상을 나타내는 조사.
  -ыг/-ийг/-г
  Үйл хөдлөл шууд нөлөөлж буй тусагдахууныг илэрхийлэх нөхцөл.

• 만들다 (үйл үг) : 힘과 기술을 써서 없던 것을 생기게 하다.
  хийх, бүтээх, бий болгох
  хүч болон ур дүйгээ ашиглаж байхгүй зүйлийг бий болгох.

• -기에 : 뒤에 오는 말의 원인이나 근거를 나타내는 연결 어미.
  Тохирох үг хэллэг байхгүй байна
  дараа нь орох үгийн учир шалтгаан болон үндэслэлийг илэрхийлдэг холбох нөхцөл.

• 이렇다 (тэмдэг нэр) : 상태, 모양, 성질 등이 이와 같다.
  ийм байх, ийм, ингэх
  байдал, дүр төрх, шинж чанар зэрэг үүнтэй адил байх.

• -게 : 앞의 말이 뒤에서 가리키는 일의 목적이나 결과, 방식, 정도 등이 됨을 나타내는 연결 어미.
  Тохирох үг хэллэг байхгүй байна
  өмнөх агуулга ард нь зааж буй байдал, зорилго, үр дүн, арга барил, хэмжээ зэрэг
  болохыг илэрхийлдэг холбох нөхцөл.

• **냄새** (нэр үг) : 코로 맡을 수 있는 기운.
Үнэр

хамраар үнэртэх уур амьсгал.

• **가** : 어떤 상태나 상황에 놓인 대상이나 동작의 주체를 나타내는 조사.
Тохирох үг хэллэг байхгүй байна

ямар нэгэн төлөв, байдлын субьект, мөн үйл хөдлөлийн эзэн болохыг илэрхийлэх нөхцөл.

• **좋다** (тэмдэг нэр) : 어떤 일이나 대상이 마음에 들고 만족스럽다.
сайн, сайхан

ямар нэгэн хэрэг явдал ба зүйл сэтгэлд нийцэн хангалуун байх.

• **-아요** : (두루높임으로) 어떤 사실을 서술하거나 질문, 명령, 권유함을 나타내는 종결 어미.
Тохирох үг хэллэг байхгүй байна

(хүндэтгэлийн энгийн үг хэллэг) ямар нэгэн зүйлийг хүүрнэх, асуух, тушаах, уриалах явдлыг илэрхийлдэг төгсгөх нөхцөл. ‹асуулт›

지우+가 입맛+이 없+다길래 이것저것 <u>만들(만드)+[는 중이]+에요</u>.
만드는 중이에요

• **지우** (нэр үг) : нэр

• **가** : 어떤 상태나 상황에 놓인 대상이나 동작의 주체를 나타내는 조사.
Тохирох үг хэллэг байхгүй байна

ямар нэгэн төлөв, байдлын субьект, мөн үйл хөдлөлийн эзэн болохыг илэрхийлэх нөхцөл.

• **입맛** (нэр үг) : 음식을 먹을 때 입에서 느끼는 맛. 또는 음식을 먹고 싶은 욕구.
хоолны дуршил

хоол идэх үед мэдрэгдэх амт. мөн юм идэх хүсэл.

• **이** : 어떤 상태나 상황의 대상이나 동작의 주체를 나타내는 조사.
Тохирох үг хэллэг байхгүй байна

ямар нэгэн төлөв, байдлын субьект, мөн үйл хөдлөлийн эзэн болохыг илэрхийлэх нөхцөл.

• **없다** (тэмдэг нэр) : 어떤 사실이나 현상이 현실로 존재하지 않는 상태이다.
-гүй, боломжгүй, байхгүй

ямар нэгэн үнэн юм уу үзэгдэл бодитоор оршдоггүй байдал.

- -다길래 : 뒤 내용의 이유나 근거로 다른 사람에게 들은 사실을 말할 때 쓰는 표현.
  Тохирох Үг хэллэг байхгүй байна
  хойдох агуулгын учир, шалтгаан болгож бусдад сонссон зүйлээ ярихад хэрэглэдэг үг хэллэг.

- 이것저것 (нэр Үг) : 분명하게 정해지지 않은 여러 가지 사물이나 일.
  энэ тэр юм, ийм тийм юм
  тодорхой тогтоогүй олон төрлийн эд зүйл, ажил үйл.

- 만들다 (Үйл Үг) : 힘과 기술을 써서 없던 것을 생기게 하다.
  хийх, бүтээх, бий болгох
  хүч болон ур дүйгээ ашиглаж байхгүй зүйлийг бий болгох.

- -는 중이다 : 어떤 일이 진행되고 있음을 나타내는 표현.
  Тохирох Үг хэллэг байхгүй байна
  ямар нэгэн зүйл үргэлжилж буй явдлыг илэрхийлдэг үг хэллэг.

- -에요 : (두루높임으로) 어떤 사실을 서술하거나 질문함을 나타내는 종결 어미.
  Тохирох Үг хэллэг байхгүй байна
  (хүндэтгэлийн энгийн үг хэллэг) ямар нэгэн зүйлийг хүүрнэх, асуух явдлыг илэрхийлдэг төгсгөх нөхцөл. <дүрслэл>

< 대화(ярилцлага) > - 60

설명서를 아무리 봐도 무슨 말인지 잘 모르겠죠?
설명서를 아무리 봐도 무슨 마린지 잘 모르겓죠?
seolmyeongseoreul amuri bwado museun marinji jal moreugetjyo?

그래도 자꾸 읽다 보니 조금씩 이해가 되던걸요.
그래도 자꾸 익따 보니 조금씩 이해가 되던거료.
geuraedo jakku ikda boni jogeumssik ihaega doedeongeoryo.

< 설명(тайлбар) / 번역(орчуулга) >

설명서+를 아무리 <u>보+아도</u> 무슨 <u>말+이+ㄴ지</u> 잘 모르+겠+죠?
　　　　　　　　봐도　　　　　　　말인지

- **설명서 (нэр Үг)** : 일이나 사물의 내용, 이유, 사용법 등을 설명한 글.
  тайлбар, тайлбар бичиг
  аливаа зүйл ба эд юмсын утга агуулга, шалтгаан, хэрэглэх арга зэргийг
  тайлбарласан бичвэр.

- **를** : 동작이 직접적으로 영향을 미치는 대상을 나타내는 조사.
  -ыг/-ийг/-г
  Үйл хөдлөл шууд нөлөөлж буй тусагдахууныг илэрхийлэх нөхцөл.

- **아무리 (дайвар Үг)** : 비록 그렇다 하더라도.
  хичнээн
  хэдийгээр тийм байлаа ч гэсэн.

- **보다 (Үйл Үг)** : 책이나 신문, 지도 등의 글자나 그림, 기호 등을 읽고 내용을 이해하다.
  унших, үзэх, харах
  ном, сонин, газрын зураг зэргийн үсэг, зураг, тэмдэг дохиог уншиж утгыг нь ойлгох.

- **-아도** : 앞에 오는 말을 가정하거나 인정하지만 뒤에 오는 말에는 관계가 없거나 영향을 끼치지 않음을
  나타내는 연결 어미.
  Тохирох Үг хэллэг байхгүй байна
  өмнөх агуулгыг тооцоолох буюу хүлээн зөвшөөрч байгаа боловч, ардах агуулгад нь
  хамааралгүй буюу нөлөө үзүүлэхгүй болохыг илэрхийлдэг холбох нөхцөл.

- 무슨 (тодотгол үг) : 확실하지 않거나 잘 모르는 일, 대상, 물건 등을 물을 때 쓰는 말.
  ямар
  баттай биш буюу сайн мэдэхгүй юм, ажил хэрэг, эд зүйл зэргийг асуухад хэрэглэдэг үг.

- 말 (нэр үг) : 단어나 구나 문장.
  үг, хэллэг, өгүүлбэр
  үг, хэллэг, өгүүлбэр.

- 이다 : 주어가 지시하는 대상의 속성이나 부류를 지정하는 뜻을 나타내는 서술격 조사.
  Тохирох үг хэллэг байхгүй байна
  эзэн биеийн зааж буй обьектын шинж чанар, төрөл зүйлийг тодорхойлох утгыг илэрхийлэх өгүүлэхүүний тийн ялгалын нөхцөл.

- -ㄴ지 : 뒤에 오는 말의 내용에 대한 막연한 이유나 판단을 나타내는 연결 어미.
  Тохирох үг хэллэг байхгүй байна
  хойно орж байгаа агуулгын тодорхой бус учир шалтгаан буюу дүгнэлтийг илэрхийлдэг холбох нөхцөл.

- 잘 (дайвар үг) : 분명하고 정확하게.
  сайн
  нарийн бөгөөд тодорхой.

- 모르다 (үйл үг) : 사람이나 사물, 사실 등을 알지 못하거나 이해하지 못하다.
  мэдэхгүй байх, мэдэхгүй
  хүн, эд юм, үнэн зүйлийн талаар мэдээгүй буюу ойлгохгүй байх.

- -겠- : 미래의 일이나 추측을 나타내는 어미.
  Тохирох үг хэллэг байхгүй байна
  ирээдүйн явдал буюу таамаглалыг илэрхийлдэг нөхцөл.

- -죠 : (두루높임으로) 말하는 사람이 듣는 사람에게 친근함을 나타내며 물을 때 쓰는 종결 어미.
  Тохирох үг хэллэг байхгүй байна
  (хүндэтгэлийн энгийн үг хэллэг) өгүүлэгч этгээд сонсогч этгээдээс найрсгаар хандан асуухад хэрэглэдэг төгсгөх нөхцөл.

그렇+어도 자꾸 읽+[다(가) 보]+니 조금씩 이해+가 되+던걸요.
그래도   읽다 보니

- 그렇다 (тэмдэг нэр) : 상태, 모양, 성질 등이 그와 같다.
  тийм, тиймэрхүү
  нөхцөл байдал, хэлбэр дүрс, шинж чанар нь дараагийн хэлсэн үгтэй адил байх.

- -어도 : 앞에 오는 말을 가정하거나 인정하지만 뒤에 오는 말에는 관계가 없거나 영향을 끼치지 않음을
  나타내는 연결 어미.
  Тохирох Үг хэллэг байхгүй байна
  өмнөх агуулгыг тооцоолох буюу хүлээн зөвшөөрч байгаа ч ардах агуулгад нь
  хамааралгүй буюу нөлөө үзүүлэхгүй болохыг илэрхийлдэг холбох нөхцөл.

- **자꾸 (дайвар үг)** : 여러 번 계속하여.
  байнга, үргэлж
  олон удаа үргэлжлэн.

- **읽다 (үйл үг)** : 글을 보고 뜻을 알다.
  унших
  бичиг үсэг харж утгыг ойлгох.

- -다가 보다 : 앞에 오는 말이 나타내는 행동을 하는 과정에서 뒤에 오는 말이 나타내는 사실을 새로 깨
  닫게 됨을 나타내는 표현.
  Тохирох үг хэллэг байхгүй байна
  өмнөх үгийн илэрхийлж буй үйлдлийг хийж байх явцад ардах үгийн илэрхийлж буй
  үнэн зүйлийг дахин ухаарахад хүрснийг илэрхийлдэг үг хэллэг.

- -니 : 뒤에 오는 말에 대하여 앞에 오는 말이 원인이나 근거, 전제가 됨을 나타내는 연결 어미.
  Тохирох үг хэллэг байхгүй байна
  ард ирэх үгийн талаар өмнө ирэх үг нь учир шалтгаан буюу болзол болохыг
  илэрхийлдэг холбох нөхцөл.

- **조금씩 (дайвар үг)** : 적은 정도로 계속해서.
  бага багаар
  бага хэмжээгээр үргэлжлэн.

- **이해 (нэр үг)** : 무엇이 어떤 것인지를 앎. 또는 무엇이 어떤 것이라고 받아들임.
  ойлголт, ухаарал
  ямар нэгэн зүйлийг ухаарч мэдэх явдал. мөн хүлээн авах явдал.

- **가** : 어떤 상태나 상황에 놓인 대상이나 동작의 주체를 나타내는 조사.
  Тохирох үг хэллэг байхгүй байна
  ямар нэгэн төлөв, байдлын субьект, мөн үйл хөдлөлийн эзэн болохыг илэрхийлэх
  нөхцөл.

- **되다 (үйл үг)** : 어떠한 심리적인 상태에 있다.
  болох
  ямар нэгэн сэтгэл санааны байдалд байх.

• -년걸요 : (두루높임으로) 과거의 사실에 대한 자기 생각이나 주장을 설명하듯 말하거나 그 근거를 댈
　　　　때 쓰는 표현.

Тохирох Үг хэллэг байхгҮй байна

(хҮндэтгэлийн энгийн Үг хэллэг) өмнөх бодит зҮйлийн талаар өөрийн бодол ба санааг
тайлбарлах мэтээр ярих буюу тҮҮний Үндэслэлийг илэрхийлэхэд хэрэглэдэг
илэрхийлэл.

< 대화(ярилцлага) > - 61

저는 이번에 개봉한 영화가 재미있던데요.
저는 이버네 개봉한 영화가 재미읻떤데요.
jeoneun ibeone gaebonghan yeonghwaga jaemiitdeondeyo.

그래도 원작이 더 재미있지 않나요?
그래도 원자기 더 재미읻찌 안나요?
geuraedo wonjagi deo jaemiitji annayo?

< 설명(тайлбар) / 번역(орчуулга) >

저+는 이번+에 <u>개봉하+ㄴ</u> 영화+가 재미있+던데요.
개봉한

- 저 (төлөөний Үг) : 말하는 사람이 듣는 사람에게 자신을 낮추어 가리키는 말.
  би
  сонсож буй хҮнээ хҮндэтгэн өөрийгөө доошлуулж хэлэх Үг.

- 는 : 문장 속에서 어떤 대상이 화제임을 나타내는 조사.
  Тохирох Үг хэллэг байхгҮй байна
  өгҮҮлбэрт ярианы сэдэв болж буйг илэрхийлдэг нөхцөл.

- 이번 (нэр Үг) : 곧 돌아올 차례. 또는 막 지나간 차례.
  энэ удаагийн
  удахгҮй болох ээлж дараа. мөн дөнгөж сая өнгөрсөн дараалал.

- 에 : 앞말이 시간이나 때임을 나타내는 조사.
  -д/-т
  өмнөх Үг цаг хугацаа болохыг илэрхийлж буй нөхцөл.

- 개봉하다 (Үйл Үг) : 새 영화를 처음으로 상영하다.
  нээлт хийх
  шинэ кино дэлгэцнээ анх удаа гаргах.

- -ㄴ : 앞의 말이 관형어의 기능을 하게 만들고 사건이나 동작이 완료되어 그 상태가 유지되고 있음을
      나타내는 어미.

    Тохирох Үг хэллэг байхгүй байна

    өмнөх үгийг тодотгол гишүүний үүрэгтэй болгож, хэрэг явдал буюу үйлдэл нь бүрэн
    төгс болсон, тухайн байдал үргэлжилж буйг илэрхийлдэг нөхцөл.

- 영화 (нэр үг) : 일정한 의미를 갖고 움직이는 대상을 촬영하여 영사기로 영사막에 비추어서 보게 하는
      종합 예술.

    кино

    тодорхой агуулгын дагуу хөдөлгөөнт зүйлийн зургийг авч, кино зургийн аппаратаар
    дэлгэцэнд гарган үзүүлдэг нэгдмэл урлаг.

- 가 : 어떤 상태나 상황에 놓인 대상이나 동작의 주체를 나타내는 조사.

    Тохирох үг хэллэг байхгүй байна

    ямар нэгэн төлөв, байдлын субьект, мөн үйл хөдлөлийн эзэн болохыг илэрхийлэх
    нөхцөл.

- 재미있다 (тэмдэг нэр) : 즐겁고 유쾌한 느낌이 있다.

    хөгжилтэй, сонирхолтой

    хөгжил, цэнгэлтэй мэдрэмж төрөх.

- -던데요 : (두루높임으로) 과거에 직접 경험한 사실을 전달하여 듣는 사람의 반응을 기대함을 나타내는
      표현.

    Тохирох үг хэллэг байхгүй байна

    (хүндэтгэлийн энгийн үг хэллэг) өмнө нь шууд биеэр үзсэн зүйлийг дамжуулангаа
    сонсогч этгээдийн хариу үйлдэлд найдахыг илэрхийлнэ.

그렇+어도 원작+이 더 재미있+[지 않]+나요?
그래도

- 그렇다 (тэмдэг нэр) : 상태, 모양, 성질 등이 그와 같다.

    тийм, тиймэрхүү

    нөхцөл байдал, хэлбэр дүрс, шинж чанар нь дараагийн хэлсэн үгтэй адил байх.

- -어도 : 앞에 오는 말을 가정하거나 인정하지만 뒤에 오는 말에는 관계가 없거나 영향을 끼치지 않음을
      나타내는 연결 어미.

    Тохирох үг хэллэг байхгүй байна

    өмнөх агуулгыг тооцоолох буюу хүлээн зөвшөөрч байгаа ч ардах агуулгад нь
    хамааралгүй буюу нөлөө үзүүлэхгүй болохыг илэрхийлдэг холбох нөхцөл.

- 원작 (нэр үг) : 연극이나 영화의 대본으로 만들거나 다른 나라 말로 고치기 전의 원래 작품.

    эх бүтээл, эх зохиол

    жүжиг, киноны зохиолоор бүтээх болон өөр улсын хэлээр засахаас өмнөх уг бүтээл.

- 이 : 어떤 상태나 상황의 대상이나 동작의 주체를 나타내는 조사.

  Тохирох Үг хэллэг байхгҮй байна

  ямар нэгэн төлөв, байдлын субьект, мөн Үйл хөдлөлийн эзэн болохыг илэрхийлэх нөхцөл.

- 더 (дайвар Үг) : 비교의 대상이나 어떤 기준보다 정도가 크게, 그 이상으로.

  илҮҮ

  харьцуулж буй зҮйл, ямар нэг жишиг хэмжээнээс давуу, их.

- 재미있다 (тэмдэг нэр) : 즐겁고 유쾌한 느낌이 있다.

  хөгжилтэй, сонирхолтой

  хөгжил, цэнгэлтэй мэдрэмж төрөх.

- -지 않다 : 앞의 말이 나타내는 행위나 상태를 부정하는 뜻을 나타내는 표현.

  Тохирох Үг хэллэг байхгҮй байна

  өмнөх Үгийн илэрхийлж буй Үйлдэл буюу байдлыг ҮгҮйсгэх утгыг илэрхийлдэг Үг хэллэг.

- -나요 : (두루높임으로) 앞의 내용에 대해 상대방에게 물어볼 때 쓰는 표현.

  Тохирох Үг хэллэг байхгҮй байна

  (хҮндэтгэлийн энгийн Үг хэллэг) өмнөх агуулгын талаар ярилцаж буй хҮнээсээ асуухад хэрэглэнэ.

< 대화(ярилцлага) > - 62

이 집 강아지가 밤마다 너무 짖어서 저희가 잠을 잘 못 자요.
이 집 강아지가 밤마다 너무 지저서 저히가 자믈 잘 몯 자요.
i jip gangajiga bammada neomu jijeoseo jeohiga jameul jal mot jayo.

정말 죄송합니다. 못 짖도록 하는데도 그게 쉽지가 않네요.
정말 죄송함니다. 몯 짇또록 하는데도 그게 쉽찌가 안네요.
jeongmal joesonghamnida. mot jitdorok haneundedo geuge swipjiga anneyo.

< 설명(тайлбар) / 번역(орчуулга) >

이 집 강아지+가 밤+마다 너무 짖+어서 저희+가 잠+을 잘 못 <u>자+(아)요</u>.
자요

• 이 (тодотгол үг) : 말하는 사람에게 가까이 있거나 말하는 사람이 생각하고 있는 대상을 가리킬 때 쓰는 말.
  энэ
  өгүүлэгч этгээдэд ойр байгаа зүйл ба өгүүлэгч этгээдийн бодож байгаа зүйлийг заасан үг.

• 집 (нэр үг) : 사람이나 동물이 추위나 더위 등을 막고 그 속에 들어 살기 위해 지은 건물.
  гэр, сууц, үүр
  хүн, амьтан халуун хүйтнээс хоргодох ба дотор нь амьдрахын тулд барьсан зүйл.

• 강아지 (нэр үг) : 개의 새끼.
  гөлөг
  нохойн үр зулзага.

• 가 : 어떤 상태나 상황에 놓인 대상이나 동작의 주체를 나타내는 조사.
  Тохирох үг хэллэг байхгүй байна
  ямар нэгэн төлөв, байдлын субьект, мөн үйл хөдлөлийн эзэн болохыг илэрхийлэх нөхцөл.

• 밤 (нэр үг) : 해가 진 후부터 다음 날 해가 뜨기 전까지의 어두운 동안.
  шөнө
  нар жаргасны дараанаас эхлээд дараа өдрийн нар мандахын өмнөх хүртлэх харанхуй үе.

• 마다 : 하나하나 빠짐없이 모두의 뜻을 나타내는 조사.
  бүр, болгон
  нэг нь ч дуталгүй бүгд хэмээх утгыг илэрхийлэх нөхцөл.

• 너무 (дайвар үг) : 일정한 정도나 한계를 훨씬 넘어선 상태로.
  дэндүү, хэтэрхий, хэт
  тогтсон хэмжээ болон хязгаарыг маш их хэтэрсэн байдал.

• 짖다 (үйл үг) : 개가 크게 소리를 내다.
  хуцах
  нохой чангаар дуу гаргах.

• -어서 : 이유나 근거를 나타내는 연결 어미.
  Тохирох үг хэллэг байхгүй байна
  учир шалтгаан буюу үндэслэлийг илэрхийлдэг холбох нөхцөл.

• 저희 (төлөөний үг) : 말하는 사람이 자기보다 높은 사람에게 자기를 포함한 여러 사람들을 가리키는 말.
  бид
  өгүүлэгч этгээд өөрөөсөө ахмад хүнд өөрийгөө оруулан олон хүнийг заан нэрлэсэн үг.

• 가 : 어떤 상태나 상황에 놓인 대상이나 동작의 주체를 나타내는 조사.
  Тохирох үг хэллэг байхгүй байна
  ямар нэгэн төлөв, байдлын субьект, мөн үйл хөдлөлийн эзэн болохыг илэрхийлэх нөхцөл.

• 잠 (нэр үг) : 눈을 감고 몸과 정신의 활동을 멈추고 한동안 쉬는 상태.
  нойр
  нүдээ анин бие болон сэтгэхүйн хөдөлгөөнөө зогсоож, хэсэг зуур амрах байдал.

• 을 : 서술어의 명사형 목적어임을 나타내는 조사.
  Тохирох үг хэллэг байхгүй байна
  өгүүлэхүүн гишүүн нэрийн шинжтэй тусагдахуун гишүүн болохыг заах нөхцөл.

• 잘 (дайвар үг) : 충분히 만족스럽게.
  сайн
  маш сэтгэл хангалуун.

• 못 (дайвар үг) : 동사가 나타내는 동작을 할 수 없게.
  -гүй байх
  үйл үг илэрхийлж буй хөдөлгөөнийг хийж чадахгүй байх.

• 자다 (Үйл Үг) : 눈을 감고 몸과 정신의 활동을 멈추고 한동안 쉬는 상태가 되다.
унтах, амрах
нүдээ аньж бие болоод оюун ухааныхаа Үйл ажиллагааг зогсоон хэсэг амрах байдалд
орох.

• -아요 : (두루높임으로) 어떤 사실을 서술하거나 질문, 명령, 권유함을 나타내는 종결 어미.
Тохирох Үг хэллэг байхгүй байна
(хүндэтгэлийн энгийн Үг хэллэг) ямар нэгэн зүйлийг хүүрнэх, асуух, тушаах, уриалах
явдлыг илэрхийлдэг төгсгөх нөхцөл. <дүрслэл>

정말 죄송하+ㅂ니다.
　　죄송합니다

못 짖+[도록 하]+는데도 그것(그거)+이 쉽+[지+가 않]+네요.
　　　　　　　　　　그게

• 정말 (дайвар Үг) : 거짓이 없이 진짜로.
Үнэхээр
худал хуурмаг зүйлгүй нээрээ.

• 죄송하다 (тэмдэг нэр) : 죄를 지은 것처럼 몹시 미안하다.
санаа зовох, уучлал эрэх, өршөөл гуйх
гэм хийсэн мэт маш их сэтгэл зовох.

• -ㅂ니다 : (아주높임으로) 현재의 동작이나 상태, 사실을 정중하게 설명함을 나타내는 종결 어미.
Тохирох Үг хэллэг байхгүй байна
(дээдлэн хүндэтгэх Үг хэллэг) одоогийн Үйлдэл буюу байдлыг ёсорхог байдлаар
тайлбарлах явдлыг илэрхийлдэг төгсгөх нөхцөл.

• 못 (дайвар Үг) : 동사가 나타내는 동작을 할 수 없게.
-гүй байх
Үйл Үг илэрхийлж буй хөдөлгөөнийг хийж чадахгүй байх.

• 짖다 (Үйл Үг) : 개가 크게 소리를 내다.
хуцах
нохой чангаар дуу гаргах.

• -도록 하다 : 남에게 어떤 행동을 하도록 시키거나 물건이 어떤 작동을 하게 만듦을 나타내는 표현.
-уулах/-үүлэх
бусдаар ямар нэгэн Үйлийг хийлгүүлэх буюу аливаа зүйл ямар нэгэн Үйлийг хийлгэх
явдлыг илэрхийлэх хэлбэр.

• -는데도 : 앞에 오는 말이 나타내는 상황에 상관없이 뒤에 오는 말이 나타내는 상황이 일어남을 나타내
　　　　는 표현.
　　Тохирох Үг хэллэг байхгүй байна
　　өмнөх байдлаас хамааралгүйгээр дараах байдал болсныг илэрхийлдэг үг хэллэг.

• **그것 (төлөөний үг)** : 앞에서 이미 이야기한 대상을 가리키는 말.
　　тэр юм, тэр
　　өмнө нь ярьсан объектыг заах үг.

• 이 : 어떤 상태나 상황의 대상이나 동작의 주체를 나타내는 조사.
　　Тохирох Үг хэллэг байхгүй байна
　　ямар нэгэн төлөв, байдлын субьект, мөн үйл хөдлөлийн эзэн болохыг илэрхийлэх
　　нөхцөл.

• **쉽다 (тэмдэг нэр)** : 하기에 힘들거나 어렵지 않다.
　　амар, хялбар
　　хийхэд хүнд биш буюу хэцүү биш байх.

• -지 않다 : 앞의 말이 나타내는 행위나 상태를 부정하는 뜻을 나타내는 표현.
　　Тохирох Үг хэллэг байхгүй байна
　　өмнөх үгийн илэрхийлж буй үйлдэл буюу байдлыг үгүйсгэх утгыг илэрхийлдэг үг
　　хэллэг.

• 가 : 앞의 말을 강조하는 뜻을 나타내는 조사.
　　Тохирох Үг хэллэг байхгүй байна
　　өмнөх үгээ онцолж буй утга бүхий нэрийн нөхцөл.

• -네요 : (두루높임으로) 말하는 사람이 직접 경험하여 새롭게 알게 된 사실에 대해 감탄함을 나타낼 때
　　　　쓰는 표현.
　　Тохирох Үг хэллэг байхгүй байна
　　(хүндэтгэлийн энгийн үг хэллэг) өгүүлэгч өөрийн биеэр үзэж өнгөрүүлж, шинээр
　　мэдсэн зүйлийнхээ талаар гайхан биширч байгааг илэрхийлэхэд хэрэглэдэг хэлбэр.

< 대화(ярилцлага) > - 63

메일 보냈습니다. 확인 좀 부탁 드립니다.
메일 보낸씀니다. 화긴 좀 부탁 드림니다.
meil bonaetseumnida. hwagin jom butak deurimnida.

네. 보내 주신 자료를 검토하고 다시 연락 드리도록 하겠습니다.
네. 보내 주신 자료를 검토하고 다시 열락 드리도록 하겓씀니다.
ne. bonae jusin jaryoreul geomtohago dasi yeollak deuridorok hagetseumnida.

< 설명(тайлбар) / 번역(орчуулга) >

메일 <u>보내+었+습니다</u>.
        보냈습니다

확인 좀 부탁 <u>드리+ㅂ니다</u>.
        드립니다

• 메일 (нэр Yг) : 인터넷이나 통신망으로 주고받는 편지.
   мэйл буюу элегтрон захидал
   интернетээр өгч авалцах захидал.

• 보내다 (Yйл Yг) : 내용이 전달되게 하다.
   явуулах, илгээх
   агуулга нь дамжиж хYргэгдэх.

• -었- : 어떤 사건이 과거에 완료되었거나 그 사건의 결과가 현재까지 지속되는 상황을 나타내는 어미.
   Тохирох Yг хэллэг байхгYй байна
   ямар нэгэн хэрэг явдал өнгөрсөн Yед болж өнгөрсөн буюу тухайн Yйлийн Yр дYн
   өнөөг хYртэл Yргэлжилж буй нөхцөл байдлыг илэрхийлдэг нөхцөл.

• -습니다 : (아주높임으로) 현재의 동작이나 상태. 사실을 정중하게 설명함을 나타내는 종결 어미.
   Тохирох Yг хэллэг байхгYй байна
   (дээдлэн хYндэтгэх Yг хэллэг) одоогийн Yйлдэл буюу байдлыг ёсорхог байдлаар
   тайлбарлах явдлыг илэрхийлдэг төгсгөх нөхцөл.

- **확인 (нэр Үг)** : 틀림없이 그러한지를 알아보거나 인정함.

  баталгаа, лавлагаа

  эргэлзээгүй тийм болохыг мэдэх буюу хүлээн зөвшөөрөх явдал.

- **좀 (дайвар Үг)** : 주로 부탁이나 동의를 구할 때 부드러운 느낌을 주기 위해 넣는 말.

  жаахан

  ихэвчлэн гуйлт, зөвшөөрөл хүсэх үед зөөлөн мэдрэмж төрүүлэх гэж хэрэглэдэг үг.

- **부탁 (нэр Үг)** : 어떤 일을 해 달라고 하거나 맡김.

  хүсэлт, гуйлт

  ямар нэгэн зүйлийг хийж өгөөч хэмээн хүсэх буюу даатгах явдал.

- **드리다 (Үйл Үг)** : 윗사람에게 어떤 말을 하거나 인사를 하다.

  айлтгах

  хүндэтгэлтэй хэн нэгэнд үг хэлэх буюу түүний мэндийг асуух.

- **-ㅂ니다** : (아주높임으로) 현재의 동작이나 상태, 사실을 정중하게 설명함을 나타내는 종결 어미.

  Тохирох үг хэллэг байхгүй байна

  (дээдлэн хүндэтгэх үг хэллэг) одоогийн үйлдэл буюу байдлыг ёсорхог байдлаар тайлбарлах явдлыг илэрхийлдэг төгсгөх нөхцөл.

네.

<u>보내+[(어) 주]+시+ㄴ</u> 자료+를 검토하+고 다시 연락 드리+[도록 하]+겠+습니다.
    보내 주신

- **네 (аялга Үг)** : 윗사람의 물음이나 명령 등에 긍정하여 대답할 때 쓰는 말.

  тийм, тиймээ, за, мэдлээ, ойлголоо, тэгье

  ахмад хүний асуулт, хүсэлт даалгавар зэргийг зөвшөөрөн сонсож хариулах үг.

- **보내다 (Үйл Үг)** : 내용이 전달되게 하다.

  явуулах, илгээх

  агуулга нь дамжиж хүргэгдэх.

- **-어 주다** : 남을 위해 앞의 말이 나타내는 행동을 함을 나타내는 표현.

  Тохирох үг хэллэг байхгүй байна

  бусдад зориулж өмнөх үгийн илэрхийлж буй үйлдлийг хийх явдлыг илэрхийлдэг үг хэллэг.

- **-시-** : 어떤 동작이나 상태의 주체를 높이는 뜻을 나타내는 어미.

  Тохирох үг хэллэг байхгүй байна

  ямар нэгэн үйлдэл буюу байдлын эзэн биеийг хүндэтгэх утгыг илэрхийлдэг нөхцөл.

• -ㄴ : 앞의 말이 관형어의 기능을 하게 만들고 사건이나 동작이 완료되어 그 상태가 유지되고 있음을
　　　나타내는 어미.
　　Тохирох Үг хэллэг байхгүй байна
　　өмнөх Үгийг тодотгол гишүүний үүрэгтэй болгож, хэрэг явдал буюу Үйлдэл нь бүрэн
　　төгс болсон, тухайн байдал Үргэлжилж буйг илэрхийлдэг нөхцөл.

• 자료 (нэр Үг) : 연구나 조사를 하는 데 기본이 되는 재료.
　　түүхий эд, материал
　　судалгаа шинжилгээ хийхэд Үндэс суурь болдог материал.

• 를 : 동작이 직접적으로 영향을 미치는 대상을 나타내는 조사.
　　-ыг/-ийг/-г
　　Үйл хөдлөл шууд нөлөөлж буй тусагдахууныг илэрхийлэх нөхцөл.

• 검토하다 (Үйл Үг) : 어떤 사실이나 내용을 자세히 따져서 조사하고 분석하다.
　　шалгах, судлах, шинжэх, анализ хийх
　　ямар нэг Үнэн ба агуулга нарийвчлан нэгд нэггүй судлах, шинжэх.

• -고 : 앞의 말과 뒤의 말이 차례대로 일어남을 나타내는 연결 어미.
　　Тохирох Үг хэллэг байхгүй байна
　　өмнөх Үйл ба арын Үйл дэс дараалльын дагуу өрнөж байгааг илтгэдэг холбох нөхцөл.

• 다시 (дайвар Үг) : 다음에 또.
　　бас, дахин
　　дараа нь бас.

• 연락 (нэр Үг) : 어떤 사실을 전하여 알림.
　　холбоо харилцаа, холбоо
　　ямар нэгэн сураг чимээг дамжуулж мэдүүлэх явдал.

• 드리다 (Үйл Үг) : 윗사람에게 어떤 말을 하거나 인사를 하다.
　　айлтгах
　　хүндэтгэлтэй хэн нэгэнд Үг хэлэх буюу түүний мэндийг асуух.

• -도록 하다 : 말하는 사람이 어떤 행위를 할 것이라는 의지나 다짐을 나타내는 표현.
　　-я (-е, -ё)
　　өгүүлэгч этгээд ямар нэгэн Үйлийг хийх сэтгэлийн хат буюу амлалтыг илэрхийлдэг
　　илэрхийлэл.

• -겠- : 완곡하게 말하는 태도를 나타내는 어미.
　　Тохирох Үг хэллэг байхгүй байна
　　зерүүлж хэлэх хандлагыг илэрхийлдэг нөхцөл.

• -습니다 : (아주높임으로) 현재의 동작이나 상태, 사실을 정중하게 설명함을 나타내는 종결 어미.
Тохирох Үг хэллэг байхгҮй байна
(дээдлэн хҮндэтгэх Үг хэллэг) одоогийн Үйлдэл буюу байдлыг ёсорхог байдлаар тайлбарлах явдлыг илэрхийлдэг төгсгөх нөхцөл.

< 대화(ярилцлага) > - 64

이제 아홉 신데 벌써 자려고?
이제 아홉 신데 벌써 자려고?
ije ahop sinde beolsseo jaryeogo?

시험 기간에 도서관 자리 잡기가 어려워서 내일 일찍 일어나려고요.
시험 기가네 도서관 자리 잡끼가 어려워서 내일 일찍 이러나려고요.
siheom gigane doseogwan jari japgiga eoryeowoseo naeil iljjik ireonaryeogoyo.

< 설명(тайлбар) / 번역(орчуулга) >

이제 아홉 시+(이)+ㄴ데 벌써 자+려고?
신데

• 이제 (дайвар Үг) : 말하고 있는 바로 이때에.
  одоо
  хэлж байгаа яг тэр мөчид.

• 아홉 (тодотгол Үг) : 여덟에 하나를 더한 수의.
  есөн
  найм дээр нэгийг нэмсэн тооны.

• 시 (нэр Үг) : 하루를 스물넷으로 나누었을 때 그 하나를 나타내는 시간의 단위.
  цаг
  нэг өдрийг хорин дөрвөн цагт хуваахад түүний нэг цагийг илэрхийлдэг цагийн нэгж.

• 이다 : 주어가 지시하는 대상의 속성이나 부류를 지정하는 뜻을 나타내는 서술격 조사.
  Тохирох Үг хэллэг байхгүй байна
  эзэн биеийн зааж буй обьектын шинж чанар, төрөл зүйлийг тодорхойлох утгыг
  илэрхийлэх өгүүлэхүүний тийн ялгалын нөхцөл.

• -ㄴ데 : 뒤의 말을 하기 위하여 그 대상과 관련이 있는 상황을 미리 말함을 나타내는 연결 어미.
  Тохирох Үг хэллэг байхгүй байна
  дараагийн агуулгаар үргэлжлүүлэн ярихын тулд тухайн зүйлтэй холбоотой нөхцөл
  байдлыг урьдчилан хэлж буйг илэрхийлдэг холбох нөхцөл.

• **벌써 (дайвар Үг)** : 생각보다 빠르게.
  хэдийнээ, аль хэдийнээ, бүр
  бодсоноос илүү хурдан.

• **자다 (Үйл Үг)** : 눈을 감고 몸과 정신의 활동을 멈추고 한동안 쉬는 상태가 되다.
  унтах, амрах
  нүдээ аньж бие болоод оюун ухааныхаа үйл ажиллагааг зогсоон хэсэг амрах байдалд
  орох.

• **-려고** : (두루낮춤으로) 어떤 주어진 상황에 대하여 의심이나 반문을 나타내는 종결 어미.
  Тохирох Үг хэллэг байхгүй байна
  (хүндэтгэлийн бус энгийн үг хэллэг) ямар нэгэн өгөгдсөн байдлын талаар эргэлзээ
  буюу сөрөг асуулгыг илэрхийлдэг төгсгөх нөхцөл.

시험 기간+에 도서관 자리 잡+기+가 <u>어렵(어려우)+어서</u>
어려워서

내일 일찍 일어나+려고요.

• **시험 (нэр Үг)** : 문제, 질문, 실제의 행동 등의 일정한 절차에 따라 지식이나 능력을 검사하고 평가하는
  일.
  шалгалт, шүүлэг
  асуулт, даалгавар, бодит үйлдэл зэрэг тодорхой дарааллын дагуу тухайн хүний
  мэдлэг чадварыг шалган үнэлэх үйл.

• **기간 (нэр Үг)** : 어느 일정한 때부터 다른 일정한 때까지의 동안.
  хугацаа
  ямар нэгэн тодорхой хугацаанаас өөр нэгэн тодорхой хугацаа хүртлэх хугацаа.

• **에** : 앞말이 시간이나 때임을 나타내는 조사.
  -д/-т
  өмнөх үг цаг хугацаа болохыг илэрхийлж буй нөхцөл.

• **도서관 (нэр Үг)** : 책과 자료 등을 많이 모아 두고 사람들이 빌려 읽거나 공부를 할 수 있게 마련한 시
  설.
  номын сан
  ном, материал зэргийг ихээр цуглуулж тавиал хүмүүс зээлж унших буюу хичээл хийх
  зориулалт бүхий газар.

• **자리 (нэр Үг)** : 사람이 앉을 수 있도록 만들어 놓은 곳.
  суудал
  хүн сууж болохуйц хийсэн газар.

• **잡다 (Үйл Үг)** : 자리, 방향, 시기 등을 정하다.
тогтох
байр суудал, зүг чиг, өдөр зэргийг тогтоох.

• **-기** : 앞의 말이 명사의 기능을 하게 하는 어미.
Тохирох Үг хэллэг байхгүй байна
өмнөх үгийг нэр үгийн үүрэгтэй болгодог нөхцөл.

• **가** : 어떤 상태나 상황에 놓인 대상이나 동작의 주체를 나타내는 조사.
Тохирох Үг хэллэг байхгүй байна
ямар нэгэн төлөв, байдлын субьект, мөн үйл хөдлөлийн эзэн болохыг илэрхийлэх нөхцөл.

• **어렵다 (тэмдэг нэр)** : 하기가 복잡하거나 힘이 들다.
хэцүү, хүнд, бэрх
хийхэд төвөгтэй ба хүч орох.

• **-어서** : 이유나 근거를 나타내는 연결 어미.
Тохирох Үг хэллэг байхгүй байна
учир шалтгаан буюу үндэслэлийг илэрхийлдэг холбох нөхцөл.

• **내일 (дайвар үг)** : 오늘의 다음 날에.
маргааш
өнөөдрийн дараах өдөр.

• **일찍 (дайвар үг)** : 정해진 시간보다 빠르게.
эрт
тогтсон цагаас өмнө.

• **일어나다 (Үйл Үг)** : 잠에서 깨어나다.
босох
нойрноос сэрэх.

• **-려고요** : (두루높임으로) 어떤 행동을 할 의도나 욕망을 가지고 있음을 나타내는 표현.
Тохирох Үг хэллэг байхгүй байна
(хүндэтгэлийн энгийн үг хэллэг) ямар нэгэн үйлийг хийх санаа зорилго буюу дур хүсэлтэй байгааг илэрхийлнэ.

< 대화(ярилцлага) > - 65

나 지금 마트에 가려고 하는데 혹시 필요한 거 있니?
나 지금 마트에 가려고 하는데 혹씨 피료한 거 인니?
na jigeum mateue garyeogo haneunde hoksi piryohan geo inni?

그럼 오는 길에 휴지 좀 사다 줄래?
그럼 오는 기레 휴지 좀 사다 줄래?
geureom oneun gire hyuji jom sada jullae?

< 설명(тайлбар) / 번역(орчуулга) >

나 지금 마트+에 가+[려고 하]+는데 혹시 필요하+[ㄴ 것(거)] 있+니?
필요한 거

- **나 (төлөөний Үг)** : 말하는 사람이 친구나 아랫사람에게 자기를 가리키는 말.
  би
  өгҮҮлэгч этгээд найз буюу өөрөөсөө дҮҮ хҮнтэй ярихад өөрийг заасан Үг.

- **지금 (дайвар Үг)** : 말을 하고 있는 바로 이때에. 또는 그 즉시에.
  одоо, одоо цагт
  юм ярьж буй яг одоо цаг Үед. мөн тэр даруй.

- **마트 (нэр Үг)** : 각종 생활용품을 판매하는 대형 매장.
  худалдааны төв
  төрөл бҮрийн ахуйн бараа худалдаалдаг том хэмжээний худалдааны газар.

- **에** : 앞말이 목적지이거나 어떤 행위의 진행 방향임을 나타내는 조사.
  -руу/-рҮҮ, -луу/-лҮҮ
  өмнөх Үг зорьсон газар буюу ямар нэгэн Үйлийн чиглэлийг зааж байгаа болохыг илэрхийлж буй нөхцөл.

- **가다 (Үйл Үг)** : 한 곳에서 다른 곳으로 장소를 이동하다.
  явах, очих
  нэг газраас нөгөө газар руу шилжиж хөдлөх явах.

- **-려고 하다** : 앞의 말이 나타내는 행동을 할 의도나 의향이 있음을 나타내는 표현.
  Тохирох Үг хэллэг байхгҮй байна
  өмнөх Үгийн илэрхийлж буй Үйлдлийг хийх зорилго буйг илэрхийлдэг Үг хэллэг.

- -는데 : 뒤의 말을 하기 위하여 그 대상과 관련이 있는 상황을 미리 말함을 나타내는 연결 어미.
  Тохирох Үг хэллэг байхгүй байна
  арын агуулгыг ярихын тулд тухайн зүйлтэй холбоотой нөхцөл байдлыг урьдчилан хэлж буйг илэрхийлдэг холбох нөхцөл.

- **혹시 (дайвар үг)** : 그러리라 생각하지만 분명하지 않아 말하기를 망설일 때 쓰는 말.
  магадгүй
  тийм гэж бодож байгаа боловч тодорхой мэдэхгүй учир ярих үедээ эргэлзэхэд хэрэглэдэг үг.

- **필요하다 (тэмдэг нэр)** : 꼭 있어야 하다.
  хэрэгтэй, шаардлагатай, хэрэгцээтэй
  заавал байх шаардлагатай.

- -ㄴ 것 : 명사가 아닌 것을 문장에서 명사처럼 쓰이게 하거나 '이다' 앞에 쓰일 수 있게 할 때 쓰는 표현.
  Тохирох үг хэллэг байхгүй байна
  өгүүлбэрт нэр үгийн үүргээр орж өгүүлэгдэхүүн буюу тусагдахуун гишүүний үүрэг гүйцэтгэх буюу '<ида>(байх)'-н өмнө ирэх боломжтой болгодог үг хэллэг.

- **있다 (тэмдэг нэр)** : 사람, 동물, 물체 등이 존재하는 상태이다.
  байх, орших
  хүн, амьтан, биет оршин байх.

- -니 : (아주낮춤으로) 물음을 나타내는 종결 어미.
  Тохирох үг хэллэг байхгүй байна
  (огт хүндэтгэлгүй үг хэллэг) асуултыг илэрхийлдэг төгсгөх нөхцөл.

그럼 오+[는 길에] 휴지 좀 사+(아)다 주+ㄹ래?
사다   줄래

- **그럼 (дайвар үг)** : 앞의 내용을 받아들이거나 그 내용을 바탕으로 하여 새로운 주장을 할 때 쓰는 말.
  тэгвэл, тийм бол
  өмнө өгүүлсэн зүйлийг хүлээн зөвшөөрөх буюу уг зүйлд тулгуурлан шинэ бодол санаа илэрхийлэхэд хэрэглэдэг үг.

- **오다 (үйл үг)** : 무엇이 다른 곳에서 이곳으로 움직이다.
  ирэх
  ямар нэгэн зүйл нэг газраас наашаа хөдлөх.

- -는 길에 : 어떤 일을 하는 도중이나 기회임을 나타내는 표현.
  Тохирох үг хэллэг байхгүй байна
  ямар нэгэн юмыг хийж байх явц дунд буюу боломж гэсэн утгыг илэрхийлнэ.

- **휴지 (нэр үг)** : 더러운 것을 닦는 데 쓰는 얇은 종이.

  амны цаас, сальфетка

  бохир зүйлийг арчиж цэвэрлэхэд хэрэглэдэг нимгэн цаас.

- **좀 (дайвар үг)** : 주로 부탁이나 동의를 구할 때 부드러운 느낌을 주기 위해 넣는 말.

  жаахан

  ихэвчлэн гуйлт, зөвшөөрөл хүсэх үед зөөлөн мэдрэмж төрүүлэх гэж хэрэглэдэг үг.

- **사다 (үйл үг)** : 돈을 주고 어떤 물건이나 권리 등을 자기 것으로 만들다.

  худалдаж авах

  үнэ хөлс төлөн ямар нэгэн эд зүйл, эрх мэдлийг өөрийн болгох.

- **-아다** : 어떤 행동을 한 뒤 그 행동의 결과를 가지고 뒤의 말이 나타내는 행동을 이어 함을 나타내는 연결 어미.

  Тохирох үг хэллэг байхгүй байна

  ямар нэгэн үйлдлийг хийсний дараа тухайн үйлдлийн үр дүнгээр ардах үйлдлийг залгаж хийх явдлыг илэрхийлдэг холбох нөхцөл.

- **주다 (үйл үг)** : 물건 등을 남에게 건네어 가지거나 쓰게 하다.

  өгөх

  эд юм зэргийг бусдад дамжуулан өгөх ба хэрэглүүлэх.

- **-ㄹ래** : (두루낮춤으로) 앞으로 어떤 일을 하려고 하는 자신의 의사를 나타내거나 그 일에 대하여 듣는 사람의 의사를 물어봄을 나타내는 종결 어미.

  Тохирох үг хэллэг байхгүй байна

  (хүндэтгэлийн бус энгийн үг хэллэг) цаашид ямар нэгэн зүйл хийж гэж байгаа өөрийн санал бодлыг илэрхийлэх буюу тухайн зүйлийн талаар сонсч буй хүний санал бодлыг асууж байгааг илэрхийлдэг төгсгөх нөхцөл.

< 대화(ярилцлага) > - 66

오늘 회의 몇 시부터 시작하지?
오늘 회이 면 시부터 시자카지?
oneul hoei myeot sibuteo sijakaji?

지금 시작하려고 하니까 **빨리** 준비하고 와.
지금 시자카려고 하니까 **빨리** 준비하고 와.
jigeum sijakaryeogo hanikka ppalli junbihago wa.

< 설명(тайлбар) / 번역(орчуулга) >

오늘 회의 몇 시+부터 시작하+지?

- **오늘 (нэр үг)** : 지금 지나가고 있는 이날.
  өнөөдөр
  одоо өнгөрөн одож буй энэ өдөр.

- **회의 (нэр үг)** : 여럿이 모여 의논함. 또는 그런 모임.
  хурал, зөвлөгөөн
  олон хүмүүс цуглан зөвлөлдөх явдал. мөн тийм хурал.

- **몇 (тодотгол үг)** : 잘 모르는 수를 물을 때 쓰는 말.
  хэд, хэдэн
  сайн мэдэхгүй тоог асуухад хэрэглэдэг үг.

- **시 (нэр үг)** : 하루를 스물넷으로 나누었을 때 그 하나를 나타내는 시간의 단위.
  цаг
  нэг өдрийг хорин дөрвөн цагт хуваахад түүний нэг цагийг илэрхийлдэг цагийн нэгж.

- **부터** : 어떤 일의 시작이나 처음을 나타내는 조사.
  -аас, -ээс, -оос, -өөс
  ямар нэгэн ажлын эхлэлийг илэрхийлдэг нэрийн нөхцөл.

- **시작하다 (үйл үг)** : 어떤 일이나 행동의 처음 단계를 이루거나 이루게 하다.
  эхлэх, эхлүүлэх
  ямар нэгэн ажил буюу үйлдлийн эхний үе шатыг гүйцэтгэх буюу гүйцэлдүүлэх.

• -지 : (두루낮춤으로) 말하는 사람이 듣는 사람에게 친근함을 나타내며 물을 때 쓰는 종결 어미.
  Тохирох үг хэллэг байхгүй байна
  (хүндэтгэлийн бус энгийн үг хэллэг) өгүүлэгч сонсч буй хүнд дотноор хандан асуухад хэрэглэдэг төгсгөх нөхцөл.

지금 시작하+[려고 하]+니까 빨리 준비하+고 <u>오+아</u>.
와

• **지금 (дайвар үг)** : 말을 하고 있는 바로 이때에. 또는 그 즉시에.
  одоо, одоо цагт
  юм ярьж буй яг одоо цаг үед. мөн тэр даруй.

• **시작하다 (үйл үг)** : 어떤 일이나 행동의 처음 단계를 이루거나 이루게 하다.
  эхлэх, эхлүүлэх
  ямар нэгэн ажил буюу үйлдлийн эхний үе шатыг гүйцэтгэх буюу гүйцэлдүүлэх.

• -려고 하다 : 앞의 말이 나타내는 일이 곧 일어날 것 같거나 시작될 것임을 나타내는 표현.
  Тохирох үг хэллэг байхгүй байна
  өмнөх үгийн илэрхийлж буй явдал удахгүй өрнөх гэж байгаа юм шиг буюу эхлэх гэж буйг илэрхийлдэг үг хэллэг.

• -니까 : 뒤에 오는 말에 대하여 앞에 오는 말이 원인이나 근거, 전제가 됨을 강조하여 나타내는 연결 어미.
  ~ болохоор
  ард нь ирэх агуулга нь өмнөх үгийн учир шалтгаан үндэслэл суурь болохыг илэрхийлдэг холбох нөхцөл.

• **빨리 (дайвар үг)** : 걸리는 시간이 짧게.
  хурдан, түргэн
  зарцуулагдах цаг хугацаа богино.

• **준비하다 (үйл үг)** : 미리 마련하여 갖추다.
  бэлтгэх, базаах, төхөөрөх
  урьдчилан бэлтгэн авах.

• -고 : 앞의 말과 뒤의 말이 차례대로 일어남을 나타내는 연결 어미.
  Тохирох үг хэллэг байхгүй байна
  өмнөх үйл ба арын үйл дэс дараалллын дагуу өрнөж байгааг илтгэдэг холбох нөхцөл.

• **오다 (үйл үг)** : 무엇이 다른 곳에서 이곳으로 움직이다.
  ирэх
  ямар нэгэн зүйл нэг газраас наашаа хөдлөх.

• -아 : (두루낮춤으로) 어떤 사실을 서술하거나 물음, 명령, 권유를 나타내는 종결 어미.

Тохирох Үг хэллэг байхгүй байна

(хүндэтгэлийн бус энгийн үг хэллэг) ямар нэгэн зүйлийг дүрслэх буюу асуулт, тушаал, зөвлөмж зэргийг илэрхийлдэг төгсгөх нөхцөл. **<тушаал>**

< 대화(ярилцлага) > - 67

장마도 끝났으니 이제 정말 더워지려나 봐.
장마도 끈나쓰니 이제 정말 더워지려나 봐.
jangmado kkeunnasseuni ije jeongmal deowojiryeona bwa.

맞이. 오늘 아침에 걸어오는데 땀이 줄줄 나더라.
마자. 오늘 아치메 거러오는데 따미 줄줄 나더라.
maja. oneul achime georeooneunde ttami juljul nadeora.

< 설명(тайлбар) / 번역(орчуулга) >

장마+도 끝나+았+으니 이제 정말 더워지+[려나 보]+아.
　　　　　끝났으니　　　　　　　　　더워지려나 봐

- **장마 (нэр Yг)** : 여름철에 여러 날 계속해서 비가 오는 현상이나 날씨. 또는 그 비.
  Үргэлжилсэн бороо, хур борооны Ye, борооны улирал
  зуны цагт хэдэн өдөр Үргэлжлэн бороо орох Үзэгдэл. мөн тийм цаг агаар. мөн тийм бороо.

- **도** : 이미 있는 어떤 것에 다른 것을 더하거나 포함함을 나타내는 조사.
  ч
  нэгэнт байгаа зҮйл дээр өөр зҮйлийг нэмэх буюу хамруулсныг илэрхийлж буй нөхцөл.

- **끝나다 (Yйл Yг)** : 정해진 기간이 모두 지나가다.
  дуусах
  тогтоосон хугацаа гҮйцэх, өнгөрөх.

- **-았-** : 어떤 사건이 과거에 완료되었거나 그 사건의 결과가 현재까지 지속되는 상황을 나타내는 어미.
  Тохирох Yг хэллэг байхгҮй байна
  ямар нэгэн Үйл явдал өнгөрсөн цагт болж дуусссан буюу тухайн Үйл явдлын Үр дҮн өнөөг хҮртэл Үргэлжилж буй байдлыг илэрхийлдэг нөхцөл.

- **-으니** : 뒤에 오는 말에 대하여 앞에 오는 말이 원인이나 근거, 전제가 됨을 나타내는 연결 어미.
  Тохирох Yг хэллэг байхгҮй байна
  ард ирэх Үгийн талаар өмнө ирэх Yг нь учир шалтгаан буюу болзол болохыг илэрхийлдэг холбох нөхцөл.

- 이제 (дайвар Үг) : 지금부터 앞으로.
  одоо
  одооноос эхлээд цаашид.

- 정말 (дайвар Үг) : 거짓이 없이 진짜로.
  Үнэхээр
  худал хуурмаг зүйлгүй нээрээ.

- 더워지다 (Үйл Үг) : 온도가 올라가다. 또는 그로 인해 더위나 뜨거움을 느끼다.
  халуун болох, халууцах
  температур нэмэгдэх, мөн түүнээс шалтгаалан халууныг мэдрэх.

- -려나 보다 : 앞의 말이 나타내는 일이 일어날 것이라고 추측함을 나타내는 표현.
  Тохирох Үг хэллэг байхгүй байна
  өмнөх үгийн илэрхийлж буй үйл явдал өрнөх болно хэмээн таамаглах явдлыг
  илэрхийлдэг үг хэллэг.

- -아 : (두루낮춤으로) 어떤 사실을 서술하거나 물음, 명령, 권유를 나타내는 종결 어미.
  Тохирох Үг хэллэг байхгүй байна
  (хүндэтгэлийн бус энгийн үг хэллэг) ямар нэгэн зүйлийг дүрслэх буюу асуулт,
  тушаал, зөвлөмж зэргийг илэрхийлдэг төгсгөх нөхцөл. <дүрслэл>

맞+아.

오늘 아침+에 걸어오+는데 땀+이 줄줄 나+더라.

- 맞다 (Үйл Үг) : 그렇거나 옳다.
  зөв, тийм
  тийм, зөв байх.

- -아 : (두루낮춤으로) 어떤 사실을 서술하거나 물음, 명령, 권유를 나타내는 종결 어미.
  Тохирох Үг хэллэг байхгүй байна
  (хүндэтгэлийн бус энгийн үг хэллэг) ямар нэгэн зүйлийг дүрслэх буюу асуулт,
  тушаал, зөвлөмж зэргийг илэрхийлдэг төгсгөх нөхцөл. <дүрслэл>

- 오늘 (нэр Үг) : 지금 지나가고 있는 이날.
  өнөөдөр
  одоо өнгөрөн одож буй энэ өдөр.

- 아침 (нэр Үг) : 날이 밝아올 때부터 해가 떠올라 하루의 일이 시작될 때쯤까지의 시간.
  өглөө
  үүр цайхаас эхлээд нар мандаж нэг өдрийн амьдрал эхлэх үе хүртлэх хугацаа.

- 에 : 앞말이 시간이나 때임을 나타내는 조사.

  -д/-т

  өмнөх Үг цаг хугацаа болохыг илэрхийлж буй нөхцөл.

- **걸어오다 (Үйл Үг)** : 목적지를 향하여 다리를 움직여서 이동하여 오다.

  алхаж ирэх

  зорьсон газар руугаа чиглэн хөлөө хөдөлгөн явж ирэх.

- **-는데** : 뒤의 말을 하기 위하여 그 대상과 관련이 있는 상황을 미리 말함을 나타내는 연결 어미.

  Тохирох Үг хэллэг байхгҮй байна

  арын агуулгыг ярихын тулд тухайн зҮйлтэй холбоотой нөхцөл байдлыг урьдчилан хэлж буйг илэрхийлдэг холбох нөхцөл.

- **땀 (нэр Үг)** : 덥거나 몸이 아프거나 긴장을 했을 때 피부를 통해 나오는 짭짤한 맑은 액체.

  хөлс

  халууцах, өвдөх, сандарч тэвдэхэд арьснаас ялгарч гардаг давслаг шингэн эд.

- 이 : 어떤 상태나 상황의 대상이나 동작의 주체를 나타내는 조사.

  Тохирох Үг хэллэг байхгҮй байна

  ямар нэгэн төлөв, байдлын субьект, мөн Үйл хөдлөлийн эзэн болохыг илэрхийлэх нөхцөл.

- **줄줄 (дайвар Үг)** : 굵은 물줄기 등이 계속 흐르는 소리. 또는 그 모양.

  год год, годго годго, шуугин, шаагин

  их урсгал Үргэлжлэн урсах чимээ. мөн тэр байдал.

- **나다 (Үйл Үг)** : 몸에서 땀, 피, 눈물 등이 흐르다.

  урсах

  биеэс хөлс, цус, нулимс зэрэг урсах.

- **-더라** : (아주낮춤으로) 말하는 이가 직접 경험하여 새롭게 알게 된 사실을 지금 전달함을 나타내는 종결 어미.

  Тохирох Үг хэллэг байхгҮй байна

  (огт хҮндэтгэлгҮй Үг хэллэг) өгҮҮлэгч биеэр Үзэж туулж шинээр олж мэдсэн зҮйлийн талаар одоо бусдад дамжуулах утгыг илэрхийлэх төгсгөх нөхцөл.

< 대화(ярилцлага) > - 68

나는 아내를 위해서 대신 죽을 수도 있을 것 같아.
나는 아내를 위해서 대신 주글 쑤도 이쓸 껃 가타.
naneun anaereul wihaeseo daesin jugeul sudo isseul geot gata.

네가 아내를 정말 사랑하는구나.
네가 아내를 정말 사랑하는구나.
nega anaereul jeongmal saranghaneunguna.

< 설명(тайлбар) / 번역(орчуулга) >

나+는 아내+[를 위해서] 대신 죽+[을 수+도 있]+[을 것 같]+아.

• 나 (төлөөний Үг) : 말하는 사람이 친구나 아랫사람에게 자기를 가리키는 말.
би
өгүүлэгч этгээд найз буюу өөрөөсөө дүү хүнтэй ярихад өөрийг заасан үг.

• 는 : 문장 속에서 어떤 대상이 화제임을 나타내는 조사.
Тохирох Үг хэллэг байхгүй байна
өгүүлбэрт ярианы сэдэв болж буйг илэрхийлдэг нөхцөл.

• 아내 (нэр Үг) : 결혼하여 남자의 짝이 된 여자.
эхнэр
хүнтэй гэрлэж, эрэгтэй хүний хань нь болж буй эмэгтэй.

• 를 위해서 : 어떤 대상에게 이롭게 하거나 어떤 목표나 목적을 이루려고 함을 나타내는 표현.
-ын/-ийн төлөө, -ын/-ийн тулд
хэн нэгэнд ашигтай буюу аливаа зорилт, зорилгыг биелүүлэх гэхийг илэрхийлдэг
илэрхийлэл.

• 대신 (нэр Үг) : 어떤 대상이 맡던 구실을 다른 대상이 새로 맡음. 또는 그렇게 새로 맡은 대상.
орлох
ямар нэг этгээдийн хариуцаж байсан үүргийг өөр нэг этгээд шинээр хариуцан хийх
явдал. мөн тэгж шинээр хариуцсан этгээд.

• 죽다 (Үйл Үг) : 생물이 생명을 잃다.
үхэх, нас барах
амьд амьтан амиа алдах.

- -을 수 있다 : 어떤 행동이나 상태가 가능함을 나타내는 표현.

  -ж болох, -ж мэдэх

  ямар нэгэн үйл хөдлөл, байдал өрнөх боломжтой болохыг илэрхийлэх хэллэг.

- 도 : 극단적인 경우를 들어 다른 경우는 말할 것도 없음을 나타내는 조사.

  ч

  туйлын тохиолдлыг авч үзэн өөр тохиолдолд ярихын ч хэрэггүй болохыг илэрхийлж буй нөхцөл.

- -을 것 같다 : 추측을 나타내는 표현.

  Тохирох үг хэллэг байхгүй байна

  таамаглалыг илэрхийлдэг үг хэллэг.

- -아 : (두루낮춤으로) 어떤 사실을 서술하거나 물음, 명령, 권유를 나타내는 종결 어미.

  Тохирох үг хэллэг байхгүй байна

  (хүндэтгэлийн бус энгийн үг хэллэг) ямар нэгэн зүйлийг дүрслэх буюу асуулт, тушаал, зөвлөмж зэргийг илэрхийлдэг төгсгөх нөхцөл. <дүрслэл>

네+가 아내+를 정말 사랑하+는구나.

- **네 (төлөөний үг)** : '너'에 조사 '가'가 붙을 때의 형태.

  чи

  төлөөний үг "너" дээр нэрлэхийн тийн ялгалын нөхцөл "가" залгахад хувирсан хэлбэр.

- 가 : 어떤 상태나 상황에 놓인 대상이나 동작의 주체를 나타내는 조사.

  Тохирох үг хэллэг байхгүй байна

  ямар нэгэн төлөв, байдлын субьект, мөн үйл хөдлөлийн эзэн болохыг илэрхийлэх нөхцөл.

- **아내 (нэр үг)** : 결혼하여 남자의 짝이 된 여자.

  эхнэр

  хүнтэй гэрлэж, эрэгтэй хүний хань нь болж буй эмэгтэй.

- 를 : 동작이 직접적으로 영향을 미치는 대상을 나타내는 조사.

  -ыг/-ийг/-г

  үйл хөдлөл шууд нөлөөлж буй тусагдахууныг илэрхийлэх нөхцөл.

- **정말 (дайвар үг)** : 거짓이 없이 진짜로.

  үнэхээр

  худал хуурмаг зүйлгүй нээрээ.

- **사랑하다 (Үйл Үг)** : 상대에게 성적으로 매력을 느껴 열렬히 좋아하다.

  хайрлах

  эр эм хоёр бие биедээ дурлан энхрийлэх

- **-는구나** : (아주낮춤으로) 새롭게 알게 된 사실에 어떤 느낌을 실어 말함을 나타내는 종결 어미.

  Тохирох Үг хэллэг байхгүй байна

  (огт хүндэтгэлгүй Үг хэллэг) шинээр олж мэдсэн зүйлийн талаар ямар нэгэн мэдрэмжийг нэмэн хэлэх явдлыг илэрхийлдэг төгсгөх нөхцөл.

< 대화(ярилцлага) > - 69

이 약은 하루에 몇 번이나 먹어야 하나요?
이 야근 하루에 멸 버니나 머거야 하나요?
i yageun harue myeot beonina meogeoya hanayo?

아침저녁으로 두 번만 드시면 됩니다.
아침저녀그로 두 번만 드시면 됩니다.
achimjeonyeogeuro du beonman deusimyeon doemnida.

< 설명(тайлбар) / 번역(орчуулга) >

이 약+은 하루+에 몇 번+이나 먹+[어야 하]+나요?

• 이 (тодотгол Үг) : 말하는 사람에게 가까이 있거나 말하는 사람이 생각하고 있는 대상을 가리킬 때 쓰는 말.

энэ

өгүүлэгч этгээдэд ойр байгаа зүйл ба өгүүлэгч этгээдийн бодож байгаа зүйлийг заасан үг.

• 약 (нэр Үг) : 병이나 상처 등을 낫게 하거나 예방하기 위하여 먹거나 바르거나 주사하는 물질.

эм, тан

өвчин, шарх зэргийг эдгээх ба урьдчилан сэргийлэхийн тулд идэж, түрхэж, тарьдаг зүйл.

• 은 : 문장 속에서 어떤 대상이 화제임을 나타내는 조사.

Тохирох Үг хэллэг байхгүй байна

өгүүлбэрт ямар зүйл ярианы сэдэв болж буйг илэрхийлдэг нөхцөл.

• 하루 (нэр Үг) : 밤 열두 시부터 다음 날 밤 열두 시까지의 스물네 시간.

хоног

шөнийн арван хоёр цагаас дараа өдрийн шөнийн арван хоёр цаг хүртэлх 24 цаг.

• 에 : 앞말이 기준이 되는 대상이나 단위임을 나타내는 조사.

-д/-т

өмнөх үг хэм хэмжүүрийн тусагдахуун буюу нэгж болохыг илэрхийлж буй нөхцөл.

• 몇 (тодотгол Үг) : 잘 모르는 수를 물을 때 쓰는 말.

  хэд, хэдэн

  сайн мэдэхгүй тоог асуухад хэрэглэдэг үг.

• 번 (нэр үг) : 일의 횟수를 세는 단위.

  удаа

  юмны давтамж илэрхийлэх үг.

• 이나 : 수량이나 정도를 대강 짐작할 때 쓰는 조사.

  орчим

  тоо хэмжээ буюу хэм хэмжээг барагцаалан баримжаалахад хэрэглэдэг нөхцөл.

• 먹다 (Үйл Үг) : 약을 입에 넣어 삼키다.

  уух

  эмийг амандаа хийж залгих.

• -어야 하다 : 앞에 오는 말이 어떤 일을 하거나 어떤 상황에 이르기 위한 의무적인 행동이거나 필수적
  인 조건임을 나타내는 표현.

  Тохирох үг хэллэг байхгүй байна

  өмнөх үг нь ямар нэг ажлыг хийх болон ямар нэг нөхцөл байдалд хүрэхийн тулд хийх
  хэрэгтэй албан үүргийн үйлдэл буюу зайлшгүй шаардлага болохыг илэрхийлдэг үг
  хэллэг.

• -나요 : (두루높임으로) 앞의 내용에 대해 상대방에게 물어볼 때 쓰는 표현.

  Тохирох үг хэллэг байхгүй байна

  (хүндэтгэлийн энгийн үг хэллэг) өмнөх агуулгын талаар ярилцаж буй хүнээсээ
  асуухад хэрэглэнэ.

아침저녁+으로 두 번+만 들(드)+시+[면 되]+ㅂ니다.

드시면 됩니다

• 아침저녁 (нэр үг) : 아침과 저녁.

  өглөө орой

  өглөө болон орой.

• 으로 : 시간을 나타내는 조사.

  -д, орчим

  цаг хугацааг илэрхийлж буй нөхцөл.

• 두 (тодотгол үг) : 둘의.

  хоёр

  хоёрын.

· 번 (нэр Үг) : 일의 횟수를 세는 단위.

　udaa

　юмны давтамж илэрхийлэх Үг.

· 만 : 다른 것은 제외하고 어느 것을 한정함을 나타내는 조사.

　л, зөвхөн

　өөр бусад зҮйлийг эс тооцон тогтсон нэг зҮйлийг л илэрхийлж буй нөхцөл.

· 들다 (Үйл Үг) : (높임말로) 먹다.

　зооглох, хҮртэх, болгоох

　(хҮндэтгэлт Үг) идэх.

· -시- : 어떤 동작이나 상태의 주체를 높이는 뜻을 나타내는 어미.

　Тохирох Үг хэллэг байхгҮй байна

　ямар нэгэн Үйлдэл буюу байдлын эзэн биеийг хҮндэтгэх утгыг илэрхийлдэг нөхцөл.

· -면 되다 : 조건이 되는 어떤 행동을 하거나 어떤 상태만 갖추어지면 문제가 없거나 충분함을 나타내는 표현.

　Тохирох Үг хэллэг байхгҮй байна

　болзол шаардлага нь болж буй зҮйлийг хийх болон ямар нэг нөхцөл байдал бҮрдвэл асуудалгҮй буюу хангалттай болохыг илэрхийлдэг Үг хэллэг.

· -ㅂ니다 : (아주높임으로) 현재의 동작이나 상태, 사실을 정중하게 설명함을 나타내는 종결 어미.

　Тохирох Үг хэллэг байхгҮй байна

　(дээдлэн хҮндэтгэх Үг хэллэг) одоогийн Үйлдэл буюу байдлыг ёсорхог байдлаар тайлбарлах явдлыг илэрхийлдэг төгсгөх нөхцөл.

< 대화(ярилцлага) > - 70

다음부터는 수업 시간에 떠들면 안 돼.
다음부터는 수업 시가네 떠들면 안 돼.
daeumbuteoneun sueop sigane tteodeulmyeon an dwae.

네, 선생님. 다음부터는 절대 떠들지 않을게요.
네, 선생님. 다음부터는 절대 떠들지 아늘께요.
ne, seonsaengnim. daeumbuteoneun jeoldae tteodeulji aneulgeyo.

< 설명(тайлбар) / 번역(орчуулга) >

다음+부터+는 수업 시간+에 떠들+[면 안 되]+어.
떠들면 안 돼

- **다음 (нэр Үг)** : 이번 차례의 바로 뒤.
  дараагийн, дараачийн, дараах
  ямар нэгэн дэс дараалалын яг ардах.

- **부터** : 어떤 일의 시작이나 처음을 나타내는 조사.
  -аас, -ээс, -оос, -өөс
  ямар нэгэн ажлын эхлэлийг илэрхийлдэг нэрийн нөхцөл.

- **는** : 어떤 대상이 다른 것과 대조됨을 나타내는 조사.
  бол
  ямар нэг зүйлийг өөр зүйлтэй харьцуулах, шалтгаан заах Үг

- **수업 (нэр Үг)** : 교사가 학생에게 지식이나 기술을 가르쳐 줌.
  хичээл
  багш оюутанд мэдлэг, ур чадвар зааж өгөх явдал.

- **시간 (нэр Үг)** : 어떤 일이 시작되어 끝날 때까지의 동안.
  хугацаа, цаг
  ямар нэг юм эхлээд дуусах хүртэлх Үе.

- **에** : 앞말이 시간이나 때임을 나타내는 조사.
  -д/-т
  өмнөх Үг цаг хугацаа болохыг илэрхийлж буй нөхцөл.

- 떠들다 (Үйл Үг) : 큰 소리로 시끄럽게 말하다.
  шуугих, шаагилдах, чанга дуугаар ярих, хашгирах, орилох
  чанга дуугаар чимээ шуугиантайгаар ярих.

- -면 안 되다 : 어떤 행동이나 상태를 금지하거나 제한함을 나타내는 표현.
  Тохирох Үг хэллэг байхгүй байна
  ямар нэг Үйл хөдлөл, нөхцөл байдлыг хориглох буюу хязгаарлах явдлыг илэрхийлдэг Үг хэллэг.

- -어 : (두루낮춤으로) 어떤 사실을 서술하거나 물음, 명령, 권유를 나타내는 종결 어미.
  Тохирох Үг хэллэг байхгүй байна
  (хҮндэтгэлийн бус энгийн Үг хэллэг) ямар нэгэн зҮйлийг дҮрслэх буюу асуулт, тушаал, зөвлөмж зэргийг илэрхийлдэг төгсгөх нөхцөл. <тушаал>

네, 선생님.

다음+부터+는 절대 떠들+[지 않]+을게요.

- 네 (аялга Үг) : 윗사람의 물음이나 명령 등에 긍정하여 대답할 때 쓰는 말.
  тийм, тиймээ, за, мэдлээ, ойлголоо, тэгье
  ахмад хҮний асуулт, хҮсэлт даалгавар зэргийг зөвшөөрөн сонсож хариулах Үг.

- 선생님 (нэр Үг) : (높이는 말로) 학생을 가르치는 사람.
  багш
  (хҮндэтгэх Үг) сурагч оюутанд зааж сургадаг хҮн.

- 다음 (нэр Үг) : 이번 차례의 바로 뒤.
  дараагийн, дараачийн, дараах
  ямар нэгэн дэс дараалалын яг ардах.

- 부터 : 어떤 일의 시작이나 처음을 나타내는 조사.
  -аас, -ээс, -оос, -өөс
  ямар нэгэн ажлын эхлэлийг илэрхийлдэг нэрийн нөхцөл.

- 는 : 어떤 대상이 다른 것과 대조됨을 나타내는 조사.
  бол
  ямар нэг зҮйлийг өөр зҮйлтэй харьцуулах, шалтгаан заах Үг

- 절대 (дайвар Үг) : 어떤 경우라도 반드시.
  зайлшгҮй, туйлын, ҮнэмлэхҮй
  ямар ч тохиолдол байсан заавал.

· **떠들다 (Үйл Үг)** : 큰 소리로 시끄럽게 말하다.

шуугих, шаагилдах, чанга дуугаар ярих, хашгирах, орилох

чанга дуугаар чимээ шуугиантайгаар ярих.

· **-지 않다** : 앞의 말이 나타내는 행위나 상태를 부정하는 뜻을 나타내는 표현.

Тохирох Үг хэллэг байхгүй байна

өмнөх Үгийн илэрхийлж буй Үйлдэл буюу байдлыг Үгүйсгэх утгыг илэрхийлдэг Үг хэллэг.

· **-을게요** : (두루높임으로) 말하는 사람이 어떤 행동을 할 것을 듣는 사람에게 약속하거나 의지를 나타내는 표현.

Тохирох Үг хэллэг байхгүй байна

(хүндэтгэлийн энгийн Үг хэллэг) өгүүлэгч ямар нэг Үйл хийхээ сонсч байгаа хүнд амлах болон мэдэгдэхийг илэрхийлдэг Үг хэллэг.

< 대화(ярилцлага) > - 71

엄마, 할머니 댁은 아직 멀었어요?
엄마, 할머니 대근 아직 머러써요?
eomma, halmeoni daegeun ajik meoreosseoyo?

아냐. 디 외 가. 삼십 분만 더 가면 되니까 조금만 참아.
아냐. 다 와 가. 삼십 분만 더 가면 되니까 조금만 차마.
anya. da wa ga. samsip bunman deo gamyeon doenikka jogeumman chama.

< 설명(тайлбар) / 번역(орчуулга) >

엄마, 할머니 댁+은 아직 멀+었+어요?

- **엄마 (нэр Үг)** : 격식을 갖추지 않아도 되는 상황에서 어머니를 이르거나 부르는 말.
  ээж
  ёс жаяг баримтлах шаардлаггүй тохиолдолд ээжийгээ нэрлэх болон дуудах Үг.

- **할머니 (нэр Үг)** : 아버지의 어머니, 또는 어머니의 어머니를 이르거나 부르는 말.
  эмээ, эмэг эх
  аавын ээж. мөн ээжийн ээж,

- **댁 (нэр Үг)** : (높이는 말로) 남의 집이나 가정.
  өргөө, гэр
  (хүндэтгэх Үг) бусдын гэр буюу гэр бүл.

- **은** : 문장 속에서 어떤 대상이 화제임을 나타내는 조사.
  Тохирох Үг хэллэг байхгүй байна
  өгүүлбэрт ямар зүйл ярианы сэдэв болж буйг илэрхийлдэг нөхцөл.

- **아직 (дайвар Үг)** : 어떤 일이나 상태 또는 어떻게 되기까지 시간이 더 지나야 함을 나타내거나, 어떤
  일이나 상태가 끝나지 않고 계속 이어지고 있음을 나타내는 말.

  хараахан
  аливаа явдал, нөхцөл байдал мөн хэрхэн өөрчлөгдөх хүртэл хэдий хугацаа өнгөрөх
  хэрэгтэйг илэрхийлэх буюу дуусаагүй үргэлжилж байгааг илэрхийлдэг хэллэг.

- **멀다 (тэмдэг нэр)** : 지금으로부터 시간이 많이 남아 있다. 오랜 시간이 필요하다.
  болоогүй, хаа байсан
  цаг хугацаа их үлдсэн байх, их хугацаа шаардагдах.

• -었- : 어떤 사건이 과거에 완료되었거나 그 사건의 결과가 현재까지 지속되는 상황을 나타내는 어미.

Тохирох Үг хэллэг байхгүй байна

ямар нэгэн хэрэг явдал өнгөрсөн үед болж өнгөрсөн буюу тухайн үйлийн үр дүн
өнөөг хүртэл үргэлжилж буй нөхцөл байдлыг илэрхийлдэг нөхцөл.

• -어요 : (두루높임으로) 어떤 사실을 서술하거나 질문, 명령, 권유함을 나타내는 종결 어미.

Тохирох үг хэллэг байхгүй байна

(хүндэтгэлийн энгийн үг хэллэг) ямар нэгэн зүйлийг хүүрнэх, асуух, тушаах, уриалах
явдлыг илэрхийлдэг төгсгөх нөхцөл. <асуулт>

아냐.

다 오+[아 가]+(아).
와 가

삼십 분+만 더 가+[면 되]+니까 조금+만 참+아.

• 아냐 (аялга үг) : 묻는 말에 대하여 강조하며, 또는 단호하게 부정하며 대답할 때 쓰는 말.

Үгүй, тийм биш

асуусан асуултанд ˈтийм биш, үгүйˈ гэсэн үгүйсгэсэн утгаар хариулдаг үг.

• 다 (дайвар үг) : 행동이나 상태의 정도가 한정된 정도에 거의 가깝게.

бараг

үйл хөдлөл буюу байр байдлын хэр хэмжээ тодорхой заагт бараг ойрхон.

• 오다 (үйл үг) : 가고자 하는 곳에 이르다.

ирэх

явах гэсэн газартаа хүрэх.

• -아 가다 : 앞의 말이 나타내는 행동이나 상태가 계속 진행됨을 나타내는 표현.

Тохирох үг хэллэг байхгүй байна

өмнөх үгийн илэрхийлж буй үйлдэл буюу байдал үргэлжилж буйг илэрхийлдэг үг
хэллэг.

• -아 : (두루낮춤으로) 어떤 사실을 서술하거나 물음, 명령, 권유를 나타내는 종결 어미.

Тохирох үг хэллэг байхгүй байна

(хүндэтгэлийн бус энгийн үг хэллэг) ямар нэгэн зүйлийг дүрслэх буюу асуулт,
тушаал, зөвлөмж зэргийг илэрхийлдэг төгсгөх нөхцөл. <дүрслэл>

· 삼십 (тодотгол Үг) : 서른의.

  гуч, гучин

  гучин ширхэг тоо хэмжээтэй.

· 분 (нэр Үг) : 한 시간의 60분의 1을 나타내는 시간의 단위.

  минут, агшин

  нэг цагийн жар хуваасны нэгийг илэрхийлэх цагийн нэгж.

· 만 : 앞의 말이 어떤 것에 대한 조건임을 나타내는 조사.

  л

  өмнөх Үг ямар нэгэн зҮйлийн талаарх болзол болохыг илэрхийлж буй нөхцөл.

· 더 (дайвар Үг) : 보태어 계속해서.

  нэмж, цааш нь, дахиад

  дээр нь нэмж, ҮргэлжлҮҮлэн.

· 가다 (Үйл Үг) : 한 곳에서 다른 곳으로 장소를 이동하다.

  явах, очих

  нэг газраас нөгөө газар руу шилжиж хөдлөх явах.

· -면 되다 : 조건이 되는 어떤 행동을 하거나 어떤 상태만 갖추어지면 문제가 없거나 충분함을 나타내는
             표현.

  Тохирох Үг хэллэг байхгҮй байна

  болзол шаардлага нь болж буй зҮйлийг хийх болон ямар нэг нөхцөл байдал бҮрдвэл
  асуудалгҮй буюу хангалттай болохыг илэрхийлдэг Үг хэллэг.

· -니까 : 뒤에 오는 말에 대하여 앞에 오는 말이 원인이나 근거, 전제가 됨을 강조하여 나타내는 연결 어
          미.

  ~ болохоор

  ард нь ирэх агуулга нь өмнөх Үгийн учир шалтгаан Үндэслэл суурь болохыг
  илэрхийлдэг холбох нөхцөл.

· 조금 (нэр Үг) : 짧은 시간 동안.

  дөнгөж сая, удалгҮй, жаахан

  богино хугацаанд.

· 만 : 말하는 사람이 기대하는 최소의 선을 나타내는 조사.

  л

  өгҮҮлж байгаа зҮйлээ тодруулах утгыг илэрхийлж буй нөхцөл.

· 참다 (Үйл Үг) : 어떤 시간 동안을 견디고 기다리다.

  тэвчих, тэсэх

  тодорхой хугацааны турш тэсэн хҮлээх.

- -아 : (두루낮춤으로) 어떤 사실을 서술하거나 물음, 명령, 권유를 나타내는 종결 어미.

Тохирох Үг хэллэг байхгүй байна

(хүндэтгэлийн бус энгийн үг хэллэг) ямар нэгэн зүйлийг дүрслэх буюу асуулт, тушаал, зөвлөмж зэргийг илэрхийлдэг төгсгөх нөхцөл. **<тушаал>**

< 대화(ярилцлага) > - 72

부산까지는 시간이 꽤 오래 걸리니까 번갈아 가면서 운전하는 게 어때?
부산까지는 시가니 꽤 오래 걸리니까 번가라 가면서 운전하는 게 어때?
busankkajineun sigani kkwae orae geollinikka beongara gamyeonseo unjeonhaneun ge eottae?

그래. 그게 좋겠다.
그래. 그게 조켇따.
geurae. geuge joketda.

< 설명(тайлбар) / 번역(орчуулга) >

부산+까지+는 시간+이 꽤 오래 걸리+니까 번갈+[아 가]+면서

운전하+[는 것(거)]+이 어떻+어?
　　운전하는 게　　　　　　어때

- **부산 (нэр үг)** : 경상남도 동남부에 있는 광역시. 서울에 다음가는 대도시이며 한국 최대의 무역항이 있다.

  Бүсань

  Гёнсанбүг-ду аймгийн зүүн өмнө хэсэгт оршдог том хот. Сөүлийн дараа орох том хот бөгөөд Солонгосын хамгийн том худалдааны боомт байрладаг.

- **까지** : 어떤 범위의 끝임을 나타내는 조사.

  хүртэл

  ямар нэгэн зүйлийн төгсгөх болохыг илэрхийлдэг нөхцөл.

- **는** : 문장 속에서 어떤 대상이 화제임을 나타내는 조사.

  Тохирох үг хэллэг байхгүй байна

  өгүүлбэрт ярианы сэдэв болж буйг илэрхийлдэг нөхцөл.

- **시간 (нэр үг)** : 어떤 때에서 다른 때까지의 동안.

  хугацаа

  ямар нэгэн үеэс өөр нэг үе хүртэлх хугацаа.

- 235 -

• 이 : 어떤 상태나 상황의 대상이나 동작의 주체를 나타내는 조사.

Тохирох Үг хэллэг байхгүй байна

ямар нэгэн төлөв, байдлын субьект, мөн Үйл хөдлөлийн эзэн болохыг илэрхийлэх нөхцөл.

• 꽤 (дайвар Үг) : 예상이나 기대 이상으로 상당히.

нэлээн, нэлээд, тун их

төсөөлж, найдаж байснаас нэлээд илүү.

• 오래 (дайвар Үг) : 긴 시간 동안.

удаан, удаан хугацаа, олон жил, урт удаан

урт хугацааны турш.

• 걸리다 (Үйл Үг) : 시간이 들다.

зарцуулагдах, шаардагдах, цаг орох

цаг хугацаа орох.

• -니까 : 뒤에 오는 말에 대하여 앞에 오는 말이 원인이나 근거, 전제가 됨을 강조하여 나타내는 연결 어미.

~ болохоор

ард нь ирэх агуулга нь өмнөх Үгийн учир шалтгаан Үндэслэл суурь болохыг илэрхийлдэг холбох нөхцөл.

• 번갈다 (Үйл Үг) : 여럿이 어떤 일을 할 때, 일정한 시간 동안 한 사람씩 차례를 바꾸다.

ээлжлэх, солигдох

олон хүн ямар нэгэн зүйлийг хийхдээ тогтсон цагийн турш нэг нэгээрээ ээлжлэн хийх.

• -아 가다 : 앞의 말이 나타내는 행동을 이따금 반복함과 동시에 또 다른 행동을 이어 함을 나타내는 표현.

Тохирох Үг хэллэг байхгүй байна

өмнөх Үгийн илэрхийлж буй Үйлдлийг хааяа нэг давтан хийнгээ мөн өөр Үйлдлийг үргэлжлүүлэн хийх явдлыг илэрхийлдэг Үг хэллэг.

• -면서 : 두 가지 이상의 동작이나 상태가 함께 일어남을 나타내는 연결 어미.

Тохирох Үг хэллэг байхгүй байна

хоёр төрлөөс дээш Үйлдэл ба байдал хамт болох явдлыг илэрхийлэхэд хэрэглэдэг холбох нөхцөл.

• 운전하다 (Үйл Үг) : 기계나 자동차를 움직이고 조종하다.

жолоодох, ажиллуулах

машин, тоног төхөөрөмжийг хөдөлгөж ажиллуулах.

• -는 것 : 명사가 아닌 것을 문장에서 명사처럼 쓰이게 하거나 '이다' 앞에 쓰일 수 있게 할 때 쓰는 표현.

Тохирох Үг хэллэг байхгүй байна

өгүүлбэрт нэр үгийн үүргээр орж өгүүлэгдэхүүн буюу тусагдахуун гишүүний үүрэг гүйцэтгэх буюу '이다'-н өмнө ирэх боломжтой болгодог үг хэллэг.

• 이 : 어떤 상태나 상황의 대상이나 동작의 주체를 나타내는 조사.

Тохирох Үг хэллэг байхгүй байна

ямар нэгэн толов, байдлын субьект, мөн үйл хөдлөлийн эзэн болохыг илэрхийлэх нөхцөл.

• 어떻다 (тэмдэг нэр) : 생각, 느낌, 상태, 형편 등이 어찌 되어 있다.

ямар байх, ямар нэг, ямаршуухан

бодол санаа, мэдрэмж, нөхцөл, байдал зэрэг ямар нэг болсон байх.

• -어 : (두루낮춤으로) 어떤 사실을 서술하거나 물음, 명령, 권유를 나타내는 종결 어미.

Тохирох Үг хэллэг байхгүй байна

(хүндэтгэлийн бус энгийн үг хэллэг) ямар нэгэн зүйлийг хүүрнэх, асуух буюу тушаал, зөвлөмж зэргийг илэрхийлдэг төгсгөх нөхцөл. <асуулт>

그래.

그것(그거)+이 좋+겠+다.
그게

• 그래 (аялга үг) : '그렇게 하겠다, 그렇다, 알았다' 등 긍정하는 뜻으로, 대답할 때 쓰는 말.

тэгье, тийм, ойлголоо

'тэгье, тийм, ойлголоо' гэх зэрэг зөвшөөрсөн утгаар хариулж хэлэхдээ хэрэглэдэг үг.

• 그것 (төлөөний үг) : 앞에서 이미 이야기한 대상을 가리키는 말.

тэр юм, тэр

өмнө нь ярьсан объектыг заах үг.

• 이 : 어떤 상태나 상황의 대상이나 동작의 주체를 나타내는 조사.

Тохирох Үг хэллэг байхгүй байна

ямар нэгэн төлөв, байдлын субьект, мөн үйл хөдлөлийн эзэн болохыг илэрхийлэх нөхцөл.

• 좋다 (тэмдэг нэр) : 어떤 일이나 대상이 마음에 들고 만족스럽다.

сайн, сайхан

ямар нэгэн хэрэг явдал ба зүйл сэтгэлд нийцэн хангалуун байх.

• -겠- : 미래의 일이나 추측을 나타내는 어미.

Тохирох Үг хэллэг байхгүй байна

ирээдүйн явдал буюу таамаглалыг илэрхийлдэг нөхцөл.

• -다 : (아주낮춤으로) 어떤 사건이나 사실, 상태를 서술함을 나타내는 종결 어미.

Тохирох Үг хэллэг байхгүй байна

(огт хүндэтгэлгүй Үг хэллэг) одоогийн хэрэг явдал буюу Үнэн явлыг хүүрнэхийг илэрхийлдэг төгсгөх нөхцөл.

< 대화(ярилцлага) > - 73

처음 해 보는 일에 새롭게 도전하는 것이 두렵지 않으세요?
처음 해 보는 이레 새롭께 도전하는 거시 두렵찌 아느세요?
cheoeum hae boneun ire saeropge dojeonhaneun geosi duryeopji aneuseyo?

아니요. 더디지만 하나씩 알아 나가는 재미가 있어요.
아니요. 더디지만 하나씩 아라 나가는 재미가 이써요.
aniyo. deodijiman hanassik ara naganeun jaemiga isseoyo.

< 설명(тайлбар) / 번역(орчуулга) >

처음 하+[여 보]+는 일+에 새롭+게 도전하+[는 것]+이 두렵+[지 않]+으세요?
　　　　해 보는

- **처음 (нэр үг)** : 차례나 시간상으로 맨 앞.
  анх, эхэн, түрүүн
  цаг хугацаа, дэс дарааны хамгийн эхэн.

- **하다 (үйл үг)** : 어떤 행동이나 동작, 활동 등을 행하다.
  үйлдэх, хийх, гүйцэтгэх
  аливаа үйл хөдлөл, хөдөлгөөн, ажиллагаа зэргийг гүйцэтгэх.

- **-여 보다** : 앞의 말이 나타내는 행동을 시험 삼아 함을 나타내는 표현.
  Тохирох үг хэллэг байхгүй байна
  өмнөх үгийн илэрхийлж буй үйлдлийг туршиж үзэх явдлыг илэрхийлдэг үг хэллэг.

- **-는** : 앞의 말이 관형어의 기능을 하게 만들고 사건이나 동작이 현재 일어남을 나타내는 어미.
  Тохирох үг хэллэг байхгүй байна
  өмнөх үгийг тодотгол гишүүний үүрэгтэй болгож, хэрэг явдал буюу үйлдэл нь одоо өрнөж байгааг илэрхийлдэг нөхцөл.

- **일 (нэр үг)** : 무엇을 이루려고 몸이나 정신을 사용하는 활동. 또는 그 활동의 대상.
  ажил хэрэг
  ямар нэгэн зүйлийг биелүүлэх гэж бие, сэтгэлээ дайчлах үйл ажиллагаа. мөн тэрхүү үйл ажиллагааны объект.

• 에 : 앞말이 어떤 행위나 감정 등의 대상임을 나타내는 조사.

  -д/-т

  өмнөх Үг ямар нэгэн Үйлдэл буюу сэтгэл хөдлөлийн тусагдахуун болохыг илэрхийлж буй Үг.

• 새롭다 (тэмдэг нэр) : 지금까지의 것과 다르거나 있은 적이 없다.

  шинэ, шинэхэн, шинэлэг, сҮҮлийн Үеийн

  өнөөг хҮртэл байсан зҮйлээс огт өөр байх, урьд өмнө нь байгаагҮй.

• -게 : 앞의 말이 뒤에서 가리키는 일의 목적이나 결과, 방식, 정도 등이 됨을 나타내는 연결 어미.

  Тохирох Үг хэллэг байхгҮй байна

  өмнөх агуулга ард нь зааж буй байдал, зорилго, Үр дҮн, арга барил, хэмжээ зэрэг болохыг илэрхийлдэг холбох нөхцөл. <арга маяг>

• 도전하다 (Үйл Үг) : (비유적으로) 가치 있는 것이나 목표한 것을 얻기 위해 어려움에 맞서다.

  сөрөн зогсох

  (зҮйрлэх Үг) Үнэ цэнтэй зҮйл буюу зорьсон зҮйлээ олж авах, хамгаалахын тулд тодорхой бэрхшээл зовлон туулахад бэлэн

• -는 것 : 명사가 아닌 것을 문장에서 명사처럼 쓰이게 하거나 '이다' 앞에 쓰일 수 있게 할 때 쓰는 표현.

  Тохирох Үг хэллэг байхгҮй байна

  өгҮҮлбэрт нэр Үгийн ҮҮргээр орж өгҮҮлэгдэхҮҮн буюу тусагдахуун гишҮҮний ҮҮрэг гҮйцэтгэх буюу '이다'-н өмнө ирэх боломжтой болгодог Үг хэллэг.

• 이 : 어떤 상태나 상황의 대상이나 동작의 주체를 나타내는 조사.

  Тохирох Үг хэллэг байхгҮй байна

  ямар нэгэн төлөв, байдлын субьект, мөн Үйл хөдлөлийн эзэн болохыг илэрхийлэх нөхцөл.

• 두렵다 (тэмдэг нэр) : 걱정되고 불안하다.

  сэтгэл зовох

  сэтгэл зовниж амар тайван бус байх.

• -지 않다 : 앞의 말이 나타내는 행위나 상태를 부정하는 뜻을 나타내는 표현.

  Тохирох Үг хэллэг байхгҮй байна

  өмнөх Үгийн илэрхийлж буй Үйлдэл буюу байдлыг ҮгҮйсгэх утгыг илэрхийлдэг Үг хэллэг.

• -으세요 : (두루높임으로) 설명, 의문, 명령, 요청의 뜻을 나타내는 종결 어미.

  Тохирох Үг хэллэг байхгҮй байна

  (хҮндэтгэлийн энгийн Үг хэллэг) тайлбар, асуулт, тушаал, шаардлага зэрэг утгыг илэрхийлдэг төгсгөх нөхцөл. <асуулт>

아니요.

더디+지만 하나+씩 알+[아 나가]+는 재미+가 있+어요.

- 아니요 (аялга Үг) : 윗사람이 묻는 말에 대하여 부정하며 대답할 때 쓰는 말.
  Үгүй, биш
  өөрөөсөө ахмад хүний асуултанд үгүйсгэсэн хариулт огөход хэлдэг үг.

- 더디다 (тэмдэг нэр) : 속도가 느려 무엇을 하는 데 걸리는 시간이 길다.
  удаан байх, алгуур байх, тайван байх
  ямар зүйлийг хийхэд хурд бага, зарцуулж буй хугацаа их.

- -지만 : 앞에 오는 말을 인정하면서 그와 반대되거나 다른 사실을 덧붙일 때 쓰는 연결 어미.
  Тохирох үг хэллэг байхгүй байна
  өмнөх агуулгыг хүлээн зөвшөөрч байгаа хирнээ түүнтэй эсрэгцэх буюу өөр утгыг
  нэмэх үед хэрэглэдэг холбох нөхцөл.

- 하나 (тооны нэр) : 숫자를 셀 때 맨 처음의 수.
  нэг
  тоо тооллын хамгийн эхний тоо.

- 씩 : '그 수량이나 크기로 나뉨'의 뜻을 더하는 접미사.
  'А' 'А'-аар, 'А' 'А'-аараа
  'тухайн тоо хэмжээгээр хуваагдах' хэмээх утга нэмдэг дагавар.

- 알다 (Үйл Үг) : 교육이나 경험, 생각 등을 통해 사물이나 상황에 대한 정보 또는 지식을 갖추다.
  мэдэх
  боловсрол, туршлага, бодол зэргээр дамжуулан юмс үзэгдэл, нөхцөл байдлын талаарх
  мэдээлэл болон мэдлэгийг олж авах.

- -아 나가다 : 앞의 말이 나타내는 행동을 계속 진행함을 나타내는 표현.
  Тохирох үг хэллэг байхгүй байна
  өмнөх үгийн илэрхийлж буй үйлдлийг үргэлжлүүлэх явдлыг илэрхийлдэг үг хэллэг.

- -는 : 앞의 말이 관형어의 기능을 하게 만들고 사건이나 동작이 현재 일어남을 나타내는 어미.
  Тохирох үг хэллэг байхгүй байна
  өмнөх үгийг тодотгол гишүүний үүрэгтэй болгож, хэрэг явдал буюу үйлдэл нь одоо
  өрнөж байгааг илэрхийлдэг нөхцөл.

- 재미 (нэр үг) : 어떤 것이 주는 즐거운 기분이나 느낌.
  сонирхол, хөгжилтэй, зугаатай
  ямар нэгэн зүйлийн өгч буй сэтгэл, мэдрэмж.

- 241 -

- 가 : 어떤 상태나 상황에 놓인 대상이나 동작의 주체를 나타내는 조사.
  Тохирох Үг хэллэг байхгҮй байна
  ямар нэгэн төлөв, байдлын субьект, мөн Үйл хөдлөлийн эзэн болохыг илэрхийлэх нөхцөл.

- 있다 (тэмдэг нэр) : 사실이나 현상이 존재하다.
  байх
  бодит Үнэн буюу Үзэгдэл орших.

- -어요 : (두루높임으로) 어떤 사실을 서술하거나 질문, 명령, 권유함을 나타내는 종결 어미.
  Тохирох Үг хэллэг байхгҮй байна
  (хҮндэтгэлийн энгийн Үг хэллэг) ямар нэгэн зҮйлийг хҮҮрнэх, асуух, тушаах, уриалах явдлыг илэрхийлдэг төгсгөх нөхцөл. **<дҮрслэл>**

< 대화(ярилцлага) > - 74

너 지우랑 화해했니?
너 지우랑 화해핻니?
neo jiurang hwahaehaenni?

아니. 난 지우한테 먼저 사과를 받아 낼 거야.
아니. 난 지우한테 먼저 사과를 바다 낼 꺼야.
ani. nan jiuhante meonjeo sagwareul bada nael geoya.

< 설명(тайлбар) / 번역(орчуулга) >

너 지우+랑 <u>화해하+였+니</u>?
화해했니

- **너 (төлөөний үг)** : 듣는 사람이 친구나 아랫사람일 때, 그 사람을 가리키는 말.
  чи
  сонсогч нь найз буюу дүү байх тохиолдолд, тухайн хүнийг заадаг үг.

- **지우 (нэр үг)** : нэр

- **랑** : 누군가를 상대로 하여 어떤 일을 할 때 그 상대임을 나타내는 조사.
  -аас (-ээс, -оос, -өөс), -тай (-тэй, -той)
  ямар нэгэн үйл хэргийг гүйцэтгэхэд тухайн харилцагч этгээд болох хэн нэгнийг илэрхийлж буй нөхцөл.

- **화해하다 (үйл үг)** : 싸움을 멈추고 서로 가지고 있던 안 좋은 감정을 풀어 없애다.
  эвлэрэх
  хэрүүл маргаанаа зогсоож хоорондын сайнгүй байсан харилцааг сайжруулж арилгах.

- **-였-** : 어떤 사건이 과거에 완료되었거나 그 사건의 결과가 현재까지 지속되는 상황을 나타내는 어미.
  Тохирох үг хэллэг байхгүй байна
  ямар нэгэн үйл явдал өнгөрсөн цагт төгссөн буюу тухайн үйл явдлын үр дүн өнөөг хүртэл үргэлжилж буй байдлыг илэрхийлдэг нөхцөл.

- **-니** : (아주낮춤으로) 물음을 나타내는 종결 어미.
  Тохирох үг хэллэг байхгүй байна
  (огт хүндэтгэлгүй үг хэллэг) асуултыг илэрхийлдэг төгсгөх нөхцөл.

아니.

<u>나+는</u> 지우+한테 먼저 사과+를 <u>받+[아 내]+[ㄹ 것(거)]+(이)+야</u>.
　난　　　　　　　　　　　　　　　　　받아 낼 거야

- **아니 (аялга Үг)** : 아랫사람이나 나이나 지위 등이 비슷한 사람이 물어보는 말에 대해 부정하여 대답할 때 쓰는 말.

  Үгүй

  дүү хүн болон нас, албан тушаалаар төстэй хүний асууж буй үгэнд үгүйсгэсэн утгаар хариулахад хэрэглэдэг үг.

- **나 (төлөөний Үг)** : 말하는 사람이 친구나 아랫사람에게 자기를 가리키는 말.

  би

  өгүүлэгч этгээд найз буюу өөрөөсөө дүү хүнтэй ярихад өөрийг заасан үг.

- **는** : 문장 속에서 어떤 대상이 화제임을 나타내는 조사.

  Тохирох Үг хэллэг байхгүй байна

  өгүүлбэрт ярианы сэдэв болж буйг илэрхийлдэг нөхцөл.

- **지우 (нэр Үг)** : нэр

- **한테** : 어떤 행동의 주체이거나 비롯되는 대상임을 나타내는 조사.

  -д, -т

  ямар нэгэн үйл хөдлөлийн эзэн болон эхлэх зүйл болохыг илэрхийлдэг нэрийн нөхцөл.

- **먼저 (дайвар Үг)** : 시간이나 순서에서 앞서.

  эхлээд, түрүүнд, эхэнд, манлайд

  цаг хугацаа, дэс дарааллын эхэн түрүү.

- **사과 (нэр Үг)** : 자신의 잘못을 인정하며 용서해 달라고 빎.

  уучлал, хүлцэл, хүлцэл эрэх, хүлцэл өчих, уучлал эрэх, уучлал хүсэх, уучлал гуйх

  өөрийн буруугаа хүлээн зөвшөөрч, өршөөл үзүүлэхийг хүсэн гуйх явдал.

- **를** : 동작이 직접적으로 영향을 미치는 대상을 나타내는 조사.

  -ыг/-ийг/-г

  үйл хөдлөл шууд нөлөөлж буй тусагдахууныг илэрхийлэх нөхцөл.

- **받다 (Үйл Үг)** : 요구나 신청, 질문, 공격, 신호 등과 같은 작용을 당하거나 그에 응하다.

  хүлээн авах

  шаардлага, хүсэлт, довтолгоо, асуулт, дохио мэтийн үйлчлэлд өртөх юм уу хүлээн авах.

• -아 내다 : 앞의 말이 나타내는 행동을 스스로의 힘으로 끝내 이룸을 나타내는 표현.
Тохирох Үг хэллэг байхгүй байна
өмнөх Үгийн илэрхийлж буй Үйлдлийг өөрийн хүчээр дуусган биелүүлэх явдлыг илэрхийлдэг Үг.

• -ㄹ 것 : 명사가 아닌 것을 문장에서 명사처럼 쓰이게 하거나 '이다' 앞에 쓰일 수 있게 할 때 쓰는 표현.
Тохирох Үг хэллэг байхгүй байна
нэр Үг биш боловч өгүүлбэрт нэр Үгийн үүргээр орж, өгүүлэгдэхүүн ба тусагдахуун гишүүний үүрэг гүйцэтгэх буюу '<ида>(байх)'-н өмнө орох боломжтой болгодог Үг хэллэг.

• 이다 : 주어가 지시하는 대상의 속성이나 부류를 지정하는 뜻을 나타내는 서술격 조사.
Тохирох Үг хэллэг байхгүй байна
эзэн биеийн зааж буй обьектын шинж чанар, төрөл зүйлийг тодорхойлох утгыг илэрхийлэх өгүүлэхүүний тийн ялгалын нөхцөл.

• -야 : (두루낮춤으로) 어떤 사실에 대하여 서술하거나 물음을 나타내는 종결 어미.
Тохирох Үг хэллэг байхгүй байна
(хүндэтгэлийн бус энгийн Үг хэллэг) ямар нэгэн зүйлийн талаар хүүрнэх буюу асуух явдлыг илэрхийлдэг төгсгөх нөхцөл. <дүрслэл>

< 대화(ярилцлага) > - 75

왜 교실에 안 들어가고 밖에 서 있어?
왜 교시레 안 드러가고 바께 서 이써?
wae gyosire an deureogago bakke seo isseo?

누가 문을 잠가 놓았는지 문이 안 열려요.
누가 무늘 잠가 노안는지 무니 안 열려요.
nuga muneul jamga noanneunji muni an yeollyeoyo.

< 설명(тайлбар) / 번역(орчуулга) >

왜 교실+에 안 들어가+고 밖+에 서+[(어) 있]+어?
서 있어

- **왜 (дайвар Үг)** : 무슨 이유로. 또는 어째서.
  яагаад, ямар учраас
  ямар шалтгаанаар. мөн яагаад.

- **교실 (нэр Үг)** : 유치원, 초등학교, 중학교, 고등학교에서 교사가 학생들을 가르치는 방.
  анги, танхим
  цэцэрлэг, бага, дунд, ахлах ангийн багш сурагчдад хичээл заадаг өрөө.

- **에** : 앞말이 목적지이거나 어떤 행위의 진행 방향임을 나타내는 조사.
  -руу/-рүү, -луу/-лүү
  өмнөх Үг зорьсон газар буюу ямар нэгэн Үйлийн чиглэлийг зааж байгаа болохыг
  илэрхийлж буй нөхцөл.

- **안 (дайвар Үг)** : 부정이나 반대의 뜻을 나타내는 말.
  эс, Үл, ҮгҮй, -гҮй
  сөрөг буюу эсрэг утгыг илэрхийлдэг Үг.

- **들어가다 (Үйл Үг)** : 밖에서 안으로 향하여 가다.
  явж орох, дотогш орох
  гаднаас дотогшоо орох.

- -고 : 앞의 말이 나타내는 행동이나 그 결과가 뒤에 오는 행동이 일어나는 동안에 그대로 지속됨을 나타내는 연결 어미.
  Тохирох Үг хэллэг байхгҮй байна
  өмнөх Үгийн илэрхийлж буй Үйлдэл буюу тухайн Үр дҮн нь арын Үйлдэл бий болох хугацаанд тэр хэвээрээ Үргэлжлэх явдлыг илэрхийлдэг холбох нөхцөл.

- 밖 (нэр Үг) : 선이나 경계를 넘어선 쪽.
  гадна, гадна тал
  шугам болон хилийг даваи гарсан тал.

- 에 : 앞말이 어떤 장소나 자리임을 나타내는 조사.
  -д/-т
  өмнөх Үг ямар нэгэн газар буюу байр болохыг илэрхийлж буй нөхцөл.

- 서다 (Үйл Үг) : 사람이나 동물이 바닥에 발을 대고 몸을 곧게 하다.
  зогсох
  хҮн, амьтан нь газарт хөлөө тулан биеэ цэхлэх.

- -어 있다 : 앞의 말이 나타내는 상태가 계속됨을 나타내는 표현.
  Тохирох Үг хэллэг байхгҮй байна
  өмнөх Үгийн илэрхийлж буй байдал Үргэлжлэх явдлыг илэрхийлдэг Үг хэллэг.

- -어 : (두루낮춤으로) 어떤 사실을 서술하거나 물음, 명령, 권유를 나타내는 종결 어미.
  Тохирох Үг хэллэг байхгҮй байна
  (хҮндэтгэлийн бус энгийн Үг хэллэг) ямар нэгэн зҮйлийг дҮрслэх буюу асуулт, тушаал, зөвлөмж зэргийг илэрхийлдэг төгсгөх нөхцөл. <асуулт>

누(구)+가 문+을 잠그(잠ㄱ)+[아 놓]+았+는지 문+이 안 열리+어요.
누가　　　　　　　잠가 놓았는지　　　　　　　열려요

- 누구 (төлөөний Үг) : 모르는 사람을 가리키는 말.
  хэн
  танихгҮй хҮнийг нэрлэн заасан Үг.

- 가 : 어떤 상태나 상황에 놓인 대상이나 동작의 주체를 나타내는 조사.
  Тохирох Үг хэллэг байхгҮй байна
  ямар нэгэн төлөв, байдлын субьект, мөн Үйл хөдлөлийн эзэн болохыг илэрхийлэх нөхцөл.

• 문 (нэр Үг) : 사람이 안과 밖을 드나들거나 물건을 넣고 꺼낼 수 있게 하기 위해 열고 닫을 수 있도록
　　　　　 만든 시설.
　үүд, хаалга
　хҮн орж гарах болон эд зҮйлийг оруулж гаргахын тулд нээж, хааж болохоор хийсэн
　зҮйл.

• 을 : 동작이 직접적으로 영향을 미치는 대상을 나타내는 조사.
　-ыг/-ийг/-г
　Үйл хөдлөл шууд нөлөөлж буй тусагдахууныг илэрхийлэх нөхцөл.

• 잠그다 (Үйл Үг) : 문 등을 자물쇠나 고리로 남이 열 수 없게 채우다.
　цоожлох, тҮгжих, оньслох, хаах
　хаалга зэргийг цоож оньсоор тҮгжиж бусад хҮн онгойлгож чадахгҮй болгох.

• -아 놓다 : 앞의 말이 나타내는 행동을 끝내고 그 결과를 유지함을 나타내는 표현.
　Тохирох Үг хэллэг байхгҮй байна
　өмнөх Үгийн илэрхийлж буй Үйлдлийг дуусгаж, тухайн Үр дҮнг хадгалах явдлыг
　илэрхийлдэг Үг хэллэг.

• -았- : 어떤 사건이 과거에 완료되었거나 그 사건의 결과가 현재까지 지속되는 상황을 나타내는 어미.
　Тохирох Үг хэллэг байхгҮй байна
　ямар нэгэн Үйл явдал өнгөрсөн цагт болж дууссан буюу тухайн Үйл явдлын Үр дҮн
　өнөөг хҮртэл Үргэлжилж буй байдлыг илэрхийлдэг нөхцөл.

• -는지 : 뒤에 오는 말의 내용에 대한 막연한 이유나 판단을 나타내는 연결 어미.
　Тохирох Үг хэллэг байхгҮй байна
　хойно орж байгаа агуулгын тодорхой бус учир шалтгаан буюу шийдвэрийг
　илэрхийлдэг холбох нөхцөл.

• 문 (нэр Үг) : 사람이 안과 밖을 드나들거나 물건을 넣고 꺼낼 수 있게 하기 위해 열고 닫을 수 있도록
　　　　　 만든 시설.
　үүд, хаалга
　хҮн орж гарах болон эд зҮйлийг оруулж гаргахын тулд нээж, хааж болохоор хийсэн
　зҮйл.

• 이 : 어떤 상태나 상황의 대상이나 동작의 주체를 나타내는 조사.
　Тохирох Үг хэллэг байхгҮй байна
　ямар нэгэн төлөв, байдлын субьект, мөн Үйл хөдлөлийн эзэн болохыг илэрхийлэх
　нөхцөл.

• 안 (дайвар Үг) : 부정이나 반대의 뜻을 나타내는 말.
　эс, Үл, ҮгҮй, -гҮй
　сөрөг буюу эсрэг утгыг илэрхийлдэг Үг.

· **열리다 (Үйл Үг)** : 닫히거나 잠겨 있던 것이 트이거나 풀리다.

онгойх

хаалттай, түгжээтэй байсан зүйл нээгдэх буюу тайлагдах.

· **-어요** : (두루높임으로) 어떤 사실을 서술하거나 질문, 명령, 권유함을 나타내는 종결 어미.

Тохирох Үг хэллэг байхгүй байна

(хүндэтгэлийн энгийн үг хэллэг) ямар нэгэн зүйлийг хүүрнэх, асуух, тушаах, уриалах явдлыг илэрхийлдэг төгсгөх нөхцөл. **<дүрслэл>**

< 대화(ярилцлага) > - 76

오늘 행사는 아홉 시부터 시작인데 왜 벌써 가?
오늘 행사는 아홉 시부터 시자긴데 왜 벌써 가?
oneul haengsaneun ahop sibuteo sijaginde wae beolsseo ga?

준비할 게 많으니까 조금 일찍 와 달라는 부탁을 받았어.
준비할 께 마느니까 조금 일찍 와 달라는 부타글 바다써.
junbihal ge maneunikka jogeum iljjik wa dallaneun butageul badasseo.

< 설명(тайлбар) / 번역(орчуулга) >

오늘 행사+는 아홉 시+부터 <u>시작+이+ㄴ데</u> 왜 벌써 <u>가+(아)</u>?
　　　　　　　　　　　　시작인데　　　　　　　　가

- **오늘 (нэр үг)** : 지금 지나가고 있는 이날.
  өнөөдөр
  одоо өнгөрөн одож буй энэ өдөр.

- **행사 (нэр үг)** : 목적이나 계획을 가지고 절차에 따라서 어떤 일을 시행함. 또는 그 일.
  Үйл явдал, Үйл ажиллагаа, ёслол
  зорилго болон төлөвлөгөөтэй дэс дараалллын дагуу ямар нэг ажил хэргийг явуулах
  явдал. мөн тийм ажил хэрэг.

- **는** : 문장 속에서 어떤 대상이 화제임을 나타내는 조사.
  Тохирох үг хэллэг байхгүй байна
  өгүүлбэрт ярианы сэдэв болж буйг илэрхийлдэг нөхцөл.

- **아홉 (тодотгол үг)** : 여덟에 하나를 더한 수의.
  есөн
  найм дээр нэгийг нэмсэн тооны.

- **시 (нэр үг)** : 하루를 스물넷으로 나누었을 때 그 하나를 나타내는 시간의 단위.
  цаг
  нэг өдрийг хорин дөрвөн цагт хуваахад түүний нэг цагийг илэрхийлдэг цагийн нэгж.

- **부터** : 어떤 일의 시작이나 처음을 나타내는 조사.
  -аас, -ээс, -оос, -өөс
  ямар нэгэн ажлын эхлэлийг илэрхийлдэг нэрийн нөхцөл.

- **시작 (нэр Үг)** : 어떤 일이나 행동의 처음 단계를 이루거나 이루게 함. 또는 그런 단계.
  эхлэл, ҮҮсгэл, гараа
  ямар нэгэн ажил буюу Үйлдлийн анхны Үе шатанд хҮрэх болон хҮргэх явдал. мөн тухайн Үе шат.

- **이다** : 주어가 지시하는 대상의 속성이나 부류를 지정하는 뜻을 나타내는 서술격 조사.
  Тохирох Үг хэллэг байхгҮй байна
  эзэн биеийн зааж буй обьектын шинж чанар, төрөл зҮйлийг тодорхойлох утгыг илэрхийлэх өгҮҮлэхҮҮний тийн ялгалын нөхцөл.

- **-ㄴ데** : 뒤의 말을 하기 위하여 그 대상과 관련이 있는 상황을 미리 말함을 나타내는 연결 어미.
  Тохирох Үг хэллэг байхгҮй байна
  дараагийн агуулгаар ҮргэлжлҮҮлэн ярихын тулд тухайн зҮйлтэй холбоотой нөхцөл байдлыг урьдчилан хэлж буйг илэрхийлдэг холбох нөхцөл.

- **왜 (дайвар Үг)** : 무슨 이유로. 또는 어째서.
  яагаад, ямар учраас
  ямар шалтгаанаар. мөн яагаад.

- **벌써 (дайвар Үг)** : 생각보다 빠르게.
  хэдийнээ, аль хэдийнээ, бҮр
  бодсоноос илҮҮ хурдан.

- **가다 (Үйл Үг)** : 한 곳에서 다른 곳으로 장소를 이동하다.
  явах, очих
  нэг газраас нөгөө газар руу шилжиж хөдлөх явах.

- **-아** : (두루낮춤으로) 어떤 사실을 서술하거나 물음, 명령, 권유를 나타내는 종결 어미.
  Тохирох Үг хэллэг байхгҮй байна
  (хҮндэтгэлийн бус энгийн Үг хэллэг) ямар нэгэн зҮйлийг дҮрслэх буюу асуулт, тушаал, зөвлөмж зэргийг илэрхийлдэг төгсгөх нөхцөл. <асуулт>

준비하+[ㄹ 것(거)]+이 많+으니까
　　준비할 게

조금 일찍 오+[아 달]+라는 부탁+을 받+았+어.
　　　　와 달라는

- **준비하다 (Үйл Үг)** : 미리 마련하여 갖추다.
  бэлтгэх, базаах, төхөөрөх
  урьдчилан бэлтгэн авах.

• -ㄹ 것 : 명사가 아닌 것을 문장에서 명사처럼 쓰이게 하거나 '이다' 앞에 쓰일 수 있게 할 때 쓰는 표현.
       Тохирох Үг хэллэг байхгүй байна
    нэр Үг биш боловч өгүүлбэрт нэр үгийн үүргээр орж, өгүүлэгдэхүүн ба тусагдахуун гишүүний үүрэг гүйцэтгэх буюу '<ида>(байх)'-н өмнө орох боломжтой болгодог үг хэллэг.

• 이 : 어떤 상태나 상황의 대상이나 동작의 주체를 나타내는 조사.
       Тохирох Үг хэллэг байхгүй байна
    ямар нэгэн төлөв, байдлын субьект, мөн үйл хөдлөлийн эзэн болохыг илэрхийлэх нөхцөл.

• 많다 (тэмдэг нэр) : 수나 양, 정도 등이 일정한 기준을 넘다.
       олон, их, арвин
    тоо хэмжээ, түвшин тодорхой нэг хэмжээг давах.

• -으니까 : 뒤에 오는 말에 대하여 앞에 오는 말이 원인이나 근거, 전제가 됨을 강조하여 나타내는 연결 어미.
       Тохирох Үг хэллэг байхгүй байна
    ард ирэх үгийн талаар өмнө ирэх үг нь учир шалтгаан буюу болзол болохыг илэрхийлдэг холбох нөхцөл.

• 조금 (дайвар үг) : 시간이 짧게.
       жаахан
    богино хугацаанд.

• 일찍 (дайвар үг) : 정해진 시간보다 빠르게.
       эрт
    тогтсон цагаас өмнө.

• 오다 (үйл үг) : 무엇이 다른 곳에서 이곳으로 움직이다.
       ирэх
    ямар нэгэн зүйл нэг газраас наашаа хөдлөх.

• -아 달다 : 앞의 말이 나타내는 행동을 해 줄 것을 요구함을 나타내는 표현.
       Тохирох Үг хэллэг байхгүй байна
    өмнөх үгийн илэрхийлж буй үйлдлийг хийж өгөхийг хүсэн шаардахыг илэрхийлдэг үг хэллэг.

• -라는 : 명령이나 요청 등의 말을 인용하여 전달하면서 그 뒤에 오는 명사를 꾸며 줄 때 쓰는 표현.
       Тохирох Үг хэллэг байхгүй байна
    захирамж тушаал, хүсэлт зэргээс иш татаж дамжуулангаа ард нь орох нэр үгийг чимэхэд хэрэглэдэг илэрхийлэл.

• **부탁 (нэр Үг)** : 어떤 일을 해 달라고 하거나 맡김.

  хҮсэлт, гуйлт

  ямар нэгэн зҮйлийг хийж өгөөч хэмээн хҮсэх буюу даатгах явдал.

• **을** : 동작이 직접적으로 영향을 미치는 대상을 나타내는 조사.

  -ыг/-ийг/-г

  Үйл хөдлөл шууд нөлөөлж буй тусагдахууныг илэрхийлэх нөхцөл.

• **받다 (Үйл Үг)** : 요구나 신청, 질문, 공격, 신호 등과 같은 작용을 당하거나 그에 응하다.

  хҮлээн авах

  шаардлага, хҮсэлт, довтолгоо, асуулт, дохио мэтийн Үйлчлэлд өртөх юм уу хҮлээн авах.

• **-았-** : 어떤 사건이 과거에 완료되었거나 그 사건의 결과가 현재까지 지속되는 상황을 나타내는 어미.

  Тохирох Үг хэллэг байхгҮй байна

  ямар нэгэн Үйл явдал өнгөрсөн цагт болж дууссан буюу тухайн Үйл явдлын Үр дҮн өнөөг хҮртэл Үргэлжилж буй байдлыг илэрхийлдэг нөхцөл.

• **-어** : (두루낮춤으로) 어떤 사실을 서술하거나 물음, 명령, 권유를 나타내는 종결 어미.

  Тохирох Үг хэллэг байхгҮй байна

  (хҮндэтгэлийн бус энгийн Үг хэллэг) ямар нэгэн зҮйлийг дҮрслэх буюу асуулт, тушаал, зөвлөмж зэргийг илэрхийлдэг төгсгөх нөхцөл. **<дҮрслэл>**

< 대화(ярилцлага) > - 77

이 옷 한번 입어 봐도 되죠?
이 옫 한번 이버 봐도 되죠?
i ot hanbeon ibeo bwado doejyo?

그럼요, 손님. 탈의실은 이쪽입니다.
그러묘, 손님. 타리시른 이쪼김니다.
geureomyo, sonnim. tarisireun ijjogimnida.

< 설명(тайлбар) / 번역(орчуулга) >

이 옷 한번 입+[어 보]+[아도 되]+죠?
입어 봐도 되죠

- **이 (тодотгол Yг)** : 말하는 사람에게 가까이 있거나 말하는 사람이 생각하고 있는 대상을 가리킬 때 쓰는 말.
  энэ
  өгүүлэгч этгээдэд ойр байгаа зүйл ба өгүүлэгч этгээдийн бодож байгаа зүйлийг заасан үг.

- **옷 (нэр Yг)** : 사람의 몸을 가리고 더위나 추위 등으로부터 보호하며 멋을 내기 위하여 입는 것.
  хувцас
  хүний биеийг хүйтэн халуунаас хамгаалах болон өмсөж гоёход зориулагдсан зүйл.

- **한번 (дайвар Yг)** : 어떤 일을 시험 삼아 시도함을 나타내는 말.
  нэг удаа
  ямар нэг зүйлийг туршиж оролдож үзэх утга илэрхийлэх үг.

- **입다 (Үйл Yг)** : 옷을 몸에 걸치거나 두르다.
  өмсөх
  хувцсыг биедээ углах буюу биеэ ороох.

- **-어 보다** : 앞의 말이 나타내는 행동을 시험 삼아 함을 나타내는 표현.
  Тохирох Yг хэллэг байхгүй байна
  өмнөх үгийн илэрхийлж буй үйлдлийг туршиж үзэх явдлыг илэрхийлдэг үг хэллэг.

• -아도 되다 : 어떤 행동에 대한 허락이나 허용을 나타낼 때 쓰는 표현.
Тохирох Үг хэллэг байхгүй байна
ямар нэг үйл хөдлөлийн талаарх зөвшөөрөл болон хүлээн зөвшөөрөх утгыг илэрхийлэхэд хэрэглэдэг илэрхийлэл.

• -죠 : (두루높임으로) 말하는 사람이 듣는 사람에게 친근함을 나타내며 물을 때 쓰는 종결 어미.
Тохирох Үг хэллэг байхгүй байна
(хүндэтгэлийн энгийн үг хэллэг) өгүүлэгч этгээд сонсогч этгээдээс найрсгаар хандан асуухад хэрэглэдэг төгсгөх нөхцөл.

그럼+요, 손님.

탈의실+은 이쪽+이+ㅂ니다.
이쪽입니다

• **그럼 (аялга үг)** : 말할 것도 없이 당연하다는 뜻으로 대답할 때 쓰는 말.
тэгэлгүй яахав, мэдээж
ярих ч хэрэггүй мэдээж гэсэн утгаар хариулахад хэрэглэдэг үг.

• **요** : 높임의 대상인 상대방에게 존대의 뜻을 나타내는 조사.
Тохирох Үг хэллэг байхгүй байна
эсрэг хүнээ хүндэтгэж буй утгыг илэрхийлдэг нөхцөл.

• **손님 (нэр үг)** : (높임말로) 여관이나 음식점 등의 가게에 찾아온 사람.
Үйлчлүүлэгч
(хүндэтгэлт үг) дэн буудал ба зоогийн газар үйлчлүүлэхээр ирсэн хүн.

• **탈의실 (нэр үг)** : 옷을 벗거나 갈아입는 방.
хувцас солих өрөө
хувцас тайлах буюу сольж өмсдөг өрөө.

• **은** : 문장 속에서 어떤 대상이 화제임을 나타내는 조사.
Тохирох Үг хэллэг байхгүй байна
өгүүлбэрт ямар зүйл ярианы сэдэв болж буйг илэрхийлдэг нөхцөл.

• **이쪽 (төлөөний үг)** : 말하는 사람에게 가까운 곳이나 방향을 가리키는 말.
энэ зүг, наашаа, энд
өгүүлэгч этгээдэд ойрхон газар, чиглэлийг заасан үг.

- 255 -

- 이다 : 주어가 지시하는 대상의 속성이나 부류를 지정하는 뜻을 나타내는 서술격 조사.
  Тохирох үг хэллэг байхгүй байна
  ээн биеийн зааж буй обьектын шинж чанар, төрөл зүйлийг тодорхойлох утгыг илэрхийлэх өгүүлэхүүний тийн ялгалын нөхцөл.

- -ㅂ니다 : (아주높임으로) 현재의 동작이나 상태, 사실을 정중하게 설명함을 나타내는 종결 어미.
  Тохирох үг хэллэг байхгүй байна
  (дээдлэн хүндэтгэх үг хэллэг) одоогийн үйлдэл буюу байдлыг ёсорхог байдлаар тайлбарлах явдлыг илэрхийлдэг төгсгөх нөхцөл.

< 대화(ярилцлага) > - 78

많이 취하신 거 같아요. 제가 택시 잡아 드릴게요.
마니 취하신 거 가타요. 제가 택씨 자바 드릴께요.
mani chwihasin geo gatayo. jega taeksi jaba deurilgeyo.

괜찮아요. 좀 걷다가 지히철 타고 가면 됩니다.
괜차나요. 좀 걷따가 지하철 타고 가면 됨니다.
gwaenchanayo. jom geotdaga jihacheol tago gamyeon doemnida.

< 설명(тайлбар) / 번역(орчуулга) >

많이 취하+시+[ㄴ 것(거) 같]+아요.
   취하신 거 같아요

제+가 택시 잡+[아 드리]+ㄹ게요.
   잡아 드릴게요

- 많이 (дайвар Үг) : 수나 양, 정도 등이 일정한 기준보다 넘게.
  их, олон
  тоо, хэр хэмжээ мэтийн зүйл тодорхой нэг түвшингөөс хэтэрсэн.

- 취하다 (Үйл Үг) : 술이나 약 등의 기운으로 정신이 흐려지고 몸을 제대로 움직일 수 없게 되다.
  согтох, мансуурах
  архи, эм зэргийн хүч нөлөөгөөр ухаан мэдрэл самууран биеэ хэвийн хөдөлгөж
  чадахгүй болох.

- -시- : 어떤 동작이나 상태의 주체를 높이는 뜻을 나타내는 어미.
  Тохирох Үг хэллэг байхгүй байна
  ямар нэгэн Үйлдэл буюу байдлын эзэн биеийг хүндэтгэх утгыг илэрхийлдэг нөхцөл.

- -ㄴ 것 같다 : 추측을 나타내는 표현.
  Тохирох Үг хэллэг байхгүй байна
  таамаглалыг илэрхийлдэг Үг хэллэг.

• -아요 : (두루높임으로) 어떤 사실을 서술하거나 질문, 명령, 권유함을 나타내는 종결 어미.
Тохирох Үг хэллэг байхгүй байна
(хүндэтгэлийн энгийн үг хэллэг) ямар нэгэн зүйлийг хүүрнэх, асуух, тушаах, уриалах явдлыг илэрхийлдэг төгсгөх нөхцөл. <дүрслэл>

• 제 (төлөөний үг) : 말하는 사람이 자신을 낮추어 가리키는 말인 '저'에 조사 '가'가 붙을 때의 형태.
би
ярьж буй хүн өөрийгөө доошлуулж хэлдэг үг '저' дээр нөхцөл 'га' залгасан хэлбэр.

• 가 : 어떤 상태나 상황에 놓인 대상이나 동작의 주체를 나타내는 조사.
Тохирох үг хэллэг байхгүй байна
ямар нэгэн төлөв, байдлын субьект, мөн үйл хөдлөлийн эзэн болохыг илэрхийлэх нөхцөл.

• 택시 (нэр үг) : 돈을 받고 손님이 원하는 곳까지 태워 주는 일을 하는 승용차.
такси
мөнгө авч үйлчлүүлэгчийг хүссэн газар нь хүргэж өгдөг хөнгөн тэрэг.

• 잡다 (үйл үг) : 자동차 등을 타기 위하여 세우다.
барих, зогсоох
машин зэрэгт суухаар зогсоох.

• -아 드리다 : (높임말로) 남을 위해 앞의 말이 나타내는 행동을 함을 나타내는 표현.
Тохирох үг хэллэг байхгүй байна
(хүндэтгэлт үг) хүндэтгэх шаардлагатай хүнд зориулж өмнөх үгийн илэрхийлж буй үйлдлийг хийх явдлыг илэрхийлдэг үг хэллэг.

• -ㄹ게요 : (두루높임으로) 말하는 사람이 어떤 행동을 할 것을 듣는 사람에게 약속하거나 의지를 나타내
　　　　는 표현.
Тохирох үг хэллэг байхгүй байна
(хүндэтгэлийн энгийн үг хэллэг) өгүүлэгч ямар нэгэн үйл хийхээ сонсч буй хүндээ амлах буюу мэдэгдэж байгаагаа илэрхийлнэ.

괜찮+아요.

좀 걷+다가 지하철 타+고 가+[면 되]+ㅂ니다.
**　　　　　　　　　　가면 됩니다**

• 괜찮다 (тэмдэг нэр) : 별 문제가 없다.
зүгээр, гайгүй
нэг их асуудалгүй.

- -아요 : (두루높임으로) 어떤 사실을 서술하거나 질문, 명령, 권유함을 나타내는 종결 어미.

  Тохирох Үг хэллэг байхгүй байна

  (хүндэтгэлийн энгийн үг хэллэг) ямар нэгэн зүйлийг хүүрнэх, асуух, тушаах, уриалах явдлыг илэрхийлдэг төгсгөх нөхцөл. <дүрслэл>

- **좀 (дайвар үг)** : 시간이 짧게.

  жаахан, хэсэг, арай, бага зэрэг

  цаг хугацаа богинохон.

- **걷다 (Үйл үг)** : 바닥에서 발을 번갈아 떼어 옮기면서 움직여 위치를 옮기다.

  алхах, алхаж явах

  шалан дээр хөлөө ээлжлэн зөөж байрлалаа өөрчлөх.

- -다가 : 어떤 행동이나 상태 등이 중단되고 다른 행동이나 상태로 바뀜을 나타내는 연결 어미.

  Тохирох Үг хэллэг байхгүй байна

  ямар нэгэн үйлдэл буюу байдал зэрэг зогсон, өөр үйлдэл, байдлаар өөрчлөгдөж байгааг илэрхийлдэг холбох нөхцөл.

- **지하철 (нэр үг)** : 지하 철도로 다니는 전동차.

  метро

  газар доогуур төмөр замаар явдаг цахилгаан автомашин.

- **타다 (Үйл үг)** : 탈것이나 탈것으로 이용하는 짐승의 몸 위에 오르다.

  унах, суух

  тээврийн хэрэгсэлд сууж явах, мал амьтны нуруунд мордож явах.

- -고 : 앞의 말이 나타내는 행동이나 그 결과가 뒤에 오는 행동이 일어나는 동안에 그대로 지속됨을 나타내는 연결 어미.

  Тохирох Үг хэллэг байхгүй байна

  өмнөх үгийн илэрхийлж буй үйлдэл буюу тухайн үр дүн нь арын үйлдэл бий болох хугацаанд тэр хэвээрээ үргэлжлэх явдлыг илэрхийлдэг холбох нөхцөл.

- **가다 (Үйл үг)** : 한 곳에서 다른 곳으로 장소를 이동하다.

  явах, очих

  нэг газраас нөгөө газар руу шилжиж хөдлөх явах.

- -면 되다 : 조건이 되는 어떤 행동을 하거나 어떤 상태만 갖추어지면 문제가 없거나 충분함을 나타내는 표현.

  Тохирох Үг хэллэг байхгүй байна

  болзол шаардлага нь болж буй зүйлийг хийх болон ямар нэг нөхцөл байдал бүрдвэл асуудалгүй буюу хангалттай болохыг илэрхийлдэг үг хэллэг.

• -ㅂ니다 : (아주높임으로) 현재의 동작이나 상태, 사실을 정중하게 설명함을 나타내는 종결 어미.

Тохирох үг хэллэг байхгүй байна

(дээдлэн хүндэтгэх үг хэллэг) одоогийн үйлдэл буюу байдлыг ёсорхог байдлаар тайлбарлах явдлыг илэрхийлдэг төгсгөх нөхцөл.

< 대화(ярилцлага) > - 79

책상 위에 있는 쓰레기 같은 것들은 좀 치워 버려라.
책쌍 위에 인는 쓰레기 가튼 걷뜨른 좀 치워 버려라.
chaeksang wie inneun sseuregi gateun geotdeureun jom chiwo beoryeora.

아냐. 다 필요한 깃들이니끼 버리면 안 돼.
아냐. 다 피료한 걷뜨리니까 버리면 안 돼.
anya. da piryohan geotdeurinikka beorimyeon an dwae.

< 설명(тайлбар) / 번역(орчуулга) >

책상 위+에 있+는 쓰레기 같+[은 것]+들+은 좀 <u>치우+[어 버리]+어라</u>.

치워 버려라

- **책상 (нэр Үг)** : 책을 읽거나 글을 쓰거나 사무를 볼 때 앞에 놓고 쓰는 상.
  бичгийн ширээ
  ном унших, юм бичих, албан хэрэг явуулахад өмнөө тавьж хэрэглэдэг ширээ.

- **위 (нэр Үг)** : 어떤 것의 겉면이나 평평한 표면.
  дээр
  ямар нэгэн зҮйлийн гадаргуу, тэгш тал.

- **에** : 앞말이 어떤 장소나 자리임을 나타내는 조사.
  -д/-т
  өмнөх Үг ямар нэгэн газар буюу байр болохыг илэрхийлж буй нөхцөл.

- **있다 (тэмдэг нэр)** : 무엇이 어떤 곳에 자리나 공간을 차지하고 존재하는 상태이다.
  байх
  ямар нэгэн зҮйл аль нэг газар орон зай эзлэн оршихь.

- **-는** : 앞의 말이 관형어의 기능을 하게 만들고 사건이나 동작이 현재 일어남을 나타내는 어미.
  Тохирох Үг хэллэг байхгҮй байна
  өмнөх Үгийг тодотгол гишҮҮний ҮҮрэгтэй болгож, хэрэг явдал буюу Үйлдэл нь одоо өрнөж байгааг илэрхийлдэг нөхцөл.

· **쓰레기 (нэр Үг)** : 쓸어 낸 먼지, 또는 못 쓰게 되어 내다 버릴 물건이나 내다 버린 물건.

хог, хаягдал

цугласан тоос шороо, хэрэгцээгүй болж хаях шаардлагатай болсон эд зүйл, хаясан эд зүйл.

· **같다 (тэмдэг нэр)** : 무엇과 비슷한 종류에 속해 있음을 나타내는 말.

хамаарах

ямар нэг зүйлтэй адил төстэй бүлэгт хамаарч буйг илэрхийлэх үг.

· **-은 것** : 명사가 아닌 것을 문장에서 명사처럼 쓰이게 하거나 '이다' 앞에 쓰일 수 있게 할 때 쓰는 표현.

Тохирох үг хэллэг байхгүй байна

өгүүлбэрт нэр үгийн үүргээр орж өгүүлэгдэхүүн буюу тусагдахуун гишүүний үүрэг гүйцэтгэх буюу '이다'-н өмнө ирэх боломжтой болгодог үг хэллэг.

· **들** : '복수'의 뜻을 더하는 접미사.

Тохирох үг хэллэг байхгүй байна

олон тооны утга нэмдэг дагавар.

· **은** : 문장 속에서 어떤 대상이 화제임을 나타내는 조사.

Тохирох үг хэллэг байхгүй байна

өгүүлбэрт ямар зүйл ярианы сэдэв болж буйг илэрхийлдэг нөхцөл.

· **좀 (дайвар Үг)** : 주로 부탁이나 동의를 구할 때 부드러운 느낌을 주기 위해 넣는 말.

жаахан

ихэвчлэн гуйлт, зөвшөөрөл хүсэх үед зөөлөн мэдрэмж төрүүлэх гэж хэрэглэдэг үг.

· **치우다 (Үйл Үг)** : 청소하거나 정리하다.

эмхлэх, цэгцлэх, цэвэрлэх

цэвэрлэх буюу цэгцлэх.

· **-어 버리다** : 앞의 말이 나타내는 행동이 완전히 끝났음을 나타내는 표현.

Тохирох үг хэллэг байхгүй байна

өмнөх үгийн илэрхийлж буй үйлдэл бүр мөсөн дууссан болохыг илэрхийлдэг үг хэллэг.

· **-어라** : (아주낮춤으로) 명령을 나타내는 종결 어미.

Тохирох үг хэллэг байхгүй байна

(огт хүндэтгэлгүй үг хэллэг) тушаалыг илэрхийлдэг төгсгөх нөхцөл.

<u>아니야</u>.
  아냐

<u>다</u> <u>필요하</u>+[ㄴ 것]+<u>들</u>+이+니까 <u>버리</u>+[면 안 되]+어.
  필요한 것들이니까   버리면 안 돼

- **아니야 (аялга Үг)** : 묻는 말에 대하여 강조하며, 또는 단호하게 부정하며 대답할 때 쓰는 말.
  Үгүй дээ
  асуусан асуултанд онцолсон болон шийдэмгий байдлаар эсэргүүцсэн хариулт өгөх үед хэлдэг үг.

- **다 (дайвар Үг)** : 남거나 빠진 것이 없이 모두.
  бүгд, цөм, бүх, бүлт
  үлдэж гээгдсэн зүйлгүй бүгд.

- **필요하다 (тэмдэг нэр)** : 꼭 있어야 하다.
  хэрэгтэй, шаардлагатай, хэрэгцээтэй
  заавал байх шаардлагатай.

- **-ㄴ 것** : 명사가 아닌 것을 문장에서 명사처럼 쓰이게 하거나 '이다' 앞에 쓰일 수 있게 할 때 쓰는 표현.
  Тохирох Үг хэллэг байхгүй байна
  өгүүлбэрт нэр үгийн үүргээр орж өгүүлэгдэхүүн буюу тусагдахуун гишүүний үүрэг гүйцэтгэх буюу '<ида>(байх)'-н өмнө ирэх боломжтой болгодог үг хэллэг.

- **들** : '복수'의 뜻을 더하는 접미사.
  Тохирох Үг хэллэг байхгүй байна
  олон тооны утга нэмдэг дагавар.

- **이다** : 주어가 지시하는 대상의 속성이나 부류를 지정하는 뜻을 나타내는 서술격 조사.
  Тохирох Үг хэллэг байхгүй байна
  эзэн биеийн зааж буй обьектын шинж чанар, төрөл зүйлийг тодорхойлох утгыг илэрхийлэх өгүүлэхүүний тийн ялгалын нөхцөл.

- **-니까** : 뒤에 오는 말에 대하여 앞에 오는 말이 원인이나 근거, 전제가 됨을 강조하여 나타내는 연결 어미.
  ~ болохоор
  ард нь ирэх агуулга нь өмнөх үгийн учир шалтгаан үндэслэл суурь болохыг илэрхийлдэг холбох нөхцөл.

- **버리다 (Үйл Үг)** : 가지고 있을 필요가 없는 물건을 내던지거나 쏟거나 하다.
  хаях
  хэрэг байхгүй эд зүйлээ гаргаж чулуудах болон асгаж үгүй хийх.

•-면 안 되다 : 어떤 행동이나 상태를 금지하거나 제한함을 나타내는 표현.

Тохирох Үг хэллэг байхгүй байна

ямар нэг Үйл хөдлөл, нөхцөл байдлыг хориглох буюу хязгаарлах явдлыг илэрхийлдэг Үг хэллэг.

•-어 : (두루낮춤으로) 어떤 사실을 서술하거나 물음, 명령, 권유를 나타내는 종결 어미.

Тохирох Үг хэллэг байхгүй байна

(хҮндэтгэлийн бус энгийн Үг хэллэг) ямар нэгэн зҮйлийг дҮрслэх буюу асуулт, тушаал, зөвлөмж зэргийг илэрхийлдэг төгсгөх нөхцөл. **<дҮрслэл>**

< 대화(ярилцлага) > - 80

좋은 일 있었나 봐? 기분이 좋아 보이네.
조은 일 이썬나 봐? 기부니 조아 보이네.
joeun il isseonna bwa? gibuni joa boine.

아, 어제 님자 친구한데 반지를 선물로 받았거든요.
아, 어제 남자 친구한테 반지를 선물로 바닫꺼드뇨.
a, eoje namja chinguhante banjireul seonmullo badatgeodeunyo.

< 설명(тайлбар) / 번역(орчуулга) >

좋+은 일 있+었+[나 보]+아?
　　　　　　있었나 봐

기분+이 좋+[아 보이]+네.

- 좋다 (тэмдэг нэр) : 어떤 일이나 대상이 마음에 들고 만족스럽다.
  сайн, сайхан
  ямар нэгэн хэрэг явдал ба зүйл сэтгэлд нийцэн хангалуун байх.

- -은 : 앞의 말이 관형어의 기능을 하게 만들고 현재의 상태를 나타내는 어미.
  Тохирох үг хэллэг байхгүй байна
  өмнөх үгийг тодотгол гишүүний үүрэгтэй болгож одоогийн нөхцөл байдлыг
  илэрхийлж буй нөхцөл.

- 일 (нэр үг) : 어떤 내용을 가진 상황이나 사실.
  зүйл, явдал
  ямар нэг утга агуулга бүхий нөхцөл байдал буюу үнэн.

- 있다 (тэмдэг нэр) : 어떤 사람에게 무슨 일이 생긴 상태이다.
  Тохирох үг хэллэг байхгүй байна
  хэн нэгэнд ямар нэгэн зүйл тохиолдсон байдал.

- -었- : 사건이 과거에 일어났음을 나타내는 어미.
  Тохирох үг хэллэг байхгүй байна
  үйл явдал өнгөрсөн үед болсныг илэрхийлдэг төгсгөх нөхцөл.

• -나 보다 : 앞의 말이 나타내는 사실을 추측함을 나타내는 표현.
  Тохирох Үг хэллэг байхгүй байна
  өмнөх үгийн илэрхийлж буй үйлдэл буюу байдлыг таамаглаж буй явдлыг илэрхийлдэг үг хэллэг.

• -아 : (두루낮춤으로) 어떤 사실을 서술하거나 물음, 명령, 권유를 나타내는 종결 어미.
  Тохирох Үг хэллэг байхгүй байна
  (хүндэтгэлийн бус энгийн үг хэллэг) ямар нэгэн зүйлийг дүрслэх буюу асуулт, тушаал, зөвлөмж зэргийг илэрхийлдэг төгсгөх нөхцөл. <асуулт>

• 기분 (нэр Үг) : 불쾌, 유쾌, 우울, 분노 등의 감정 상태.
  сэтгэл санаа, ааш зан
  тайван бус болох, сэтгэл хөөрөл, сэтгэл гутрал, уур хилэн зэрэг сэтгэлийн хөдлөл.

• 이 : 어떤 상태나 상황의 대상이나 동작의 주체를 나타내는 조사.
  Тохирох Үг хэллэг байхгүй байна
  ямар нэгэн төлөв, байдлын субьект, мөн үйл хөдлөлийн эзэн болохыг илэрхийлэх нөхцөл.

• 좋다 (тэмдэг нэр) : 감정 등이 기쁘고 흐뭇하다.
  сайхан
  сэтгэл санаа зэрэг баяртай, тааламжтай.

• -아 보이다 : 겉으로 볼 때 앞의 말이 나타내는 것처럼 느껴지거나 추측됨을 나타내는 표현.
  Тохирох Үг хэллэг байхгүй байна
  гаднаас нь харахад өмнөх үг нь илэрхийлж буй мэт мэдрэгдэх буюу багцаалж буйг илэрхийлдэг үг хэллэг.

• -네 : (아주낮춤으로) 지금 깨달은 일에 대하여 말함을 나타내는 종결 어미.
  Тохирох Үг хэллэг байхгүй байна
  (огт хүндэтгэлгүй үг хэллэг) одоо ойлгож ухаарсан зүйлийнхээ талаар ярьж байгааг илэрхийлдэг төгсгөх нөхцөл.

아, 어제 남자 친구+한테 반지+를 선물+로 받+았+거든요.

• 아 (аялга Үг) : 기쁨이나 감동의 느낌을 나타낼 때 내는 소리.
  аа
  баярлах буюу сэтгэл хөдлөхдөө уулга алдан хэлэх аялга үг.

• 어제 (дайвар Үг) : 오늘의 하루 전날에.
  өчигдөр
  өнөөдрөөс нэг өдрийн өмнө.

- **남자 친구 (нэр Үг)** : 여자가 사랑하는 감정을 가지고 사귀는 남자.
  найз залуу
  эмэгтэй хүн хайрлаж дурласан, үерхдэг эрэгтэй.

- **한테** : 어떤 행동의 주체이거나 비롯되는 대상임을 나타내는 조사.
  -д, -т
  ямар нэгэн үйл хөдлөлийн эзэн болон эхлэх зүйл болохыг илэрхийлдэг нэрийн нөхцөл.

- **반지 (нэр Үг)** : 손가락에 끼는 동그란 장신구.
  бөгж
  гарын хуруунд зүүдэг дугуй хэлбэртэй гоёл чимэглэлийн зүйл

- **를** : 동작이 직접적으로 영향을 미치는 대상을 나타내는 조사.
  -ыг/-ийг/-г
  үйл хөдлөл шууд нөлөөлж буй тусагдахууныг илэрхийлэх нөхцөл.

- **선물 (нэр Үг)** : 고마움을 표현하거나 어떤 일을 축하하기 위해 다른 사람에게 물건을 줌. 또는 그 물건.
  бэлэг, бэлэг сэлт, бэлэг дурсгал
  талархаснаа илэрхийлэх буюу ямар нэгэн явдалд баяр хүргэхийн тулд бусдад эд зүйл өгөх явдал. мөн тухайн эд зүйл.

- **로** : 신분이나 자격을 나타내는 조사.
  -аар (-ээр, -оор, -өөр)
  нийгмийн гарал буюу эрх чадварыг илэрхийлж буй нөхцөл.

- **받다 (Үйл Үг)** : 다른 사람이 주거나 보내온 것을 가지다.
  авах
  бусдын өгсөн болон явуулсан зүйлийг авах.

- **-았-** : 사건이 과거에 일어났음을 나타내는 어미.
  Тохирох Үг хэллэг байхгүй байна
  үйл явдал өнгөрсөн үед болсныг илэрхийлдэг нөхцөл.

- **-거든요** : (두루높임으로) 앞의 내용에 대해 말하는 사람이 생각한 이유나 원인, 근거를 나타내는 표현.
  Тохирох Үг хэллэг байхгүй байна
  (хүндэтгэлийн энгийн үг хэллэг) өмнөх агуулгын талаар өгүүлж байгаа хүний бодсон учир шалтгаан, үндэслэлийг илэрхийлнэ.

< 대화(ярилцлага) > - 81

저는 한국에 온 지 일 년쯤 됐어요.
저는 한구게 온 지 일 년쯤 돼써요.
jeoneun hanguge on ji il nyeonjjeum dwaesseoyo.

일 년밖에 안 됐는데도 한국어를 정말 잘하시네요.
일 년바께 안 됀는데도 한구거를 정말 잘하시네요.
il nyeonbakke an dwaenneundedo hangugeoreul jeongmal jalhasineyo.

< 설명(тайлбар) / 번역(орчуулга) >

저+는 한국+에 오+[ㄴ 지] 일 년+쯤 되+었+어요.
　　　　　　　온 지　　　　　　　　　됐어요

- 저 (төлөөний үг) : 말하는 사람이 듣는 사람에게 자신을 낮추어 가리키는 말.
  би
  сонсож буй хүнээ хүндэтгэн өөрийгөө доошлуулж хэлэх үг.

- 는 : 문장 속에서 어떤 대상이 화제임을 나타내는 조사.
  Тохирох үг хэллэг байхгүй байна
  өгүүлбэрт ярианы сэдэв болж буйг илэрхийлдэг нөхцөл.

- 한국 (нэр үг) : 아시아 대륙의 동쪽에 있는 나라. 한반도와 그 부속 섬들로 이루어져 있으며, 대한민국
  이라고도 부른다. 1950년에 일어난 육이오 전쟁 이후 휴전선을 사이에 두고 국토가 둘
  로 나뉘었다. 언어는 한국어이고, 수도는 서울이다.
  Солонгос улс
  Зүүн Азийн өмнөд хэсэгт оршдог улс. Солонгосын хойг болон түүний эргэн тойрны
  арлуудаас бүрдэх бөгөөд Бүгд Найрамдах Улс гэж ч нэрлэнэ. 1950 онд дэгдсэн
  Солонгосын дайны дараа гал түр зогсоох гэрээ байгуулж хоёр хуваагджээ. Албан
  ёсны хэл нь солонгос хэл, нийслэл нь Сөүл хот.

- 에 : 앞말이 목적지이거나 어떤 행위의 진행 방향임을 나타내는 조사.
  -руу/-рүү, -луу/-лүү
  өмнөх үг зорьсон газар буюу ямар нэгэн үйлийн чиглэлийг зааж байгаа болохыг
  илэрхийлж буй нөхцөл.

- **오다 (Үйл Үг)** : 무엇이 다른 곳에서 이곳으로 움직이다.

  ирэх

  ямар нэгэн зүйл нэг газраас наашаа хөдлөх.

- **-ㄴ 지** : 앞의 말이 나타내는 행동을 한 후 시간이 얼마나 지났는지를 나타내는 표현.

  Тохирох Үг хэллэг байхгүй байна

  өмнө өгүүлж буй үйлийг хийснээс хойш хэчнээн цаг хугацаа өнгөрснийг илэрхийлдэг үг хэллэг.

- **일 (тодотгол Үг)** : 하나의.

  нэг

  нэгийн

- **년 (нэр Үг)** : 한 해를 세는 단위.

  он, жил

  нэг жилийг тоолох нэгж.

- **쯤** : '정도'의 뜻을 더하는 접미사.

  Тохирох Үг хэллэг байхгүй байна

  'хэмжээ' хэмээх утгыг нэмдэг дагавар.

- **되다 (Үйл Үг)** : 어떤 때나 시기, 상태에 이르다.

  болох

  ямар нэгэн цаг үе буюу нөхцөл байдалд хүрэх.

- **-었-** : 어떤 사건이 과거에 완료되었거나 그 사건의 결과가 현재까지 지속되는 상황을 나타내는 어미.

  Тохирох Үг хэллэг байхгүй байна

  ямар нэгэн хэрэг явдал өнгөрсөн үед болж өнгөрсөн буюу тухайн үйлийн үр дүн өнөөг хүртэл үргэлжилж буй нөхцөл байдлыг илэрхийлдэг нөхцөл.

- **-어요** : (두루높임으로) 어떤 사실을 서술하거나 질문, 명령, 권유함을 나타내는 종결 어미.

  Тохирох Үг хэллэг байхгүй байна

  (хүндэтгэлийн энгийн үг хэллэг) ямар нэгэн зүйлийг хүүрнэх, асуух, тушаах, уриалах явдлыг илэрхийлдэг төгсгөх нөхцөл. <дүрслэл>

일 년+밖에 안 <u>되+었+는데도</u> 한국어+를 정말 잘하+시+네요.
됐는데도

- **일 (тодотгол Үг)** : 하나의.

  нэг

  нэгийн

• 년 (нэр Үг) : 한 해를 세는 단위.
  он, жил
  нэг жилийг тоолох нэгж.

• 밖에 : '그것을 제외하고는', '그것 말고는'의 뜻을 나타내는 조사.
  гадна
  'түүнээс бусад', 'тэрнээс өөр' гэсэн утгыг илэрхийлдэг нэрийн нөхцөл.

• 안 (дайвар Үг) : 부정이나 반대의 뜻을 나타내는 말.
  эс, үл, үгүй, -гүй
  сөрөг буюу эсрэг утгыг илэрхийлдэг үг.

• 되다 (Үйл Үг) : 어떤 때나 시기, 상태에 이르다.
  болох
  ямар нэгэн цаг үе буюу нөхцөл байдалд хүрэх.

• -었- : 어떤 사건이 과거에 완료되었거나 그 사건의 결과가 현재까지 지속되는 상황을 나타내는 어미.
  Тохирох үг хэллэг байхгүй байна
  ямар нэгэн хэрэг явдал өнгөрсөн үед болж өнгөрсөн буюу тухайн үйлийн үр дүн өнөөг хүртэл үргэлжилж буй нөхцөл байдлыг илэрхийлдэг нөхцөл.

• -는데도 : 앞에 오는 말이 나타내는 상황에 상관없이 뒤에 오는 말이 나타내는 상황이 일어남을 나타내는 표현.
  Тохирох үг хэллэг байхгүй байна
  өмнөх байдлаас хамааралгүйгээр дараах байдал болсныг илэрхийлдэг үг хэллэг.

• 한국어 (нэр Үг) : 한국에서 사용하는 말.
  солонгос хэл
  солонгост хэрэглэдэг хэл.

• 를 : 동작이 직접적으로 영향을 미치는 대상을 나타내는 조사.
  -ыг/-ийг/-г
  үйл хөдлөл шууд нөлөөлж буй тусагдахууныг илэрхийлэх нөхцөл.

• 정말 (дайвар Үг) : 거짓이 없이 진짜로.
  үнэхээр
  худал хуурмаг зүйлгүй нээрээ.

• 잘하다 (Үйл Үг) : 익숙하고 솜씨가 있게 하다.
  сайн хийх, чадварлаг хийх, сайн ярих
  дадсан, ур чадвартай хийх.

• -시- : 어떤 동작이나 상태의 주체를 높이는 뜻을 나타내는 어미.
  Тохирох үг хэллэг байхгүй байна
  ямар нэгэн үйлдэл буюу байдлын эзэн биеийг хүндэтгэх утгыг илэрхийлдэг нөхцөл.

• -네요 : (두루높임으로) 말하는 사람이 직접 경험하여 새롭게 알게 된 사실에 대해 감탄함을 나타낼 때
　　　쓰는 표현.

Тохирох Үг хэллэг байхгүй байна

(хүндэтгэлийн энгийн үг хэллэг) өгүүлэгч өөрийн биеэр үзэж өнгөрүүлж, шинээр
мэдсэн зүйлийнхээ талаар гайхан биширч байгааг илэрхийлэхэд хэрэглэдэг хэлбэр.

< 대화(ярилцлага) > - 82

지우가 결혼하더니 많이 밝아졌지?
지우가 결혼하더니 마니 발가젇찌?
jiuga gyeolhonhadeoni mani balgajeotji?

맞아. 지우를 십 년 동안 봐 왔지만 요새처럼 행복해 보일 때가 없었어.
마자. 지우를 십 년 동안 봐 왇찌만 요새처럼 행보캐 보일 때가 업써써.
maja. jiureul sip nyeon dongan bwa watjiman yosaecheoreom haengbokae boil ttaega eopseosseo.

< 설명(тайлбар) / 번역(орчуулга) >

지우+가 결혼하+더니 많이 밝아지+었+지?
밝아졌지

- 지우 (нэр Үг) : нэр

- 가 : 어떤 상태나 상황에 놓인 대상이나 동작의 주체를 나타내는 조사.
  Тохирох Үг хэллэг байхгҮй байна
  ямар нэгэн төлөв, байдлын субьект, мөн Үйл хөдлөлийн эзэн болохыг илэрхийлэх нөхцөл.

- 결혼하다 (Үйл Үг) : 남자와 여자가 법적으로 부부가 되다.
  гэрлэх, суух, гэр бҮл болох
  эрэгтэй эмэгтэй хоёр албан ёсоор эхнэр нөхөр болох.

- -더니 : 과거의 사실이나 상황에 뒤이어 어떤 사실이나 상황이 일어남을 나타내는 연결 어미.
  Тохирох Үг хэллэг байхгҮй байна
  өнгөрсөн зҮйл буюу нөхцөл байдлыг залгаад ямар нэгэн зҮйл буюу нөхцөл байдал ҮҮсэх явдлыг илэрхийлдэг холбох нөхцөл.

- 많이 (дайвар Үг) : 수나 양, 정도 등이 일정한 기준보다 넘게.
  их, олон
  тоо, хэр хэмжээ мэтийн зҮйл тодорхой нэг тҮвшингөөс хэтэрсэн.

- 밝아지다 (Үйл Үг) : 밝게 되다.
  гэрэлтэх, гэрэлтэй болох
  гэрэлтэй болох.

- 272 -

• -었- : 어떤 사건이 과거에 완료되었거나 그 사건의 결과가 현재까지 지속되는 상황을 나타내는 어미.

Тохирох Үг хэллэг байхгүй байна

ямар нэгэн хэрэг явдал өнгөрсөн үед болж өнгөрсөн буюу тухайн үйлийн үр дүн өнөөг хүртэл үргэлжилж буй нөхцөл байдлыг илэрхийлдэг нөхцөл.

• -지 : (두루낮춤으로) 이미 알고 있는 것을 다시 확인하듯이 물을 때 쓰는 종결 어미.

Тохирох Үг хэллэг байхгүй байна

(хүндэтгэлийн бус энгийн үг хэллэг) хэдийн мэдэж байгаа зүйлийн талаар лавлах мэтээр асуухад хэрэглэдэг тогсгөх нөхцөл.

맞+아.

지우+를 십 년 동안 보+[아 오]+았+지만
봐 왔지만

요새+처럼 행복하+[여 보이]+[ㄹ 때]+가 없+었+어.
행복해 보일 때가

• 맞다 (Үйл үг) : 그렇거나 옳다.

зөв, тийм

тийм, зөв байх.

• -아 : (두루낮춤으로) 어떤 사실을 서술하거나 물음, 명령, 권유를 나타내는 종결 어미.

Тохирох Үг хэллэг байхгүй байна

(хүндэтгэлийн бус энгийн үг хэллэг) ямар нэгэн зүйлийг дүрслэх буюу асуулт, тушаал, зөвлөмж зэргийг илэрхийлдэг төгсгөх нөхцөл. <дүрслэл>

• 지우 (нэр үг) : нэр

• 를 : 동작이 간접적인 영향을 미치는 대상이나 목적임을 나타내는 조사.

-д/-т

Үйл хөдлөл шууд бусаар нөлөөлж буй тусагдахуун болон зорилго илэрхийлэх нөхцөл.

• 십 (тодотгол үг) : 열의.

Тохирох Үг хэллэг байхгүй байна

арван.

• 년 (нэр үг) : 한 해를 세는 단위.

он, жил

нэг жилийг тоолох нэгж.

• 동안 (нэр Үг) : 한때에서 다른 때까지의 시간의 길이.
хооронд, турш
нэг Үеэс нөгөө Үе хҮртэлх хугацааны урт.

• 보다 (Үйл Үг) : 사람을 만나다.
уулзах
хҮнтэй уулзах.

• -아 오다 : 앞의 말이 나타내는 행동이나 상태가 어떤 기준점으로 가까워지면서 계속 진행됨을 나타내
는 표현.
Тохирох Үг хэллэг байхгҮй байна
өмнөх Үгийн илэрхийлж буй Үйлдэл буюу байдал нь ямар нэгэн жишигт ойртонгоо
Үргэлжлэх явдлыг илэрхийлдэг Үг хэллэг.

• -았- : 어떤 사건이 과거에 완료되었거나 그 사건의 결과가 현재까지 지속되는 상황을 나타내는 어미.
Тохирох Үг хэллэг байхгҮй байна
ямар нэгэн Үйл явдал өнгөрсөн цагт болж дуссан буюу тухайн Үйл явдлын Үр дҮн
өнөөг хҮртэл Үргэлжилж буй байдлыг илэрхийлдэг нөхцөл.

• -지만 : 앞에 오는 말을 인정하면서 그와 반대되거나 다른 사실을 덧붙일 때 쓰는 연결 어미.
Тохирох Үг хэллэг байхгҮй байна
өмнөх агуулгыг хҮлээн зөвшөөрч байгаа хирнээ тҮҮнтэй эсрэгцэх буюу өөр утгыг
нэмэх Үед хэрэглэдэг холбох нөхцөл.

• 요새 (нэр Үг) : 얼마 전부터 이제까지의 매우 짧은 동안.
сҮҮлийн Үед, ойрд
саяханаас өнөөдрийг хҮртэлх маш богино хугацаа.

• 처럼 : 모양이나 정도가 서로 비슷하거나 같음을 나타내는 조사.
шиг, мэт
хэлбэр дҮрс, хэмжээ нь хоорондоо төстэй болон адилхан болохыг илэрхийлдэг нөхцөл.

• 행복하다 (тэмдэг нэр) : 삶에서 충분한 만족과 기쁨을 느껴 흐뭇하다.
аз жаргалтай
амьдралаас хангалттай сэтгэл ханамж, баяр баяслыг мэдэрч хангалуун байх явдал.

• -여 보이다 : 겉으로 볼 때 앞의 말이 나타내는 것처럼 느껴지거나 추측됨을 나타내는 표현.
Тохирох Үг хэллэг байхгҮй байна
гаднаас нь харахад өмнөх Үг нь илэрхийлж буй мэт мэдрэгдэх буюу багцаалж буйг
илэрхийлдэг Үг хэллэг.

• -ㄹ 때 : 어떤 행동이나 상황이 일어나는 동안이나 그 시기 또는 그러한 일이 일어난 경우를 나타내는
　　　표현.
Тохирох Үг хэллэг байхгүй байна
ямар нэгэн Үйл хөдлөл буюу нөхцөл байдал Үргэлжилсээр, тухайн Үйл хэрэг болсон
тохиолдлыг илэрхийлнэ.

• 가 : 어떤 행동이나 상황이 일어나는 동안이나 그 시기 또는 그러한 일이 일어난 경우를 나타내는 표현.
Тохирох Үг хэллэг байхгүй байна
ямар нэгэн төлөв, байдлын субьект, мөн Үйл хөдлөлийн эзэн болохыг илэрхийлэх
нөхцөл.

• 없다 (тэмдэг нэр) : 어떤 사실이나 현상이 현실로 존재하지 않는 상태이다.
　-гүй, боломжгүй, байхгүй
ямар нэгэн Үнэн юм уу Үзэгдэл бодитоор оршдоггүй байдал.

• -었- : 사건이 과거에 일어났음을 나타내는 어미.
Тохирох Үг хэллэг байхгүй байна
Үйл явдал өнгөрсөн Үед болсныг илэрхийлдэг төгсгөх нөхцөл.

• -어 : (두루낮춤으로) 어떤 사실을 서술하거나 물음, 명령, 권유를 나타내는 종결 어미.
Тохирох Үг хэллэг байхгүй байна
(хҮндэтгэлийн бус энгийн Үг хэллэг) ямар нэгэн зҮйлийг дҮрслэх буюу асуулт,
тушаал, зөвлөмж зэргийг илэрхийлдэг төгсгөх нөхцөл. <дҮрслэл>

< 대화(ярилцлага) > - 83

나는 먼저 가 있을 테니까 너도 빨리 와.
나는 먼저 가 이쓸 테니까 너도 빨리 와.
naneun meonjeo ga isseul tenikka neodo ppalli wa.

응. 알았어. 금방 따라갈게.
응. 아라써. 금방 따라갈께.
eung. arasseo. geumbang ttaragalge.

< 설명(тайлбар) / 번역(орчуулга) >

나+는 먼저 가+[(아) 있]+[을 테니까] 너+도 빨리 오+아.
가 있을 테니까   와

- **나 (төлөөний үг)** : 말하는 사람이 친구나 아랫사람에게 자기를 가리키는 말.
  би
  өгүүлэгч этгээд найз буюу өөрөөсөө дүү хүнтэй ярихад өөрийг заасан үг.

- **는** : 어떤 대상이 다른 것과 대조됨을 나타내는 조사.
  бол
  ямар нэг зүйлийг өөр зүйлтэй харьцуулах, шалтгаан заах үг

- **먼저 (дайвар үг)** : 시간이나 순서에서 앞서.
  эхлээд, түрүүнд, эхэнд, манлайд
  цаг хугацаа, дэс дарааллын эхэн түрүү.

- **가다 (үйл үг)** : 한 곳에서 다른 곳으로 장소를 이동하다.
  явах, очих
  нэг газраас нөгөө газар руу шилжиж хөдлөх явах.

- **-아 있다** : 앞의 말이 나타내는 상태가 계속됨을 나타내는 표현.
  Тохирох үг хэллэг байхгүй байна
  өмнөх үгийн илэрхийлж буй байдал үргэлжлэх явдлыг илэрхийлдэг үг хэллэг.

• -을 테니까 : 뒤에 오는 말에 대한 조건임을 강조하여 앞에 오는 말에 대한 말하는 사람의 의지를 나타
내는 표현.

Тохирох үг хэллэг байхгүй байна

хойно хэлж байгаа үгийн болзол шаардлага болж байгаа бөгөөд ярьж буй хүний үйл
хөдлөл болон ажлын талаарх санал бодлыг илэрхийлдэг үг хэллэг.

• 너 (төлөөний үг) : 듣는 사람이 친구나 아랫사람일 때, 그 사람을 가리키는 말.

чи

сонсогч нь найз буюу дүү байх тохиолдолд, тухайн хүнийг заадаг үг.

• 도 : 이미 있는 어떤 것에 다른 것을 더하거나 포함함을 나타내는 조사.

ч

нэгэнт байгаа зүйл дээр өөр зүйлийг нэмэх буюу хамруулсныг илэрхийлж буй нөхцөл.

• 빨리 (дайвар үг) : 걸리는 시간이 짧게.

хурдан, түргэн

зарцуулагдах цаг хугацаа богино.

• 오다 (үйл үг) : 무엇이 다른 곳에서 이곳으로 움직이다.

ирэх

ямар нэгэн зүйл нэг газраас наашаа хөдлөх.

• -아 : (두루낮춤으로) 어떤 사실을 서술하거나 물음, 명령, 권유를 나타내는 종결 어미.

Тохирох үг хэллэг байхгүй байна

(хүндэтгэлийн бус энгийн үг хэллэг) ямар нэгэн зүйлийг дүрслэх буюу асуулт,
тушаал, зөвлөмж зэргийг илэрхийлдэг төгсгөх нөхцөл. <тушаал>

응.

알+았+어.

금방 <u>따라가</u>+ㄹ게.
　　　따라갈게

• 응 (аялга үг) : 상대방의 물음이나 명령 등에 긍정하여 대답할 때 쓰는 말.

за, тиймээ, тэгье

харилцагч хүн юм асуух, захиран хүсэх үгэнд зөвшөөрөн хариулах үг.

• 알다 (үйл үг) : 상대방의 어떤 명령이나 요청에 대해 그대로 하겠다는 동의의 뜻을 나타내는 말.

ойлгох, мэдэх

харилцаж буй хүний тушаал, шаардлагын дагуу гүйцэтгэхээ илэрхийлж буй үг.

• -았- : 어떤 사건이 과거에 완료되었거나 그 사건의 결과가 현재까지 지속되는 상황을 나타내는 어미.

Тохирох Үг хэллэг байхгүй байна

ямар нэгэн үйл явдал өнгөрсөн цагт болж дууссан буюу тухайн үйл явдлын үр дүн өнөөг хүртэл үргэлжилж буй байдлыг илэрхийлдэг нөхцөл.

• -어 : (두루낮춤으로) 어떤 사실을 서술하거나 물음, 명령, 권유를 나타내는 종결 어미.

Тохирох Үг хэллэг байхгүй байна

(хүндэтгэлийн бус энгийн үг хэллэг) ямар нэгэн зүйлийг дүрслэх буюу асуулт, тушаал, зөвлөмж зэргийг илэрхийлдэг төгсгөх нөхцөл. <дүрслэл>

• 금방 (дайвар үг) : 시간이 얼마 지나지 않아 곧바로.

одоохон, даруйхан

нэг их хугацаа өнгөрөөгүй байхад даруй.

• 따라가다 (үйл үг) : 앞에서 가는 것을 뒤에서 그대로 쫓아가다.

дагаж явах, дагах

урдаа явж буй зүйлийн яг араас дагаж явах.

• -ㄹ게 : (두루낮춤으로) 말하는 사람이 어떤 행동을 할 것을 듣는 사람에게 약속하거나 의지를 나타내는 종결 어미.

Тохирох Үг хэллэг байхгүй байна

(хүндэтгэлийн бус энгийн үг хэллэг) өгүүлэгч нь ямар нэгэн үйлдэл хийхээ сонсч буй хүнд амлах буюу мэдүүлж буйг илэрхийлдэг төгсгөх нөхцөл.

< 대화(ярилцлага) > - 84

오늘 정말 잘 먹고 갑니다. 초대해 주셔서 감사합니다.
오늘 정말 잘 먹꼬 감니다. 초대해 주셔서 감사함니다.
oneul jeongmal jal meokgo gamnida. chodaehae jusyeoseo gamsahamnida.

아니에요. 바쁜데 이렇게 먼 곳끼지 와 줘서 고마워요.
아니에요. 바쁜데 이러케 먼 곧까지 와 줘서 고마워요.
anieyo. bappeunde ireoke meon gotkkaji wa jwoseo gomawoyo.

< 설명(тайлбар) / 번역(орчуулга) >

오늘 정말 잘 먹+고 <u>가+ㅂ니다</u>.
갑니다

<u>초대하+[여 주]</u>+시+어서 <u>감사하+ㅂ니다</u>.
초대해 주셔서   감사합니다

- **오늘 (дайвар Үг)** : 지금 지나가고 있는 이날에.
  өнөөдөр
  одоо болж өнгөрч буй энэ өдөрт.

- **정말 (дайвар Үг)** : 거짓이 없이 진짜로.
  Үнэхээр
  худал хуурмаг зүйлгүй нээрээ.

- **잘 (дайвар Үг)** : 충분히 만족스럽게.
  сайн
  маш сэтгэл хангалуун.

- **먹다 (Үйл Үг)** : 음식 등을 입을 통하여 배 속에 들여보내다.
  идэх
  хоол хүнс зэргийг амаар дамжуулан гэдсэндээ хийх.

- **-고** : 앞의 말과 뒤의 말이 차례대로 일어남을 나타내는 연결 어미.
  Тохирох Үг хэллэг байхгүй байна
  өмнөх Үйл ба арын Үйл дэс дарааллын дагуу өрнөж байгааг илтгэдэг холбох нөхцөл.

- **가다 (Үйл Үг)** : 한 곳에서 다른 곳으로 장소를 이동하다.

  явах, очих

  нэг газраас нөгөө газар руу шилжиж хөдлөх явах.

- **-ㅂ니다** : (아주높임으로) 현재의 동작이나 상태, 사실을 정중하게 설명함을 나타내는 종결 어미.

  Тохирох Үг хэллэг байхгүй байна

  (дээдлэн хүндэтгэх үг хэллэг) одоогийн үйлдэл буюу байдлыг ёсорхог байдлаар тайлбарлах явдлыг илэрхийлдэг төгсгөх нөхцөл.

- **초대하다 (Үйл Үг)** : 다른 사람에게 어떤 자리, 모임, 행사 등에 와 달라고 요청하다.

  урих, залах

  бусад хүнд ямар нэгэн газар, цуглаан, арга хэмжээ зэрэгт ирж оролцохыг хүсэх.

- **-여 주다** : 남을 위해 앞의 말이 나타내는 행동을 함을 나타내는 표현.

  Тохирох Үг хэллэг байхгүй байна

  бусдад зориулж өмнөх үгийн илэрхийлж буй үйлдлийг хийх явдлыг илэрхийлдэг үг хэллэг.

- **-시-** : 어떤 동작이나 상태의 주체를 높이는 뜻을 나타내는 어미.

  Тохирох Үг хэллэг байхгүй байна

  ямар нэгэн үйлдэл буюу байдлын эзэн биеийг хүндэтгэх утгыг илэрхийлдэг нөхцөл.

- **-어서** : 이유나 근거를 나타내는 연결 어미.

  Тохирох Үг хэллэг байхгүй байна

  учир шалтгаан буюу үндэслэлийг илэрхийлдэг холбох нөхцөл.

- **감사하다 (Үйл Үг)** : 고맙게 여기다.

  талархах, баярлах

  талархах сэтгэл агуулах.

- **-ㅂ니다** : (아주높임으로) 현재의 동작이나 상태, 사실을 정중하게 설명함을 나타내는 종결 어미.

  Тохирох Үг хэллэг байхгүй байна

  (дээдлэн хүндэтгэх үг хэллэг) одоогийн үйлдэл буюу байдлыг ёсорхог байдлаар тайлбарлах явдлыг илэрхийлдэг төгсгөх нөхцөл.

아니+에요.

바쁘+ㄴ데 이렇+게 멀+ㄴ 곳+까지 **오+[아 주]+어서** 고맙(고마우)+어요.
바쁜데　　　　　먼　　　　　**와 줘서**　　　　고마워요

- **아니다 (тэмдэг нэр)** : 어떤 사실이나 내용을 부정하는 뜻을 나타내는 말.
  биш, Үгүй
  ямар нэгэн Үнэн зүйл болон агуулгыг Үгүйсгэх утга заана.

- **-에요** : (두루높임으로) 어떤 사실을 서술하거나 질문함을 나타내는 종결 어미.
  Тохирох Үг хэллэг байхгүй байна
  (хүндэтгэлийн энгийн Үг хэллэг) ямар нэгэн зүйлийг хүүрнэх, асуух явдлыг
  илэрхийлдэг төгсгөх нөхцөл. <дүрслэл>

- **바쁘다 (тэмдэг нэр)** : 할 일이 많거나 시간이 없어서 다른 것을 할 여유가 없다.
  завгүй, зав чөлөөгүй
  хийх ажил ихтэй байх буюу цаг завгүйгээс өөр зүйл хийх боломжгүй байх.

- **-ㄴ데** : 뒤의 말을 하기 위하여 그 대상과 관련이 있는 상황을 미리 말함을 나타내는 연결 어미.
  Тохирох Үг хэллэг байхгүй байна
  дараагийн агуулгаар Үргэлжлүүлэн ярихын тулд тухайн зүйлтэй холбоотой нөхцөл
  байдлыг урьдчилан хэлж буйг илэрхийлдэг холбох нөхцөл.

- **이렇다 (тэмдэг нэр)** : 상태, 모양, 성질 등이 이와 같다.
  ийм байх, ийм, ингэх
  байдал, дүр төрх, шинж чанар зэрэг үүнтэй адил байх.

- **-게** : 앞의 말이 뒤에서 가리키는 일의 목적이나 결과, 방식, 정도 등이 됨을 나타내는 연결 어미.
  Тохирох Үг хэллэг байхгүй байна
  өмнөх агуулга ард нь зааж буй байдал, зорилго, Үр дүн, арга барил, хэмжээ зэрэг
  болохыг илэрхийлдэг холбох нөхцөл.

- **멀다 (тэмдэг нэр)** : 두 곳 사이의 떨어진 거리가 길다.
  хол, зайтай
  хоёр газрын хоорондох зай хол байх.

- **-ㄴ** : 앞의 말이 관형어의 기능을 하게 만들고 현재의 상태를 나타내는 어미.
  Тохирох Үг хэллэг байхгүй байна
  өмнөх Үгийг тодотгол гишүүний үүрэгтэй болгож, одоогийн байдлыг илэрхийлдэг
  нөхцөл.

• 곳 (нэр Υг) : 일정한 장소나 위치.
газар, байр
тогтсон нэгэн газар буюу байрлал.

• 까지 : 어떤 범위의 끝임을 나타내는 조사.
хҮртэл
ямар нэгэн зҮйлийн төгсгөх болохыг илэрхийлдэг нөхцөл.

• 오다 (Υйл Υг) : 무엇이 다른 곳에서 이곳으로 움직이다.
ирэх
ямар нэгэн зҮйл нэг газраас наашаа хөдлөх.

• -아 주다 : 남을 위해 앞의 말이 나타내는 행동을 함을 나타내는 표현.
Тохирох Υг хэллэг байхгҮй байна
бусдад зориулж өмнөх Υгийн илэрхийлж буй Υйлдлийг хийх явдлыг илэрхийлдэг Υг хэллэг.

• -어서 : 이유나 근거를 나타내는 연결 어미.
Тохирох Υг хэллэг байхгҮй байна
учир шалтгаан буюу Υндэслэлийг илэрхийлдэг холбох нөхцөл.

• 고맙다 (тэмдэг нэр) : 남이 자신을 위해 무엇을 해주어서 마음이 흐뭇하고 보답하고 싶다.
баярлах
өөр хҮн өөрийнх нь төлөө ямар нэгэн зҮйлийг хийж өгсөнд талархан баярлаж ачийг хариулах сэтгэл төрөх.

• -어요 : (두루높임으로) 어떤 사실을 서술하거나 질문, 명령, 권유함을 나타내는 종결 어미.
Тохирох Υг хэллэг байхгҮй байна
(хҮндэтгэлийн энгийн Υг хэллэг) ямар нэгэн зҮйлийг хҮҮрнэх, асуух, тушаах, уриалах явдлыг илэрхийлдэг төгсгөх нөхцөл. <дҮрслэл>

< 대화(ярилцлага) > - 85

백화점에는 왜 다시 가려고?
배콰저메는 왜 다시 가려고?
baekwajeomeneun wae dasi garyeogo?

어세 산 옷이 밎는 줄 알았더니 작아서 교환해야 해.
어제 산 오시 만는 줄 아랃떠니 자가서 교환해야 해.
eoje san osi manneun jul aratdeoni jagaseo gyohwanhaeya hae.

< 설명(тайлбар) / 번역(орчуулга) >

백화점+에+는 왜 다시 가+려고?

- **백화점 (нэр үг)** : 한 건물 안에 온갖 상품을 종류에 따라 나누어 벌여 놓고 판매하는 큰 상점.
  их дэлгүүр
  нэг байшинд, олон янзын барааг төрөл зүйлээр нь ангилан дэлгэж худалддаг том дэлгүүр.

- **에** : 앞말이 목적지이거나 어떤 행위의 진행 방향임을 나타내는 조사.
  -руу/-рүү, -луу/-лүү
  өмнөх үг зорьсон газар буюу ямар нэгэн үйлийн чиглэлийг зааж байгаа болохыг илэрхийлж буй нөхцөл.

- **는** : 문장 속에서 어떤 대상이 화제임을 나타내는 조사.
  Тохирох үг хэллэг байхгүй байна
  өгүүлбэрт ярианы сэдэв болж буйг илэрхийлдэг нөхцөл.

- **왜 (дайвар үг)** : 무슨 이유로. 또는 어째서.
  яагаад, ямар учраас
  ямар шалтгаанаар. мөн яагаад.

- **다시 (дайвар үг)** : 같은 말이나 행동을 반복해서 또.
  бас, дахин, дахиад
  ижил үг ба үйлдлийг давтан, дахин.

- **가다 (үйл үг)** : 한 곳에서 다른 곳으로 장소를 이동하다.
  явах, очих
  нэг газраас нөгөө газар руу шилжиж хөдлөх явах.

• -려고 : (두루낮춤으로) 어떤 주어진 상황에 대하여 의심이나 반문을 나타내는 종결 어미.

Тохирох Үг хэллэг байхгүй байна

(хүндэтгэлийн бус энгийн үг хэллэг) ямар нэгэн өгөгдсөн байдлын талаар эргэлзээ буюу сөрөг асуулгыг илэрхийлдэг төгсгөх нөхцөл.

어제 사+ㄴ 옷+이 맞+[는 줄] 알+았더니 작+아서 교환하+[여야 하]+여.
산   교환해야 해

• 어제 (дайвар үг) : 오늘의 하루 전날에.

өчигдөр

өнөөдрөөс нэг өдрийн өмнө.

• 사다 (үйл үг) : 돈을 주고 어떤 물건이나 권리 등을 자기 것으로 만들다.

худалдаж авах

үнэ хөлс төлөн ямар нэгэн эд зүйл, эрх мэдлийг өөрийн болгох.

• -ㄴ : 앞의 말이 관형어의 기능을 하게 만들고 사건이나 동작이 과거에 일어났음을 나타내는 어미.

Тохирох үг хэллэг байхгүй байна

өмнөх үгийг тодотгол гишүүний үүрэгтэй болгож, хэрэг явдал буюу үйлдэл нь өнгөрсөн үед өрнөсөн болохыг илэрхийлдэг нөхцөл.

• 옷 (нэр үг) : 사람의 몸을 가리고 더위나 추위 등으로부터 보호하며 멋을 내기 위하여 입는 것.

хувцас

хүний биеийг хүйтэн халуунаас хамгаалах болон өмсөж гоёход зориулагдсан зүйл.

• 이 : 어떤 상태나 상황의 대상이나 동작의 주체를 나타내는 조사.

Тохирох үг хэллэг байхгүй байна

ямар нэгэн төлөв, байдлын субьект, мөн үйл хөдлөлийн эзэн болохыг илэрхийлэх нөхцөл.

• 맞다 (үйл үг) : 크기나 규격 등이 어떤 것과 일치하다.

таарах, тохирох

хэмжээ, стандарт зэрэг ямар нэг зүйлтэй таарах.

• -는 줄 : 어떤 사실이나 상태에 대해 알고 있거나 모르고 있음을 나타내는 표현.

Тохирох үг хэллэг байхгүй байна

аливаа ажил үйлийг хийх арга болон ямар нэгэн зүйлийн талаар мэдэх буюу мэдэхгүй байхыг илэрхийлдэг үг хэллэг.

• 알다 (үйл үг) : 어떤 사실을 그러하다고 여기거나 생각하다.

мэдэх, бодох

ямар нэгэн бодит үнэнийг тийм хэмээн үзэх.

- -았더니 : 과거의 사실이나 상황과 다른 새로운 사실이나 상황이 있음을 나타내는 표현.
  Тохирох Үг хэллэг байхгүй байна
  өнгөрсөн үйл явдал буюу нөхцөл байдалтай өөр шинэ зүйл буюу нөхцөл байдал байгааг илэрхийлдэг үг хэллэг.

- 작다 (**тэмдэг нэр**) : 정해진 크기에 모자라서 맞지 아니하다.
  багадах, жижигдэх
  тогтсон хэмжээнээс дутаж таарахгүй байх.

- -아서 : 이유나 근거를 나타내는 연결 어미.
  Тохирох үг хэллэг байхгүй байна
  учир шалтгаан буюу үндэслэлийг илэрхийлдэг холбох нөхцөл.

- 교환하다 (**Үйл үг**) : 무엇을 다른 것으로 바꾸다.
  солилцох, арилжаа хийх
  ямар нэгэн зүйлийг өөр зүйлээр солих.

- -여야 하다 : 앞에 오는 말이 어떤 일을 하거나 어떤 상황에 이르기 위한 의무적인 행동이거나 필수적인 조건임을 나타내는 표현.
  Тохирох үг хэллэг байхгүй байна
  өмнө хэлж байгаа үг нь ямар нэг ажлыг хийх болон ямар нэг нөхцөл байдалд хүрэхийн тулд хийх хэрэгтэй албан үүргийн үйлдэл буюу зайлшгүй шаардлага болохыг илэрхийлдэг үг хэллэг.

- -여 : (두루낮춤으로) 어떤 사실을 서술하거나 물음, 명령, 권유를 나타내는 종결 어미.
  Тохирох үг хэллэг байхгүй байна
  (хүндэтгэлийн бус энгийн үг хэллэг) ямар нэгэн зүйлийг хүүрнэх, асуух буюу тушаал, зөвлөмж зэргийг илэрхийлдэг төгсгөх нөхцөл. **<дүрслэл>**

< 대화(ярилцлага) > - 86

물을 계속 틀어 놓은 채 설거지를 하지 마세요.
무를 게속 트러 노은 채 설거지를 하지 마세요.
mureul gesok teureo noeun chae seolgeojireul haji maseyo.

방금 잠갔어요. 앞으로는 헹굴 때만 물을 틀어 놓을게요.
방금 잠가써요. 아프로는 헹굴 때만 무를 트러 노을께요.
banggeum jamgasseoyo. apeuroneun henggul ttaeman mureul teureo noeulgeyo.

< 설명(тайлбар) / 번역(орчуулга) >

물+을 계속 틀+[어 놓]+[은 채] 설거지+를 하+[지 말(마)]+세요.
하지 마세요

- **물 (нэр Үг)** : 강, 호수, 바다, 지하수 등에 있으며 순수한 것은 빛깔, 냄새, 맛이 없고 투명한 액체.
  ус
  гол, нуур, далай тэнгис, газрын гүнд байдаг, цэвэрхэн Үедээ өнгө, Үнэр, амтгҮй, тунгалаг шингэн зҮйл.

- **을** : 동작이 직접적으로 영향을 미치는 대상을 나타내는 조사.
  -ыг/-ийг/-г
  Үйл хөдлөл шууд нөлөөлж буй тусагдахууныг илэрхийлэх нөхцөл.

- **계속 (дайвар Үг)** : 끊이지 않고 잇따라.
  Үргэлжлэн, ҮргэлжлҮҮлэн
  зогсохгҮйгээр Үргэлжлэн.

- **틀다 (Үйл Үг)** : 수도와 같은 장치를 작동시켜 물이 나오게 하다.
  эргҮҮлэх, асаах
  крант зэрэг хэрэгсэлийг ажиллуулж ус гаргах.

- **-어 놓다** : 앞의 말이 나타내는 행동을 끝내고 그 결과를 유지함을 나타내는 표현.
  Тохирох Үг хэллэг байхгҮй байна
  өмнөх Үгийн илэрхийлж буй Үйлдлийг дуусгаж, тухайн Үр дҮнг ҮргэлжлҮҮлэх явдлыг илэрхийлдэг Үг хэллэг.

- -은 채 : 앞의 말이 나타내는 어떤 행위를 한 상태 그대로 있음을 나타내는 표현.
  Тохирох үг хэллэг байхгүй байна
  өмнөх үгийн илэрхийлж буй ямар нэгэн үйлдлийг хийсэн байдал тухайн хэвээрээ байх явдлыг илэрхийлдэг үг хэллэг.

- **설거지 (нэр үг)** : 음식을 먹고 난 뒤에 그릇을 씻어서 정리하는 일.
  аяга таваг угаах
  хоол идсэний дараа аяга таваг угааж, цэгцлэх явдал.

- 를 : 동작이 직접적으로 영향을 미치는 대상을 나타내는 조사.
  -ыг/-ийг/-г
  үйл хөдлөл шууд нөлөөлж буй тусагдахууныг илэрхийлэх нөхцөл.

- **하다 (үйл үг)** : 어떤 행동이나 동작, 활동 등을 행하다.
  үйлдэх, хийх, гүйцэтгэх
  аливаа үйл хөдлөл, хөдөлгөөн, ажиллагаа зэргийг гүйцэтгэх.

- -지 말다 : 앞의 말이 나타내는 행동을 하지 못하게 함을 나타내는 표현.
  Тохирох үг хэллэг байхгүй байна
  өмнөх үгийн илэрхийлж буй үйлдлийг хийлгэхгүй байх явдлыг илэрхийлдэг үг хэллэг.

- -세요 : (두루높임으로) 설명, 의문, 명령, 요청의 뜻을 나타내는 종결 어미.
  Тохирох үг хэллэг байхгүй байна
  (хүндэтгэлийн энгийн үг хэллэг) тайлбар, асуулт, тушаал, хүсэлтийн утгыг илэрхийлдэг төгсгөх нөхцөл. <тушаал>

방금 잠그(잠ㄱ)+았+어요.
잠갔어요

앞+으로+는 헹구+[ㄹ 때]+만 물+을 틀+[어 놓]+을게요.
헹굴 때만

- **방금 (дайвар үг)** : 말하고 있는 시점보다 바로 조금 전에.
  дөнгөж сая, саяхан
  ярьж буй цаг мөчийн яг өмнөх үе.

- **잠그다 (үйл үг)** : 물, 가스 등이 나오지 않도록 하다.
  хаах, унтраах
  ус, газ, цахилгаан зэргийг гарахгүй болгох.

- -았- : 어떤 사건이 과거에 완료되었거나 그 사건의 결과가 현재까지 지속되는 상황을 나타내는 어미.
  Тохирох Үг хэллэг байхгүй байна
  ямар нэгэн үйл явдал өнгөрсөн цагт болж дууссан буюу тухайн үйл явдлын үр дүн
  өнөөг хүртэл үргэлжилж буй байдлыг илэрхийлдэг нөхцөл.

- -어요 : (두루높임으로) 어떤 사실을 서술하거나 질문, 명령, 권유함을 나타내는 종결 어미.
  Тохирох Үг хэллэг байхгүй байна
  (хүндэтгэлийн энгийн үг хэллэг) ямар нэгэн зүйлийг хүүрнэх, асуух, тушаах, уриалах
  явдлыг илэрхийлдэг төгсгөх нөхцөл. <дүрслэл>

- 앞 (нэр Үг) : 다가올 시간.
  өмнөх
  ойртон ирэх цаг хугацаа.

- 으로 : 시간을 나타내는 조사.
  -д, орчим
  цаг хугацааг илэрхийлж буй нөхцөл.

- 는 : 어떤 대상이 다른 것과 대조됨을 나타내는 조사.
  бол
  ямар нэг зүйлийг өөр зүйлтэй харьцуулах, шалтгаан заах үг

- 헹구다 (Үйл Үг) : 깨끗한 물에 넣어 비눗물이나 더러운 때가 빠지도록 흔들어 씻다.
  зайлах
  эд зүйлийг цэвэр усанд хийж саван болон хир шороог нь арилгахын тулд базан
  булхах.

- -ㄹ 때 : 어떤 행동이나 상황이 일어나는 동안이나 그 시기 또는 그러한 일이 일어난 경우를 나타내는
  표현.
  Тохирох Үг хэллэг байхгүй байна
  ямар нэгэн үйл хөдлөл буюу нөхцөл байдал үргэлжилсээр, тухайн үйл хэрэг болсон
  тохиолдлыг илэрхийлнэ.

- 만 : 다른 것은 제외하고 어느 것을 한정함을 나타내는 조사.
  л, зөвхөн
  өөр бусад зүйлийг эс тооцон тогтсон нэг зүйлийг л илэрхийлж буй нөхцөл.

- 물 (нэр Үг) : 강, 호수, 바다, 지하수 등에 있으며 순수한 것은 빛깔, 냄새, 맛이 없고 투명한 액체.
  ус
  гол, нуур, далай тэнгис, газрын гүнд байдаг, цэвэрхэн үедээ өнгө, үнэр, амтгүй,
  тунгалаг шингэн зүйл.

- 을 : 동작이 직접적으로 영향을 미치는 대상을 나타내는 조사.
  -ыг/-ийг/-г
  үйл хөдлөл шууд нөлөөлж буй тусагдахууныг илэрхийлэх нөхцөл.

• **틀다 (Үйл Үг)** : 수도와 같은 장치를 작동시켜 물이 나오게 하다.

эргҮҮлэх, асаах

крант зэрэг хэрэгсэлийг ажиллуулж ус гаргах.

• **-어 놓다** : 앞의 말이 나타내는 행동을 끝내고 그 결과를 유지함을 나타내는 표현.

Тохирох Үг хэллэг байхгҮй байна

өмнөх Үгийн илэрхийлж буй Үйлдлийг дуусгаж, тухайн Үр дҮнг ҮргэлжлҮҮлэх явдлыг илэрхийлдэг Үг хэллэг.

• **-을게요** : (두루높임으로) 말하는 사람이 어떤 행동을 할 것을 듣는 사람에게 약속하거나 의지를 나타내는 표현.

Тохирох Үг хэллэг байхгҮй байна

(хҮндэтгэлийн энгийн Үг хэллэг) өгҮҮлэгч ямар нэг Үйл хийхээ сонсч байгаа хҮнд амлах болон мэдэгдэхийг илэрхийлдэг Үг хэллэг.

< 대화(ярилцлага) > - 87

작년에 갔던 그 바닷가에 또 가고 싶다.
장녀네 갇떤 그 바닫까에 또 가고 십따.
jangnyeone gatdeon geu badatgae tto gago sipda.

나도 그래. 그때 우리 참 재밌게 놀았었지.
나도 그래. 그때 우리 참 재믿께 노라썯찌.
nado geurae. geuttae uri cham jaemitge norasseotji.

< 설명(тайлбар) / 번역(орчуулга) >

작년+에 <u>가+았던</u> 그 바닷가+에 또 가+[고 싶]+다.
　　　　　 갔던

- **작년 (нэр Үг)** : 지금 지나가고 있는 해의 바로 전 해.
  нөднин жил
  одоо өнгөрч буй жилийн өмнөх жил.

- **에** : 앞말이 시간이나 때임을 나타내는 조사.
  -д/-т
  өмнөх Үг цаг хугацаа болохыг илэрхийлж буй нөхцөл.

- **가다 (Үйл Үг)** : 한 곳에서 다른 곳으로 장소를 이동하다.
  явах, очих
  нэг газраас нөгөө газар руу шилжиж хөдлөх явах.

- **-았던** : 과거의 사건이나 상태를 다시 떠올리거나 그 사건이나 상태가 완료되지 않고 중단되었다는 의
  미를 나타내는 표현.
  Тохирох Үг хэллэг байхгүй байна
  өнгөрсөн явдал ба байдлыг дахин санах буюу уг явдал ба байдал бүрэн дуусалгүй
  зогссон гэсэн утгыг илэрхийлдэг Үг хэллэг.

- **그 (тодотгол Үг)** : 듣는 사람에게 가까이 있거나 듣는 사람이 생각하고 있는 대상을 가리킬 때 쓰는
  말.
  тэр, тэр юм
  сонсож буй хүнд ойр байх буюу сонсож буй хүний бодож буй зүйлийг заах үед
  хэрэглэдэг Үг.

- 바닷가 (нэр Үг) : 바다와 육지가 맞닿은 곳이나 그 근처.

  далайн эрэг

  далай ба эх газрын зааг газар болон түүний эргэн тойрон.

- 에 : 앞말이 목적지이거나 어떤 행위의 진행 방향임을 나타내는 조사.

  -руу/-рүү, -луу/-лүү

  өмнөх үг зорьсон газар буюу ямар нэгэн үйлийн чиглэлийг зааж байгаа болохыг илэрхийлж буй нөхцөл.

- 또 (дайвар Үг) : 어떤 일이나 행동이 다시.

  бас, дахин

  ямар нэг явдал ба үйл хөдлөл дахин.

- 가다 (Үйл Үг) : 한 곳에서 다른 곳으로 장소를 이동하다.

  явах, очих

  нэг газраас нөгөө газар руу шилжиж хөдлөх явах.

- -고 싶다 : 앞의 말이 나타내는 행동을 하기를 원함을 나타내는 표현.

  Тохирох үг хэллэг байхгүй байна

  өмнөх үгийн илэрхийлж буй үйлдлийг хийхийг хүсэх явдлыг илэрхийлдэг үг хэллэг.

- -다 : (아주낮춤으로) 어떤 사건이나 사실, 상태를 서술함을 나타내는 종결 어미.

  Тохирох үг хэллэг байхгүй байна

  (огт хүндэтгэлгүй үг хэллэг) одоогийн хэрэг явдал буюу үнэн явлыг хүүрнэхийг илэрхийлдэг төгсгөх нөхцөл.

나+도 그렇+어.
　　그래

그때 우리 참 재밌+게 놀+았었+지.

- 나 (төлөөний Үг) : 말하는 사람이 친구나 아랫사람에게 자기를 가리키는 말.

  би

  өгүүлэгч этгээд найз буюу өөрөөсөө дүү хүнтэй ярихад өөрийг заасан үг.

- 도 : 이미 있는 어떤 것에 다른 것을 더하거나 포함함을 나타내는 조사.

  ч

  нэгэнт байгаа зүйл дээр өөр зүйлийг нэмэх буюу хамруулсныг илэрхийлж буй нөхцөл.

- 그렇다 (тэмдэг нэр) : 상태, 모양, 성질 등이 그와 같다.

  тийм, тиймэрхүү

  нөхцөл байдал, хэлбэр дүрс, шинж чанар нь дараагийн хэлсэн үгтэй адил байх.

• -어 : (두루낮춤으로) 어떤 사실을 서술하거나 물음, 명령, 권유를 나타내는 종결 어미.

Тохирох Үг хэллэг байхгҮй байна

(хҮндэтгэлийн бус энгийн Үг хэллэг) ямар нэгэн зҮйлийг дҮрслэх буюу асуулт, тушаал, зөвлөмж зэргийг илэрхийлдэг төгсгөх нөхцөл. <дҮрслэл>

• 그때 (нэр Үг) : 앞에서 이야기한 어떤 때.

тэр Үед, тэгэхэд

өмнө нь ярьсан тэр Үе.

• 우리 (төлөөний Үг) : 말하는 사람이 자기와 듣는 사람 또는 이를 포함한 여러 사람들을 가리키는 말.

бид, манай, хэдҮҮлээ

ярьж байгаа хҮн өөрөө болон тҮҮнийг сонсож байгаа хҮн, мөн энд хамрагдаж байгаа хэд хэдэн хҮнийг заах Үг.

• 참 (дайвар Үг) : 사실이나 이치에 조금도 어긋남이 없이 정말로.

Үнэхээр

Үнэн байдал, ёс зҮйгээс огтхон ч гажаагҮй Үнэхээр.

• 재밌다 (тэмдэг нэр) : 즐겁고 유쾌한 느낌이 있다.

сонирхолтой

хөгжилтэй зугаатай мэдрэмж байх.

• -게 : 앞의 말이 뒤에서 가리키는 일의 목적이나 결과, 방식, 정도 등이 됨을 나타내는 연결 어미.

Тохирох Үг хэллэг байхгҮй байна

өмнөх агуулга ард нь зааж буй байдал, зорилго, Үр дҮн, арга барил, хэмжээ зэрэг болохыг илэрхийлдэг холбох нөхцөл.

• 놀다 (Үйл Үг) : 놀이 등을 하면서 재미있고 즐겁게 지내다.

тоглох, зугаацах, хөгжилдөх, наадах, цагийг зугаатай өнгөрҮҮлэх

тоглоом наадам тоглож сонирхолтой, хөгжилтэй өнгөрҮҮлэх.

• -았었- : 현재와 비교하여 다르거나 현재로 이어지지 않는 과거의 사건을 나타내는 어미.

Тохирох Үг хэллэг байхгҮй байна

одоо цагтай харьцуулан өөр байх буюу тасарсан өнгөрсөн Үеийн Үйл явдлыг илэрхийлдэг нөхцөл.

• -지 : (두루낮춤으로) 말하는 사람이 듣는 사람이 이미 알고 있다고 생각하는 것을 확인하며 말할 때 쓰는 종결 어미.

Тохирох Үг хэллэг байхгҮй байна

(хҮндэтгэлийн бус энгийн Үг хэллэг) өгҮҮлэгч этгээд сонсогч этгээд хэдийн мэдэж байгаа гэж бодсон зҮйлийн талаар лавлаж асуухад хэрэглэдэг төгсгөх нөхцөл.

< 대화(ярилцлага) > - 88

계속 돌아다녔더니 배고프다. 점심은 뭘 먹을까?
계속 도라다녇떠니 배고프다. 점시믄 뭘 머글까?
gesok doradanyeotdeoni baegopeuda. jeomsimeun mwol meogeulkka?

진주에 왔으면 비빔밥을 먹어야지.
전주에 와쓰면 비빔빠블 머거야지.
jeonjue wasseumyeon bibimbabeul meogeoyaji.

< 설명(тайлбар) / 번역(орчуулга) >

계속 돌아다니+었더니 배고프+다.
　　　돌아다녔더니

점심+은 뭐+를 먹+을까?
　　　　뭘

- 계속 (дайвар үг) : 끊이지 않고 잇따라.
  Үргэлжлэн, Үргэлжлүүлэн
  зогсохгүйгээр үргэлжлэн.

- 돌아다니다 (үйл үг) : 여기저기를 두루 다니다.
  хэрэн явах, хэсэх
  ийшээ тийшээ хэсэн явах.

- -었더니 : 과거의 사실이나 상황이 뒤에 오는 말의 원인이나 이유가 됨을 나타내는 표현.
  Тохирох үг хэллэг байхгүй байна
  өнгөрсөн явдал буюу байдал хойно өгүүлэх үгийн үндэс буюу шалтгаан болохыг
  илэхийлдэг үг хэллэг.

- 배고프다 (тэмдэг нэр) : 배 속이 빈 것을 느껴 음식이 먹고 싶다.
  гэдэс өлсөх
  хоол тэжээл идэхийг хүсч байгаагаа мэдрэх.

• -다 : (아주낮춤으로) 어떤 사건이나 사실, 상태를 서술함을 나타내는 종결 어미.
  Тохирох үг хэллэг байхгүй байна
  (огт хүндэтгэлгүй үг хэллэг) одоогийн хэрэг явдал буюу үнэн явлыг хүүрнэхийг
  илэрхийлдэг төгсгөх нөхцөл.

• **점심 (нэр үг)** : 아침과 저녁 식사 중간에, 낮에 하는 식사.
  Үдийн хоол
  өглөө, оройн хоолны хооронд, өдөр иддэг хоол.

• 은 : 문장 속에서 어떤 대상이 화제임을 나타내는 조사.
  Тохирох үг хэллэг байхгүй байна
  өгүүлбэрт ямар зүйл ярианы сэдэв болж буйг илэрхийлдэг нөхцөл.

• **뭐 (төлөөний үг)** : 모르는 사실이나 사물을 가리키는 말.
  юу
  мэдэхгүй зүйл буюу эд зүйлийг заах үг.

• 를 : 동작이 직접적으로 영향을 미치는 대상을 나타내는 조사.
  -ыг/-ийг/-г
  үйл хөдлөл шууд нөлөөлж буй тусагдахууныг илэрхийлэх нөхцөл.

• **먹다 (үйл үг)** : 음식 등을 입을 통하여 배 속에 들여보내다.
  идэх
  хоол хүнс зэргийг амаар дамжуулан гэдсэндээ хийх.

• -을까 : (두루낮춤으로) 듣는 사람의 의사를 물을 때 쓰는 종결 어미.
  Тохирох үг хэллэг байхгүй байна
  (хүндэтгэлийн бус энгийн үг хэллэг) өгүүлж буй этгээдийн бодол санаа буюу
  таамгийг илэрхийлэх, эсрэг хүнийхээ санаа бодлыг асуухад хэрэглэдэг төгсгөх
  нөхцөл.

전주+에 오+<u>았으면</u> 비빔밥+을 먹+어야지.
왔으면

• **전주 (нэр үг)** : 한국의 전라북도 중앙부에 있는 시. 전라북도의 도청 소재지이며, 창호지, 장판지의 생
              산과 전주비빔밥 등으로 유명하다.
  Жоньжү
  Солонгосын Жоллабүг-ду аймгийн төвд байдаг хот. Жоллабүг-ду аймгийн төв бөгөөд
  муутуу цаас, хулдаасны үйлдвэрлэл буюу Чоньжү бибимбаб хоол зэргээр алдартай.

- 에 : 앞말이 목적지이거나 어떤 행위의 진행 방향임을 나타내는 조사.

  -руу/-рҮҮ, -луу/-лҮҮ

  өмнөх Yг зорьсон газар буюу ямар нэгэн Yйлийн чиглэлийг зааж байгаа болохыг илэрхийлж буй нөхцөл.

- **오다 (Yйл Yг)** : 가고자 하는 곳에 이르다.

  ирэх

  явах гэсэн газартаа хYрэх.

- -았으면 : 앞의 말이 나타내는 과거의 상황이 뒤의 내용의 조건이 됨을 나타내는 표현.

  Тохирох Yг хэллэг байхгYй байна

  өмнөх Yгийн илэрхийлж буй нөхцөл байдал нь арын Yгний нөхцөл шаардлага болж байгааг илэрхийлдэг Yг хэллэг.

- **비빔밥 (нэр Yг)** : 고기, 버섯, 계란, 나물 등에 여러 가지 양념을 넣고 비벼 먹는 밥.

  бибимбаб

  мах, мөөг, өндөг, ногоо зэрэг дээр олон төрлийн амтлагч хольж хутгаж иддэг хоол.

- 을 : 동작이 직접적으로 영향을 미치는 대상을 나타내는 조사.

  -ыг/-ийг/-г

  Yйл хөдлөл шууд нөлөөлж буй тусагдахууныг илэрхийлэх нөхцөл.

- **먹다 (Yйл Yг)** : 음식 등을 입을 통하여 배 속에 들여보내다.

  идэх

  хоол хYнс зэргийг амаар дамжуулан гэдсэндээ хийх.

- -어야지 : (두루낮춤으로) 말하는 사람의 결심이나 의지를 나타내는 종결 어미.

  Тохирох Yг хэллэг байхгYй байна

  (хYндэтгэлийн бус энгийн Yг хэллэг) өгYYлэгч этгээдийн шийдвэр буюу санаа зорилгыг илэрхийлдэг төгсгөх нөхцөл.

< 대화(ярилцлага) > - 89

내일이 소풍인데 비가 너무 많이 오네.
내이리 소풍인데 비가 너무 마니 오네.
naeiri sopunginde biga neomu mani one.

그러게. 내일은 날씨가 맑았으면 좋겠다.
그러게. 내이른 날씨가 말가쓰면 조켇따.
geureoge. naeireun nalssiga malgasseumyeon joketda.

< 설명(тайлбар) / 번역(орчуулга) >

내일+이 소풍+이+ㄴ데 비+가 너무 많이 오+네.
　　　　소풍인데

- **내일 (нэр Үг)** : 오늘의 다음 날.
  маргааш
  өнөөдрийн дараах өдөр.

- **이** : 어떤 상태나 상황의 대상이나 동작의 주체를 나타내는 조사.
  Тохирох Үг хэллэг байхгҮй байна
  ямар нэгэн төлөв, байдлын субьект, мөн Үйл хөдлөлийн эзэн болохыг илэрхийлэх нөхцөл.

- **소풍 (нэр Үг)** : 경치를 즐기거나 놀이를 하기 위하여 야외에 나갔다 오는 일.
  зугаалга, аялал
  байгалийн сайхныг мэдэрч, зугаацахаар гадагш явж ирэх явдал.

- **이다** : 주어가 지시하는 대상의 속성이나 부류를 지정하는 뜻을 나타내는 서술격 조사.
  Тохирох Үг хэллэг байхгҮй байна
  эзэн биеийн зааж буй обьектын шинж чанар, төрөл зҮйлийг тодорхойлох утгыг илэрхийлэх өгҮҮлэхҮҮний тийн ялгалын нөхцөл.

- **-ㄴ데** : 뒤의 말을 하기 위하여 그 대상과 관련이 있는 상황을 미리 말함을 나타내는 연결 어미.
  Тохирох Үг хэллэг байхгҮй байна
  дараагийн агуулгаар ҮргэлжлҮҮлэн ярихын тулд тухайн зҮйлтэй холбоотой нөхцөл байдлыг урьдчилан хэлж буйг илэрхийлдэг холбох нөхцөл.

- 비 (нэр Үг) : 높은 곳에서 구름을 이루고 있던 수증기가 식어서 뭉쳐 떨어지는 물방울.
  бороо
  өндөрт үүл болж хуран байсан усны уур хөрч нягтраад доош унах усан дусал.

- 가 : 어떤 상태나 상황에 놓인 대상이나 동작의 주체를 나타내는 조사.
  Тохирох үг хэллэг байхгүй байна
  ямар нэгэн төлөв, байдлын субьект, мөн үйл хөдлөлийн эзэн болохыг илэрхийлэх нөхцөл.

- 너무 (дайвар үг) : 일정한 정도나 한계를 훨씬 넘어선 상태로.
  дэндүү, хэтэрхий, хэт
  тогтсон хэмжээ болон хязгаарыг маш их хэтэрсэн байдал.

- 많이 (дайвар үг) : 수나 양, 정도 등이 일정한 기준보다 넘게.
  их, олон
  тоо, хэр хэмжээ мэтийн зүйл тодорхой нэг түвшингөөс хэтэрсэн.

- 오다 (Үйл Үг) : 비, 눈 등이 내리거나 추위 등이 닥치다.
  орох, болох
  бороо, цас орох юм уу хүйтэн болох.

- -네 : (아주낮춤으로) 지금 깨달은 일에 대하여 말함을 나타내는 종결 어미.
  Тохирох үг хэллэг байхгүй байна
  (огт хүндэтгэлгүй үг хэллэг) одоо ойлгож ухаарсан зүйлийнхээ талаар ярьж байгааг илэрхийлдэг төгсгөх нөхцөл.

그러게.

내일+은 날씨+가 맑+[았으면 좋겠]+다.

- 그러게 (аялга үг) : 상대방의 말에 찬성하거나 동의하는 뜻을 나타낼 때 쓰는 말.
  харин тийм
  өмнө нь ярьсан зүйл үнэн болохыг нөгөө хүндээ онцлон хэлэх үед хэрэглэдэг үг.

- 내일 (нэр Үг) : 오늘의 다음 날.
  маргааш
  өнөөдрийн дараах өдөр.

- 은 : 어떤 대상이 다른 것과 대조됨을 나타내는 조사.
  бол
  ямар нэгэн зүйл өөр зүйлтэй харьцуулагдаж байгааг илэрхийлдэг нөхцөл.

• **날씨 (нэр үг)** : 그날그날의 기온이나 공기 중에 비, 구름, 바람, 안개 등이 나타나는 상태.

цаг агаар

тухайн өдрийн уур амьсгал болон агаарт бороо, цас, үүл, салхи, манан зэрэг үүсэн бий болсон байдал.

• **가** : 어떤 상태나 상황에 놓인 대상이나 동작의 주체를 나타내는 조사.

Тохирох үг хэллэг байхгүй байна

ямар нэгэн төлөв, байдлын субьект, мөн үйл хөдлөлийн эзэн болохыг илэрхийлэх нөхцөл.

• **맑다 (тэмдэг нэр)** : 구름이나 안개가 끼지 않아 날씨가 좋다.

цэлмэг

үүл манан татаагүй цаг агаар сайхан байх.

• **-았으면 좋겠다** : 말하는 사람의 소망이나 바람을 나타내거나 현실과 다르게 되기를 바라는 것을 나타
내는 표현.

Тохирох үг хэллэг байхгүй байна

өгүүлэгчийн хүсэл зорилгыг илэрхийлэх буюу бодит байдлаас өөр болохыг хүсч байгааг илэрхийлдэг үг хэллэг.

• **-다** : (아주낮춤으로) 어떤 사건이나 사실, 상태를 서술함을 나타내는 종결 어미.

Тохирох үг хэллэг байхгүй байна

(огт хүндэтгэлгүй үг хэллэг) одоогийн хэрэг явдал буюу үнэн явлыг хүүрнэхийг илэрхийлдэг төгсгөх нөхцөл.

< 대화(ярилцлага) > - 90

교수님, 오늘 수업 내용에 대한 질문이 있습니다.
교수님, 오늘 수업 내용에 대한 질무니 읻씀니다.
gyosunim, oneul sueop naeyonge daehan jilmuni itseumnida.

이해가 인 되는 부분이 있으면 편하게 얘기하세요.
이해가 안 되는 부부니 이쓰면 편하게 얘기하세요.
ihaega an doeneun bubuni isseumyeon pyeonhage yaegihaseyo.

< 설명(тайлбар) / 번역(орчуулга) >

교수+님, 오늘 수업 내용+[에 대한] 질문+이 있+습니다.

- 교수 (нэр Үг) : 대학에서 학문을 연구하고 가르치는 일을 하는 사람. 또는 그 직위.
  их дээд сургуулийн багш
  их дээд сургуульд эрдэм шинжилгээний судалгаа хийжзааж сургах Үйлийг эрхлэх хҮн.
  мөн тухайн албан тушаал.

- 님 : '높임'의 뜻을 더하는 접미사.
  Тохирох Үг хэллэг байхгҮй байна
  'хҮндэтгэх' хэмээх утга нэмдэг дагавар.

- 오늘 (нэр Үг) : 지금 지나가고 있는 이날.
  өнөөдөр
  одоо өнгөрөн одож буй энэ өдөр.

- 수업 (нэр Үг) : 교사가 학생에게 지식이나 기술을 가르쳐 줌.
  хичээл
  багш оюутанд мэдлэг, ур чадвар зааж өгөх явдал.

- 내용 (нэр Үг) : 사물이나 일의 속을 이루는 사정이나 형편.
  утга, агуулга
  эд зҮйл буюу Үйл явдлийн дотор агуулж буй утга буюу байдал.

• 에 대한 : 뒤에 오는 명사를 수식하며 앞에 오는 명사를 뒤에 오는 명사의 대상으로 함을 나타내는 표
　　　　현.
　-ны/ний тухай, -ны/ний талаар
　ардаа орох нэр Үгийг чимэглэн өмнөө орох нэр Үгийг ард орох нэр Үгийн оъект
　болгохыг илэрхийлдэг илэрхийлэл.

• **질문 (нэр Үг)** : 모르는 것이나 알고 싶은 것을 물음.
　асуулт
　мэдэхгҮй зҮйл юмуу мэдэхийг хҮссэн зҮйлээ асуух явдал.

• 이 : 어떤 상태나 상황의 대상이나 동작의 주체를 나타내는 조사.
　Тохирох Үг хэллэг байхгҮй байна
　ямар нэгэн төлөв, байдлын субъект, мөн Үйл хөдлөлийн эзэн болохыг илэрхийлэх
　нөхцөл.

• **있다 (тэмдэг нэр)** : 사실이나 현상이 존재하다.
　байх
　бодит Үнэн буюу Үзэгдэл орших.

• -습니다 : (아주높임으로) 현재의 동작이나 상태, 사실을 정중하게 설명함을 나타내는 종결 어미.
　Тохирох Үг хэллэг байхгҮй байна
　(дээдлэн хҮндэтгэх Үг хэллэг) одоогийн Үйлдэл буюу байдлыг ёсорхог байдлаар
　тайлбарлах явдлыг илэрхийлдэг төгсгөх нөхцөл.

이해+가 안 되+는 부분+이 있+으면 편하+게 얘기하+세요.

• **이해 (нэр Үг)** : 무엇을 깨달아 앎. 또는 잘 알아서 받아들임.
　ойлголт
　ямар нэгэн зҮйлийг ухааран мэдэх явдал. мөн сайн ойлгож хҮлээн авах явдал.

• 가 : 바뀌게 되는 대상이나 부정하는 대상임을 나타내는 조사.
　Тохирох Үг хэллэг байхгҮй байна
　өөрчлөгдсөн, мөн ҮгҮйсгэсэн зҮйл болохыг илэрхийлдэг нэрийн нөхцөл.

• **안 (дайвар Үг)** : 부정이나 반대의 뜻을 나타내는 말.
　эс, Үл, ҮгҮй, -гҮй
　сөрөг буюу эсрэг утгыг илэрхийлдэг Үг.

• **되다 (Үйл Үг)** : 어떠한 심리적인 상태에 있다.
　болох
　ямар нэгэн сэтгэл санааны байдалд байх.

• -는 : 앞의 말이 관형어의 기능을 하게 만들고 사건이나 동작이 현재 일어남을 나타내는 어미.

Тохирох Үг хэллэг байхгүй байна

өмнөх Үгийг тодотгол гишүүний үүрэгтэй болгож, хэрэг явдал буюу үйлдэл нь одоо өрнөж байгааг илэрхийлдэг нөхцөл.

• **부분 (нэр Үг)** : 전체를 이루고 있는 작은 범위. 또는 전체를 여러 개로 나눈 것 가운데 하나.

хэсэг

нийтийг бүрдүүлж буй жижиг хүрээ. мөн нийтийг олон хэсэгт хуваасан зүйлийн дундах нэг.

• **이** : 어떤 상태나 상황의 대상이나 동작의 주체를 나타내는 조사.

Тохирох Үг хэллэг байхгүй байна

ямар нэгэн төлөв, байдлын субьект, мөн үйл хөдлөлийн эзэн болохыг илэрхийлэх нөхцөл.

• **있다 (тэмдэг нэр)** : 사실이나 현상이 존재하다.

байх

бодит үнэн буюу үзэгдэл орших.

• **-으면** : 뒤에 오는 말에 대한 근거나 조건이 됨을 나타내는 연결 어미.

Тохирох Үг хэллэг байхгүй байна

хойдох агуулгын нөхцөл болзол болохыг илэрхийлдэг холбох нөхцөл.

• **편하다 (тэмдэг нэр)** : 몸이나 마음이 괴롭지 않고 좋다.

таатай, тайван, амгалан

бие, сэтгэл зовлонгүй сайхан байх.

• **-게** : 앞의 말이 뒤에서 가리키는 일의 목적이나 결과, 방식, 정도 등이 됨을 나타내는 연결 어미.

Тохирох Үг хэллэг байхгүй байна

өмнөх агуулга ард нь зааж буй байдал, зорилго, үр дүн, арга барил, хэмжээ зэрэг болохыг илэрхийлдэг холбох нөхцөл.

• **얘기하다 (Үйл Үг)** : 어떠한 사실이나 상태, 현상, 경험, 생각 등에 관해 누군가에게 말을 하다.

ярих, хэлэх

хэн нэгэнд болсон явдал, байдал, үзэгдэл, үзсэн харсан, бодож санаж байгаа зүйлээ хэлж ярих.

• **-세요** : (두루높임으로) 설명, 의문, 명령, 요청의 뜻을 나타내는 종결 어미.

Тохирох Үг хэллэг байхгүй байна

(хүндэтгэлийн энгийн үг хэллэг) тайлбар, асуулт, тушаал, хүсэлтийн утгыг илэрхийлдэг төгсгөх нөхцөл. **<тушаал>**

< 대화(ярилцлага) > - 91

어디 아프니? 안색이 안 좋아 보여.
어디 아프니? 안새기 안 조아 보여.
어디 아프니? 안색이 안 좋아 보여.

배가 고파서 빵을 급하게 먹었더니 체한 것 같아요.
배가 고파서 빵을 그파게 머걷떠니 체한 건 가타요.
baega gopaseo ppangeul geupage meogeotdeoni chehan geot gatayo.

< 설명(тайлбар) / 번역(орчуулга) >

어디 아프+니?

안색+이 안 좋+[아 보이]+어.
　　　　　　　좋아 보여

• 어디 (төлөөний үг) : 모르는 곳을 가리키는 말.
　хаана
　мэдэхгүй нэгэн газар.

• 아프다 (тэмдэг нэр) : 다치거나 병이 생겨 통증이나 괴로움을 느끼다.
　өвдөх
　бэртэх ба өвчин тусаж өвдөлт, шаналлыг мэдрэх.

• -니 : (아주낮춤으로) 물음을 나타내는 종결 어미.
　Тохирох үг хэллэг байхгүй байна
　(огт хүндэтгэлгүй үг хэллэг) асуултыг илэрхийлдэг төгсгөх нөхцөл.

• 안색 (нэр үг) : 얼굴에 나타나는 표정이나 빛깔.
　өнгө зүс, царай зүс
　нүүр царайд тодрох өнгө төрх.

• 이 : 어떤 상태나 상황의 대상이나 동작의 주체를 나타내는 조사.
　Тохирох үг хэллэг байхгүй байна
　ямар нэгэн төлөв, байдлын субьект, мөн үйл хөдлөлийн эзэн болохыг илэрхийлэх
　нөхцөл.

• 안 (дайвар Yг) : 부정이나 반대의 뜻을 나타내는 말.

эс, Yл, YгYй, -гYй

сөрөг буюу эсрэг утгыг илэрхийлдэг Yг.

• 좋다 (тэмдэг нэр) : 신체적 조건이나 건강 상태 등이 보통보다 낫다.

сайн, сайтай

бие махбодын болон эрYYл мэндийн байдал хэвийн хэмжээнээс илYY.

• -아 보이다 : 겉으로 볼 때 앞의 말이 나타내는 것처럼 느껴지거나 추측됨을 나타내는 표현.

Тохирох Yг хэллэг байхгYй байна

гаднаас нь харахад өмнөх Yг нь илэрхийлж буй мэт мэдрэгдэх буюу багцаалж буйг илэрхийлдэг Yг хэллэг.

• -어 : (두루낮춤으로) 어떤 사실을 서술하거나 물음, 명령, 권유를 나타내는 종결 어미.

Тохирох Yг хэллэг байхгYй байна

(хYндэтгэлийн бус энгийн Yг хэллэг) ямар нэгэн зYйлийг дYрслэх буюу асуулт, тушаал, зөвлөмж зэргийг илэрхийлдэг төгсгөх нөхцөл. <дYрслэл>

배+가 고파(고ㅍ)+아서 빵+을 급하+게 먹+었더니 체하+[ㄴ 것 같]+아요.
고파서   체한 것 같아요

• 배 (нэр Yг) : 사람이나 동물의 몸에서 음식을 소화시키는 위장, 창자 등의 내장이 있는 곳.

гэдэс, ходоод

хYн болон амьтны биеийн хоол боловсруулах ходоод, гэдэс зэрэг дотор эрхтэн байдаг газар.

• 가 : 어떤 상태나 상황에 놓인 대상이나 동작의 주체를 나타내는 조사.

Тохирох Yг хэллэг байхгYй байна

ямар нэгэн төлөв, байдлын субьект, мөн Yйл хөдлөлийн эзэн болохыг илэрхийлэх нөхцөл.

• 고프다 (тэмдэг нэр) : 뱃속이 비어 음식을 먹고 싶다.

өлсөх

гэдэс хонхолзож, юм идэх хYсэл төрөх.

• -아서 : 이유나 근거를 나타내는 연결 어미.

Тохирох Yг хэллэг байхгYй байна

учир шалтгаан буюу Yндэслэлийг илэрхийлдэг холбох нөхцөл.

• 빵 (нэр Yг) : 밀가루를 반죽하여 발효시켜 찌거나 구운 음식.

талх

гурилыг зуурч эсгээд, жигнэх болон хайрч хийсэн хYнсний бYтээгдэхYYн.

• 을 : 동작이 직접적으로 영향을 미치는 대상을 나타내는 조사.
-ыг/-ийг/-г
Үйл хөдлөл шууд нөлөөлж буй тусагдахууныг илэрхийлэх нөхцөл.

• 급하다 (тэмдэг нэр) : 시간적 여유 없이 일을 서둘러 매우 빠르다.
хурдан шуурхай, түргэн
цаг завгүй ажлаа яаравчлан хурдлах.

• -게 : 앞의 말이 뒤에서 가리키는 일의 목적이나 결과, 방식, 정도 등이 됨을 나타내는 연결 어미.
Тохирох үг хэллэг байхгүй байна
өмнөх агуулга ард нь зааж буй байдал, зорилго, үр дүн, арга барил, хэмжээ зэрэг
болохыг илэрхийлдэг холбох нөхцөл.

• 먹다 (үйл үг) : 음식 등을 입을 통하여 배 속에 들여보내다.
идэх
хоол хүнс зэргийг амаар дамжуулан гэдсэндээ хийх.

• -었더니 : 과거의 사실이나 상황이 뒤에 오는 말의 원인이나 이유가 됨을 나타내는 표현.
Тохирох үг хэллэг байхгүй байна
өнгөрсөн явдал буюу байдал хойно өгүүлэх үгийн үндэс буюу шалтгаан болохыг
илэхийлдэг үг хэллэг.

• 체하다 (үйл үг) : 먹은 음식이 잘 소화되지 않아 배 속에 답답하게 남아 있다.
түгжрэх
идсэн хоол сайн шингэхгүй гэдсэн дотор түгжрэн үлдсэн байх.

• -ㄴ 것 같다 : 추측을 나타내는 표현.
Тохирох үг хэллэг байхгүй байна
таамаглалыг илэрхийлдэг үг хэллэг.

• -아요 : (두루높임으로) 어떤 사실을 서술하거나 질문, 명령, 권유함을 나타내는 종결 어미.
Тохирох үг хэллэг байхгүй байна
(хүндэтгэлийн энгийн үг хэллэг) ямар нэгэн зүйлийг хүүрнэх, асуух, тушаах, уриалах
явдлыг илэрхийлдэг төгсгөх нөхцөл. <дүрслэл>

< 대화(ярилцлага) > - 92

배가 좀 아픈데 우리 잠깐 쉬었다 가자.
배가 좀 아픈데 우리 잠깐 쉬얻따 가자.
baega jom apeunde uri jamkkan swieotda gaja.

음식을 믹은 다음에 바로 운동을 해서 그런가 보다.
음시글 머근 다으메 바로 운동을 해서 그런가 보다.
eumsigeul meogeun daeume baro undongeul haeseo geureonga boda.

< 설명(тайлбар) / 번역(орчуулга) >

배+가 좀 <u>아프+ㄴ데</u> 우리 잠깐 쉬+었+다 가+자.
아픈데

- 배 (нэр Үг) : 사람이나 동물의 몸에서 음식을 소화시키는 위장, 창자 등의 내장이 있는 곳.
  гэдэс, ходоод
  хүн болон амьтны биеийн хоол боловсруулах ходоод, гэдэс зэрэг дотор эрхтэн байдаг газар.

- 가 : 어떤 상태나 상황에 놓인 대상이나 동작의 주체를 나타내는 조사.
  Тохирох Үг хэллэг байхгүй байна
  ямар нэгэн төлөв, байдлын субьект, мөн Үйл хөдлөлийн эзэн болохыг илэрхийлэх нөхцөл.

- 좀 (дайвар Үг) : 분량이나 정도가 적게.
  жаахан, хэсэг, арай, бага зэрэг
  тоо болон хэмжээ нь бага.

- 아프다 (тэмдэг нэр) : 다치거나 병이 생겨 통증이나 괴로움을 느끼다.
  өвдөх
  бэртэх ба өвчин тусаж өвдөлт, шаналлыг мэдрэх.

- -ㄴ데 : 뒤의 말을 하기 위하여 그 대상과 관련이 있는 상황을 미리 말함을 나타내는 연결 어미.
  Тохирох Үг хэллэг байхгүй байна
  дараагийн агуулгаар үргэлжлүүлэн ярихын тулд тухайн зүйлтэй холбоотой нөхцөл байдлыг урьдчилан хэлж буйг илэрхийлдэг холбох нөхцөл.

• 우리 (төлөөний үг) : 말하는 사람이 자기와 듣는 사람 또는 이를 포함한 여러 사람들을 가리키는 말.
бид, манай, хэдүүлээ
ярьж байгаа хүн өөрөө болон түүнийг сонсож байгаа хүн, мөн энд хамрагдаж байгаа хэд хэлэн хүнийг заах үг.

• 잠깐 (дайвар үг) : 아주 짧은 시간 동안에.
түр, түр зуур, агшин зуур
маш богино хугацааны дотор.

• 쉬다 (үйл үг) : 피로를 없애기 위해 몸을 편안하게 하다.
амрах
ядаргаагаа гаргахын тулд биеэ амраах.

• -었- : 어떤 사건이 과거에 완료되었거나 그 사건의 결과가 현재까지 지속되는 상황을 나타내는 어미.
Тохирох үг хэллэг байхгүй байна
ямар нэгэн хэрэг явдал өнгөрсөн үед болж өнгөрсөн буюу тухайн үйлийн үр дүн өнөөг хүртэл үргэлжилж буй нөхцөл байдлыг илэрхийлдэг нөхцөл.

• -다 : 어떤 행동이나 상태 등이 중단되고 다른 행동이나 상태로 바뀜을 나타내는 연결 어미.
Тохирох үг хэллэг байхгүй байна
ямар нэгэн үйл хөдлөл түр завсарлаж өөр үйлдэл, байдлаар өөрчлөгдөж байгааг илэрхийлдэг холбох нөхцөл.

• 가다 (үйл үг) : 한 곳에서 다른 곳으로 장소를 이동하다.
явах, очих
нэг газраас нөгөө газар руу шилжиж хөдлөх явах.

• -자 : (아주낮춤으로) 어떤 행동을 함께 하자는 뜻을 나타내는 종결 어미.
Тохирох үг хэллэг байхгүй байна
(огт хүндэтгэлгүй үг хэллэг) ямар нэгэн үйл хөдлөлийг хамтран хийе хэмээн санал тавих явдлыг илэрхийлдэг төгсгөх нөхцөл.

음식+을 먹+[은 다음에] 바로 운동+을 <u>하</u>+여서 <u>그렇(그러)+[ㄴ가 보]+다</u>.
해서　　　　그런가 보다

• 음식 (нэр үг) : 사람이 먹거나 마시는 모든 것.
идэх юм, хоол, идээ
хүний идэж уудаг бүхий л зүйл.

• 을 : 동작이 직접적으로 영향을 미치는 대상을 나타내는 조사.
-ыг/-ийг/-г
үйл хөдлөл шууд нөлөөлж буй тусагдахууныг илэрхийлэх нөхцөл.

• 먹다 (Үйл Үг) : 음식 등을 입을 통하여 배 속에 들여보내다.
идэх
хоол хүнс зэргийг амаар дамжуулан гэдсэндээ хийх.

• -은 다음에 : 앞에 오는 말이 가리키는 일이나 과정이 끝난 뒤임을 나타내는 표현.
Тохирох Үг хэллэг байхгүй байна
өмнөх үгийн зааж буй ажил хэрэг буюу явц дууссаны дараа болохыг илэрхийлдэг үг хэллэг.

• 바로 (дайвар Үг) : 시간 차를 두지 않고 곧장.
даруй, тэр даруй, шууд
цагийн ялгаа байлгахгүйгээр шууд.

• 운동 (нэр Үг) : 몸을 단련하거나 건강을 위하여 몸을 움직이는 일.
биеийн тамирын дасгал
биеэ дасгалжуулах юм уу эрүүл байхын тулд биеэ хөдөлгөх явдал.

• 을 : 동작이 직접적으로 영향을 미치는 대상을 나타내는 조사.
-ыг/-ийг/-г
Үйл хөдлөл шууд нөлөөлж буй тусагдахууныг илэрхийлэх нөхцөл.

• 하다 (Үйл Үг) : 어떤 행동이나 동작, 활동 등을 행하다.
Үйлдэх, хийх, гүйцэтгэх
аливаа үйл хөдлөл, хөдөлгөөн, ажиллагаа зэргийг гүйцэтгэх.

• -여서 : 이유나 근거를 나타내는 연결 어미.
Тохирох Үг хэллэг байхгүй байна
учир шалтгаан буюу үндэслэлийг илэрхийлдэг холбох нөхцөл.

• 그렇다 (тэмдэг нэр) : 상태, 모양, 성질 등이 그와 같다.
тийм, тиймэрхүү
нөхцөл байдал, хэлбэр дүрс, шинж чанар нь дараагийн хэлсэн үгтэй адил байх.

• -ㄴ가 보다 : 앞의 말이 나타내는 사실을 추측함을 나타내는 표현.
Тохирох Үг хэллэг байхгүй байна
өмнөх үгийн илэрхийлж буй зүйлийг таамаглах үед хэрэглэдэг хэллэг.

• -다 : (아주낮춤으로) 어떤 사건이나 사실, 상태를 서술함을 나타내는 종결 어미.
Тохирох Үг хэллэг байхгүй байна
(огт хүндэтгэлгүй үг хэллэг) одоогийн хэрэг явдал буюу үнэн явлыг хүүрнэхийг илэрхийлдэг төгсгөх нөхцөл.

< 대화(ярилцлага) > - 93

우리 저기 보이는 카페에 가서 같이 커피 마실까요?
우리 저기 보이는 카페에 가서 가치 커피 마실까요?
uri jeogi boineun kapee gaseo gachi keopi masilkkayo?

좋아요. 오늘은 제가 살게요.
조아요. 오느른 제가 살께요.
joayo. oneureun jega salgeyo.

< 설명(тайлбар) / 번역(орчуулга) >

우리 저기 보이+는 카페+에 <u>가+(아)서</u> 같이 커피 <u>마시+ㄹ까요</u>?
　　　　　　　　　　　가서　　　　　　　　**마실까요**

- **우리 (төлөөний үг)** : 말하는 사람이 자기와 듣는 사람 또는 이를 포함한 여러 사람들을 가리키는 말.
  бид, манай, хэдүүлээ
  ярьж байгаа хүн өөрөө болон түүнийг сонсож байгаа хүн, мөн энд хамрагдаж байгаа хэд хэдэн хүнийг заах үг.

- **저기 (төлөөний үг)** : 말하는 사람이나 듣는 사람으로부터 멀리 떨어져 있는 곳을 가리키는 말.
  тэнд, тэр
  өгүүлэгч этгээд болон сонсогч этгээдээс хол байгаа газрыг заан нэрлэсэн үг.

- **보이다 (үйл үг)** : 눈으로 대상의 존재나 겉모습을 알게 되다.
  харагдах
  нүдэнд ямар нэг зүйлийн оршихуй буюу хэлбэр дүрс харагдан мэдэгдэх.

- **-는** : 앞의 말이 관형어의 기능을 하게 만들고 사건이나 동작이 현재 일어남을 나타내는 어미.
  Тохирох үг хэллэг байхгүй байна
  өмнөх үгийг тодотгол гишүүний үүрэгтэй болгож, хэрэг явдал буюу үйлдэл нь одоо өрнөж байгааг илэрхийлдэг нөхцөл.

- **카페 (нэр үг)** : 주로 커피와 차, 가벼운 간식거리 등을 파는 가게.
  кафе
  ихэвчлэн кофе, цай, хөнгөн амттан зэрэг зардаг газар.

• 에 : 앞말이 목적지이거나 어떤 행위의 진행 방향임을 나타내는 조사.

-руу/-рҮҮ, -луу/-лҮҮ

өмнөх Үг зорьсон газар буюу ямар нэгэн Үйлийн чиглэлийг зааж байгаа болохыг илэрхийлж буй нөхцөл.

• 가다 (Үйл Үг) : 한 곳에서 다른 곳으로 장소를 이동하다.

явах, очих

нэг газраас нөгөө газар руу шилжиж хөдлөх явах.

• -아서 : 앞의 말과 뒤의 말이 순차적으로 일어남을 나타내는 연결 어미.

Тохирох Үг хэллэг байхгҮй байна

өмнөх Үг ба ардах Үг ээлж дараагаар бий болох явдлыг илэрхийлдэг холбох нөхцөл.

• 같이 (дайвар Үг) : 둘 이상이 함께.

хамт

хоёроос дээш зҮйл цугтаа.

• 커피 (нэр Үг) : 독특한 향기가 나고 카페인이 들어 있으며 약간 쓴, 커피나무의 열매로 만든 진한 갈색의 차.

кофе

өвөрмөц Үнэртэй, кофейны хольцтой, бага зэрэг гашуувтар, кофе модны Үрээр чанасан өтгөн бор өнгөтэй цай.

• 마시다 (Үйл Үг) : 물 등의 액체를 목구멍으로 넘어가게 하다.

уух

ус зэргийн зҮйлийг амнаас хоолойгоор оруулах.

• -ㄹ까요 : (두루높임으로) 듣는 사람에게 의견을 묻거나 제안함을 나타내는 표현.

Тохирох Үг хэллэг байхгҮй байна

(хҮндэтгэлийн энгийн Үг хэллэг) сонсч буй хҮний санаа бодлыг асуух буюу сонсч буй хҮнд аливаа зҮйлийг санал болгоход хэрэглэдэг илэрхийлэл.

좋+아요.

오늘+은 제+가 사+ㄹ게요.
살게요

• 좋다 (тэмдэг нэр) : 어떤 일이나 대상이 마음에 들고 만족스럽다.

сайн, сайхан

ямар нэгэн хэрэг явдал ба зҮйл сэтгэлд нийцэн хангалуун байх.

- -아요 : (두루높임으로) 어떤 사실을 서술하거나 질문, 명령, 권유함을 나타내는 종결 어미.

  Тохирох үг хэллэг байхгүй байна

  (хүндэтгэлийн энгийн үг хэллэг) ямар нэгэн зүйлийг хүүрнэх, асуух, тушаах, уриалах явдлыг илэрхийлдэг төгсгөх нөхцөл. <дүрслэл>

- 오늘 (нэр үг) : 지금 지나가고 있는 이날.

  өнөөдөр

  одоо өнгөрөн одож буй энэ өдөр.

- 은 : 어떤 대상이 다른 것과 대조됨을 나타내는 조사.

  бол

  ямар нэгэн зүйл өөр зүйлтэй харьцуулагдаж байгааг илэрхийлдэг нөхцөл.

- 제 (төлөөний үг) : 말하는 사람이 자신을 낮추어 가리키는 말인 '저'에 조사 '가'가 붙을 때의 형태.

  би

  ярьж буй хүн өөрийгөө доошлуулж хэлдэг үг '저' дээр нөхцөл '가' залгасан хэлбэр.

- 가 : 어떤 상태나 상황에 놓인 대상이나 동작의 주체를 나타내는 조사.

  Тохирох үг хэллэг байхгүй байна

  ямар нэгэн төлөв, байдлын субьект, мөн үйл хөдлөлийн эзэн болохыг илэрхийлэх нөхцөл.

- 사다 (үйл үг) : 다른 사람과 함께 먹은 음식의 값을 치르다.

  даах

  бусад хүнтэй хамт идсэн хоол ундны бүх төлбөрийг төлөх.

- -ㄹ게요 : (두루높임으로) 말하는 사람이 어떤 행동을 할 것을 듣는 사람에게 약속하거나 의지를 나타내
  는 표현.

  Тохирох үг хэллэг байхгүй байна

  (хүндэтгэлийн энгийн үг хэллэг) өгүүлэгч ямар нэгэн үйл хийхээ сонсч буй хүндээ амлах буюу мэдэгдэж байгаагаа илэрхийлнэ.

< 대화(ярилцлага) > - 94

어떻게 공부를 했길래 하나도 안 틀렸어요?
어떠케 공부를 핻낄래 하나도 안 틀려써요?
eotteoke gongbureul haetgillae hanado an teullyeosseoyo?

전 그저 학교에서 배운 깃을 삐짐없이 복습했을 뿐이에요.
전 그저 학꾜에서 배운 거슬 빠짐업씨 복쓰패쓸 뿌니에요.
jeon geujeo hakgyoeseo baeun geoseul ppajimeopsi bokseupaesseul ppunieyo.

< 설명(тайлбар) / 번역(орчуулга) >

어떻게 공부+를 <u>하+였+길래</u> 하나+도 안 <u>틀리+었+어요</u>?
　　　　　　했길래　　　　　　　　　**틀렸어요**

- **어떻게 (дайвар Үг)** : 어떤 방법으로. 또는 어떤 방식으로.
  яаж, хэрхэн
  ямар аргаар. мөн ямар арга хэлбэрээр.

- **공부 (нэр Үг)** : 학문이나 기술을 배워서 지식을 얻음.
  хичээл сурлага, судалгаа, хичээл хийх, сурах, судлах
  эрдэм мэдлэг буюу ур чадварыг сурч мэдлэг эзэмших.

- **를** : 동작이 직접적으로 영향을 미치는 대상을 나타내는 조사.
  -ыг/-ийг/-г
  Үйл хөдлөл шууд нөлөөлж буй тусагдахууныг илэрхийлэх нөхцөл.

- **하다 (Үйл Үг)** : 어떤 행동이나 동작, 활동 등을 행하다.
  Үйлдэх, хийх, гҮйцэтгэх
  аливаа Үйл хөдлөл, хөдөлгөөн, ажиллагаа зэргийг гҮйцэтгэх.

- **-였-** : 어떤 사건이 과거에 완료되었거나 그 사건의 결과가 현재까지 지속되는 상황을 나타내는 어미.
  Тохирох Үг хэллэг байхгҮй байна
  ямар нэгэн Үйл явдал өнгөрсөн цагт төгссөн буюу тухайн Үйл явдлын Үр дҮн өнөөг
  хҮртэл Үргэлжилж буй байдлыг илэрхийлдэг нөхцөл.

- **-길래** : 뒤에 오는 말의 원인이나 근거를 나타내는 연결 어미.
  Тохирох Үг хэллэг байхгҮй байна
  арынхаа Үгийн учир шалтгаан буюу Үндэслэлийг илэрхийлдэг холбох нөхцөл.

• 하나 (нэр үг) : 전혀, 조금도.
  ерөөсөө, огт, юу ч, нэг ч
  хэрхэвч, багахан ч.

• 도 : 극단적인 경우를 들어 다른 경우는 말할 것도 없음을 나타내는 조사.
  ч
  туйлын тохиолдлыг авч үзэн өөр тохиолдолд ярихын ч хэрэггүй болохыг илэрхийлж
  буй нөхцөл.

• 안 (дайвар үг) : 부정이나 반대의 뜻을 나타내는 말.
  эс, үл, үгүй, -гүй
  сөрөг буюу эсрэг утгыг илэрхийлдэг үг.

• 틀리다 (үйл үг) : 계산이나 답, 사실 등이 맞지 않다.
  алдах, буруу болох
  тооцоо, хариу үнэн зэрэг таарахгүй байх.

• -었- : 어떤 사건이 과거에 완료되었거나 그 사건의 결과가 현재까지 지속되는 상황을 나타내는 어미.
  Тохирох үг хэллэг байхгүй байна
  ямар нэгэн хэрэг явдал өнгөрсөн үед болж өнгөрсөн буюу тухайн үйлийн үр дүн
  өнөөг хүртэл үргэлжилж буй нөхцөл байдлыг илэрхийлдэг нөхцөл.

• -어요 : (두루높임으로) 어떤 사실을 서술하거나 질문, 명령, 권유함을 나타내는 종결 어미.
  Тохирох үг хэллэг байхгүй байна
  (хүндэтгэлийн энгийн үг хэллэг) ямар нэгэн зүйлийг хүүрнэх, асуух, тушаах, уриалах
  явдлыг илэрхийлдэг төгсгөх нөхцөл. <асуулт>

저+는 그저 학교+에서 배우+[ㄴ 것]+을 빠짐없이 복습하+였+[을 뿐이]]+에요.
전   배운 것을   복습했을 뿐이에요

• 저 (төлөөний үг) : 말하는 사람이 듣는 사람에게 자신을 낮추어 가리키는 말.
  би
  сонсож буй хүнээ хүндэтгэн өөрийгөө доошлуулж хэлэх үг.

• 는 : 문장 속에서 어떤 대상이 화제임을 나타내는 조사.
  Тохирох үг хэллэг байхгүй байна
  өгүүлбэрт ярианы сэдэв болж буйг илэрхийлдэг нөхцөл.

• 그저 (дайвар үг) : 다른 일은 하지 않고 그냥.
  зөвхөн, ганцхан
  өөр зүйл хийхгүй зөвхөн.

- **학교 (нэр үг)** : 일정한 목적, 교과 과정, 제도 등에 의하여 교사가 학생을 가르치는 기관.

  сургууль

  тодорхой зорилго, сургалт, тогтолцоо зэрэгт тулгуурлан сурагчдад сургаж заадаг байгууллага.

- **에서** : 앞말이 행동이 이루어지고 있는 장소임을 나타내는 조사.

  -аас(-ээс, -оос, -өөс)

  өмнөх үг нь үйлдэл нь биелж буй газар болохыг илэрхийлдэг нөхцөл.

- **배우다 (үйл үг)** : 새로운 지식을 얻다.

  сурах, сурч авах

  шинэ мэдлэг олж авах.

- **-ㄴ 것** : 명사가 아닌 것을 문장에서 명사처럼 쓰이게 하거나 '이다' 앞에 쓰일 수 있게 할 때 쓰는 표현.

  Тохирох үг хэллэг байхгүй байна

  өгүүлбэрт нэр үгийн үүргээр орж өгүүлэгдэхүүн буюу тусагдахуун гишүүний үүрэг гүйцэтгэх буюу '<ида>(байх)'-н өмнө ирэх боломжтой болгодог үг хэллэг.

- **을** : 동작이 직접적으로 영향을 미치는 대상을 나타내는 조사.

  -ыг/-ийг/-г

  үйл хөдлөл шууд нөлөөлж буй тусагдахууныг илэрхийлэх нөхцөл.

- **빠짐없이 (дайвар үг)** : 하나도 빠뜨리지 않고 다.

  юу ч үлдээлгүй, юу ч орхихгүй

  нэгийг үлдээлгүй бүгдийг.

- **복습하다 (үйл үг)** : 배운 것을 다시 공부하다.

  давтах

  сурсан зүйлээ дахин сэргээх.

- **-였-** : 어떤 사건이 과거에 완료되었거나 그 사건의 결과가 현재까지 지속되는 상황을 나타내는 어미.

  Тохирох үг хэллэг байхгүй байна

  ямар нэгэн үйл явдал өнгөрсөн цагт төгссөн буюу тухайн үйл явдлын үр дүн өнөөг хүртэл үргэлжилж буй байдлыг илэрхийлдэг нөхцөл.

- **-을 뿐이다** : 앞에 오는 말이 나타내는 상태나 상황 이외에 다른 어떤 것도 없음을 나타내는 표현.

  Тохирох үг хэллэг байхгүй байна

  одоогийн нөхцөл байдлаас гадна өөр боломж буюу нөхцөл байдал байхгүй бөгөөд өөр сонголт байхгүй хэмээх утгыг илэрхийлдэг үг хэллэг.

• -에요 : (두루높임으로) 어떤 사실을 서술하거나 질문함을 나타내는 종결 어미.

(Тохирох Үг хэллэг байхгүй байна

(хүндэтгэлийн энгийн Үг хэллэг) ямар нэгэн зүйлийг хүүрнэх, асуух явдлыг илэрхийлдэг төгсгөх нөхцөл. **<дүрслэл>**

< 대화(ярилцлага) > - 95

듣기 좋은 노래 좀 추천해 주세요.
듣끼 조은 노래 좀 추천해 주세요.
deutgi joeun norae jom chucheonhae juseyo.

신나는 노래 위주로 듣는다면 이건 이때요?
신나는 조용한 노래 위주로 듣는다면 이건 어때요?
sinnaneun norae wijuro deunneundamyeon igeon eottaeyo?

< 설명(тайлбар) / 번역(орчуулга) >

듣+기 좋+은 노래 좀 추천하+[여 주]+세요.
추천해 주세요

· **듣다 (Үйл Үг)** : 귀로 소리를 알아차리다.
сонсох
чихээрээ дуу чимээг таньж мэдэх.

· **-기** : 앞의 말이 명사의 기능을 하게 하는 어미.
Тохирох Үг хэллэг байхгҮй байна
өмнөх Үгийг нэр Үгийн ҮҮрэгтэй болгодог нөхцөл.

· **좋다 (тэмдэг нэр)** : 어떤 것의 성질이나 내용 등이 훌륭하여 만족할 만하다.
сайхан
ямар нэгэн зҮйлийн шинж чанар ба агуулга өөгҮй тэгш, сэтгэл хангалуун байхуйц.

· **-은** : 앞의 말이 관형어의 기능을 하게 만들고 현재의 상태를 나타내는 어미.
Тохирох Үг хэллэг байхгҮй байна
өмнөх Үгийг тодотгол гишҮҮний ҮҮрэгтэй болгож одоогийн нөхцөл байдлыг
илэрхийлж буй нөхцөл.

· **노래 (нэр Үг)** : 운율에 맞게 지은 가사에 곡을 붙인 음악. 또는 그런 음악을 소리 내어 부름.
дуу
аялан дуулахад зориулсан шҮлгэнд аяыг тааруулсан хөгжим. мөн тэр хөгжмийг дуу
гаргаж дуулах.

• 좀 (дайвар Үг) : 주로 부탁이나 동의를 구할 때 부드러운 느낌을 주기 위해 넣는 말.
жаахан
ихэвчлэн гуйлт, зөвшөөрөл хҮсэх Үед зөөлөн мэдрэмж төрҮҮлэх гэж хэрэглэдэг Үг.

• 추천하다 (Үйл Үг) : 어떤 조건에 알맞은 사람이나 물건을 책임지고 소개하다.
дэвшҮҮлэх, санал болгох
ямар нэг нөхцөлийг хангасан хҮн болон юмыг хариуцлагатайгаар танилцуулах.

• -여 주다 : 남을 위해 앞의 말이 나타내는 행동을 함을 나타내는 표현.
Тохирох Үг хэллэг байхгҮй байна
бусдад зориулж өмнөх Үгийн илэрхийлж буй Үйлдлийг хийх явдлыг илэрхийлдэг Үг
хэллэг.

• -세요 : (두루높임으로) 설명, 의문, 명령, 요청의 뜻을 나타내는 종결 어미.
Тохирох Үг хэллэг байхгҮй байна
(хҮндэтгэлийн энгийн Үг хэллэг) тайлбар, асуулт, тушаал, хҮсэлтийн утгыг
илэрхийлдэг төгсгөх нөхцөл. <хҮсэлт>

신나+는 노래 위주+로 듣+는다면 이것(이거)+은 어떻+어요?
이건   어때요

• 신나다 (Үйл Үг) : 흥이 나고 기분이 아주 좋아지다.
хөөрөх, хөөрцөглөх
хөөр баяр болон сэтгэл санаа маш сайхан байх.

• -는 : 앞의 말이 관형어의 기능을 하게 만들고 사건이나 동작이 현재 일어남을 나타내는 어미.
Тохирох Үг хэллэг байхгҮй байна
өмнөх Үгийг тодотгол гишҮҮний ҮҮрэгтэй болгож, хэрэг явдал буюу Үйлдэл нь одоо
өрнөж байгааг илэрхийлдэг нөхцөл.

• 노래 (нэр Үг) : 운율에 맞게 지은 가사에 곡을 붙인 음악. 또는 그런 음악을 소리 내어 부름.
дуу
аялан дуулахад зориулсан шҮлгэнд аяыг тааруулсан хөгжим. мөн тэр хөгжмийг дуу
гаргаж дуулах.

• 위주 (нэр Үг) : 무엇을 가장 중요한 것으로 삼음.
голлох, ноёрхох, төвлөрҮҮлэх,чухалчлах
ямар нэгэн зҮйлийг хамгийн чухалд тооцох хандлага.

• 로 : 어떤 일의 방법이나 방식을 나타내는 조사.
-аар (-ээр, -оор, -өөр)
ямар нэгэн Үйл хэргийн арга барилыг илэрхийлж буй нөхцөл.

• 듣다 (Үйл Үг) : 귀로 소리를 알아차리다.

сонсох

чихээрээ дуу чимээг таньж мэдэх.

• -는다면 : 어떠한 사실이나 상황을 가정하는 뜻을 나타내는 연결 어미.

Тохирох Үг хэллэг байхгҮй байна

ямар нэгэн хэрэг явдал буюу нөхцөл байдлыг таамагласан утгыг илэрхийлдэг холбох нөхцөл.

• 이것 (төлөөний Үг) : 말하는 사람에게 가까이 있거나 말하는 사람이 생각하고 있는 것을 가리키는 말.

энэ зҮйл, энэ, энэ юм

ярьж буй хҮнд ойр байгаа болон ярьж буй хҮний бодож буй зҮйлийг заадаг Үг.

• 은 : 문장 속에서 어떤 대상이 화제임을 나타내는 조사.

Тохирох Үг хэллэг байхгҮй байна

өгҮҮлбэрт ямар зҮйл ярианы сэдэв болж буйг илэрхийлдэг нөхцөл.

• 어떻다 (тэмдэг нэр) : 생각, 느낌, 상태, 형편 등이 어찌 되어 있다.

тийм байх, ямар байх

бодол санаа, мэдрэмж, байдал, явц зэрэг хэрхэн болох.

• -어요 : (두루높임으로) 어떤 사실을 서술하거나 질문, 명령, 권유함을 나타내는 종결 어미.

Тохирох Үг хэллэг байхгҮй байна

(хҮндэтгэлийн энгийн Үг хэллэг) ямар нэгэн зҮйлийг хҮҮрнэх, асуух, тушаах, уриалах явдлыг илэрхийлдэг төгсгөх нөхцөл. **<асуулт>**

< 대화(ярилцлага) > - 96

너 모자를 새로 샀구나. 잘 어울린다.
너 모자를 새로 샫꾸나. 잘 어울린다.
neo mojareul saero satguna. jal eoullinda.

고마워. 가게에서 보자마자 마음에 들어서 바로 사 버렸지.
고마워. 가게에서 보자마자 마으메 드러서 바로 사 버렫찌.
gomawo. gageeseo bojamaja maeume deureoseo baro sa beoryeotji.

< 설명(тайлбар) / 번역(орчуулга) >

너 모자+를 새로 <u>사+았+구나</u>.
　　　　　　　 샀구나

잘 <u>어울리+ㄴ다</u>.
　 어울린다

- 너 (төлөөний Yг) : 듣는 사람이 친구나 아랫사람일 때, 그 사람을 가리키는 말.
  чи
  сонсогч нь найз буюу дүү байх тохиолдолд, тухайн хүнийг заадаг үг.

- 모자 (нэр Yг) : 예의를 차리거나 추위나 더위 등을 막기 위해 머리에 쓰는 물건.
  малгай
  ёс төр гүйцэтгэх юмуу халуун хүйтнээс хамгаалахын тулд толгойд өмсдөг эд.

- 를 : 동작이 직접적으로 영향을 미치는 대상을 나타내는 조사.
  -ыг/-ийг/-г
  үйл хөдлөл шууд нөлөөлж буй тусагдахууныг илэрхийлэх нөхцөл.

- 새로 (дайвар Yг) : 전과 달리 새롭게. 또는 새것으로.
  шинээр
  урьд өмнийнхөөс өөр шинээр. мөн шинэ зүйлээр.

- 사다 (Yйл Yг) : 돈을 주고 어떤 물건이나 권리 등을 자기 것으로 만들다.
  худалдаж авах
  үнэ хөлс төлөн ямар нэгэн эд зүйл, эрх мэдлийг өөрийн болгох.

- -았- : 어떤 사건이 과거에 완료되었거나 그 사건의 결과가 현재까지 지속되는 상황을 나타내는 어미.
  Тохирох Үг хэллэг байхгүй байна
  ямар нэгэн үйл явдал өнгөрсөн цагт болж дууссан буюу тухайн үйл явдлын үр дүн өнөөг хүртэл үргэлжилж буй байдлыг илэрхийлдэг нөхцөл.

- -구나 : (아주낮춤으로) 새롭게 알게 된 사실에 어떤 느낌을 실어 말함을 나타내는 종결 어미.
  Тохирох Үг хэллэг байхгүй байна
  (огт хүндэтгэлгүй үг хэллэг) шинээр олж мэдсэн зүйлийн талаар ямар нэгэн мэдрэмжийг нэмэн хэлэх явдлыг илэрхийлдэг төгсгөх нөхцөл.

- 잘 (дайвар үг) : 아주 멋지고 예쁘게.
  сайхан, гоё
  маш ганган, гоё.

- 어울리다 (үйл үг) : 자연스럽게 서로 조화를 이루다.
  зохих, таарах, зохицох, тохирох
  хоорондоо чөлөөтэй зохицол үүсгэх.

- -ㄴ다 : (아주낮춤으로) 현재 사건이나 사실을 서술함을 나타내는 종결 어미.
  (Тохирох Үг хэллэг байхгүй байна
  (огт хүндэтгэлгүй үг хэллэг) одоогийн хэрэг явдал буюу үнэн явдлыг хүүрнэхэд хэрэглэдэг төгсгөх нөхцөл.

고맙(고마우)+어.
고마워

가게+에서 보+자마자 [마음에 들]+어서 바로 사+[(아) 버리]+었+지.
사 버렸지

- **고맙다 (тэмдэг нэр)** : 남이 자신을 위해 무엇을 해주어서 마음이 흐뭇하고 보답하고 싶다.
  баярлах
  өөр хүн өөрийнх нь төлөө ямар нэгэн зүйлийг хийж өгсөнд талархан баярлаж ачийг хариулах сэтгэл төрөх.

- -어 : (두루낮춤으로) 어떤 사실을 서술하거나 물음, 명령, 권유를 나타내는 종결 어미.
  Тохирох Үг хэллэг байхгүй байна
  (хүндэтгэлийн бус энгийн үг хэллэг) ямар нэгэн зүйлийг дүрслэх буюу асуулт, тушаал, зөвлөмж зэргийг илэрхийлдэг төгсгөх нөхцөл. **<дүрслэл>**

- **가게 (нэр үг)** : 작은 규모로 물건을 펼쳐 놓고 파는 집.
дэлгүүр
бага хэмжээний бараа тавьж худалдаалдаг газар.

- **에서** : 앞말이 어떤 일의 출처임을 나타내는 조사.
-аас(-ээс, -оос, -өөс)
өмнөх үг нь ямар нэгэн зүйлийн эх үүсвэр болохыг илэрхийлдэг нөхцөл.

- **보다 (үйл үг)** : 눈으로 대상의 존재나 겉모습을 알다.
үзэх, харах
нүдээрээ ямар нэг зүйлийн оршин байгааг нь болон гадаад төрхийг нь харж мэдэх.

- **-자마자** : 앞의 말이 나타내는 사건이나 상황이 일어나고 곧바로 뒤의 말이 나타내는 사건이나 상황이 일어남을 나타내는 연결 어미.
Тохирох үг хэллэг байхгүй байна
өмнөх үгийн илэрхийлж буй хэрэг явдал буюу нөхцөл байдал болж шууд залган дараагийн үгийн илэрхийлж буй өөр хэрэг явдал буюу нөхцөл байдал бий болсныг илэрхийлдэг холбох нөхцөл.

- **마음에 들다 (хэлц үг)** : 자신의 느낌이나 생각과 맞아 좋게 느껴지다.
таалагдах
өөрийн мэдрэмж болон бодож байсантай нийцэн сайхан санагдах.

- **-어서** : 이유나 근거를 나타내는 연결 어미.
Тохирох үг хэллэг байхгүй байна
учир шалтгаан буюу үндэслэлийг илэрхийлдэг холбох нөхцөл.

- **바로 (дайвар үг)** : 시간 차를 두지 않고 곧장.
даруй, тэр даруй, шууд
цагийн ялгаа байлгахгүйгээр шууд.

- **사다 (үйл үг)** : 돈을 주고 어떤 물건이나 권리 등을 자기 것으로 만들다.
худалдаж авах
үнэ хөлс төлөн ямар нэгэн эд зүйл, эрх мэдлийг өөрийн болгох.

- **-아 버리다** : 앞의 말이 나타내는 행동이 완전히 끝났음을 나타내는 표현.
Тохирох үг хэллэг байхгүй байна
өмнөх үгийн илэрхийлж буй үйлдэл бүр мөсөн дууссан болохыг илэрхийлдэг үг хэллэг.

- **-었-** : 어떤 사건이 과거에 완료되었거나 그 사건의 결과가 현재까지 지속되는 상황을 나타내는 어미.
Тохирох үг хэллэг байхгүй байна
ямар нэгэн хэрэг явдал өнгөрсөн үед болж өнгөрсөн буюу тухайн үйлийн үр дүн өнөөг хүртэл үргэлжилж буй нөхцөл байдлыг илэрхийлдэг нөхцөл.

• -지 : (두루낮춤으로) 말하는 사람이 자신에 대한 이야기나 자신의 생각을 친근하게 말할 때 쓰는 종결
   어미.

Тохирох Үг хэллэг байхгүй байна

(хүндэтгэлийн бус энгийн үг хэллэг) өгүүлэгч өөрийнхөө тухай ярих буюу өөрийн
бодлыг дотноор хэлэхэд хэрэглэхэд төгсгөх нөхцөл.

< 대화(ярилцлага) > - 97

엄마, 약속 시간에 늦어서 밥 먹을 시간 없어요.
엄마, 약쏙 시가네 느저서 밥 머글 시간 업써요.
eomma, yaksok sigane neujeoseo bap meogeul sigan eopseoyo.

조금 늦더라도 밥은 먹고 가야지.
조금 늗떠라도 바븐 먹꼬 가야지.
jogeum neutdeorado babeun meokgo gayaji.

< 설명(тайлбар) / 번역(орчуулга) >

엄마, 약속 시간+에 늦+어서 밥 먹+을 시간 없+어요.

- **엄마 (нэр ᲧΓ)** : 격식을 갖추지 않아도 되는 상황에서 어머니를 이르거나 부르는 말.
  ээж
  ёс жаяг баримтлах шаардлаггᲧй тохиолдолд ээжийгээ нэрлэх болон дуудах Үг.

- **약속 (нэр ᲧΓ)** : 다른 사람과 어떤 일을 하기로 미리 정함. 또는 그렇게 정한 내용.
  болзоо, тов, амлалт
  хэн нэгэнтэй ямар нэгэн зᲧйлийг хийхээр урьдчилан тогтох нь. мөн тийн тохирсон агуулга.

- **시간 (нэр ᲧΓ)** : 어떤 일을 하도록 정해진 때. 또는 하루 중의 어느 한 때.
  цаг, Ყе, хугацаа
  ямар нэгэн юмыг хийхээр тогтсон Үе. мөн өдрийн аль нэг Үе.

- **에** : 앞말이 시간이나 때임을 나타내는 조사.
  -д/-т
  өмнөх Үг цаг хугацаа болохыг илэрхийлж буй нөхцөл.

- **늦다 (Ყйл ᲧΓ)** : 정해진 때보다 지나다.
  хоцрох, оройтох
  тогтоосон хугацаанаас хоцрох.

- **-어서** : 이유나 근거를 나타내는 연결 어미.
  Тохирох ᲧΓ хэллэг байхгᲧй байна
  учир шалтгаан буюу Үндэслэлийг илэрхийлдэг холбох нөхцөл.

- **밥 (нэр Үг)** : 매일 일정한 때에 먹는 음식.

  хоол

  өдөр бүр тогтмол цагт иддэг хоол.

- **먹다 (Үйл Үг)** : 음식 등을 입을 통하여 배 속에 들여보내다.

  идэх

  хоол хүнс зэргийг амаар дамжуулан гэдсэндээ хийх.

- **-을** : 앞의 밀이 관형어의 기능을 하게 만들고 추측, 예정, 의지, 가능성 등을 나타내는 어미.

  Тохирох Үг хэллэг байхгүй байна

  өмнөх Үгийг тодотгол гишүүний үүрэгтэй болгон хувиргаж таамаг, урьдчилсан төлөвлөгөө, найдлага зэргийг илэрхийлдэг нөхцөл.

- **시간 (нэр Үг)** : 어떤 일을 할 여유.

  чөлөө, зай, цаг зав

  ямар нэгэн юмыг хийх чөлөө зав.

- **없다 (тэмдэг нэр)** : 어떤 사실이나 현상이 현실로 존재하지 않는 상태이다.

  -гүй, боломжгүй, байхгүй

  ямар нэгэн үнэн юм уу үзэгдэл бодитоор оршдоггүй байдал.

- **-어요** : (두루높임으로) 어떤 사실을 서술하거나 질문, 명령, 권유함을 나타내는 종결 어미.

  Тохирох Үг хэллэг байхгүй байна

  (хүндэтгэлийн энгийн Үг хэллэг) ямар нэгэн зүйлийг хүүрнэх, асуух, тушаах, уриалах явдлыг илэрхийлдэг төгсгөх нөхцөл. <дүрслэл>

조금 늦+더라도 밥+은 먹+고 <u>가+(아)야지</u>.
가야지

- **조금 (дайвар Үг)** : 시간이 짧게.

  жаахан

  богино хугацаанд.

- **늦다 (Үйл Үг)** : 정해진 때보다 지나다.

  хоцрох, оройтох

  тогтоосон хугацаанаас хоцрох.

- **-더라도** : 앞에 오는 말을 가정하거나 인정하지만 뒤에 오는 말에는 관계가 없거나 영향을 끼치지 않음을 나타내는 연결 어미.

  Тохирох Үг хэллэг байхгүй байна

  өмнөх агуулгыг тооцоолох буюу хүлээн зөвшөөрч байгаа ч ардах агуулгад хамааралгүй буюу нөлөө үзүүлэхгүй болохыг илэрхийлдэг холбох нөхцөл.

• **밥 (нэр Үг)** : 매일 일정한 때에 먹는 음식.
  хоол
  өдөр бүр тогтмол цагт иддэг хоол.

• **은** : 강조의 뜻을 나타내는 조사.
  Тохирох Үг хэллэг байхгүй байна
  онцолсон утгыг илэрхийлж буй нөхцөл.

• **먹다 (Үйл Үг)** : 음식 등을 입을 통하여 배 속에 들여보내다.
  идэх
  хоол хүнс зэргийг амаар дамжуулан гэдсэндээ хийх.

• **-고** : 앞의 말과 뒤의 말이 차례대로 일어남을 나타내는 연결 어미.
  Тохирох Үг хэллэг байхгүй байна
  өмнөх Үйл ба арын Үйл дэс дараалллын дагуу өрнөж байгааг илтгэдэг холбох нөхцөл.

• **가다 (Үйл Үг)** : 한 곳에서 다른 곳으로 장소를 이동하다.
  явах, очих
  нэг газраас нөгөө газар руу шилжиж хөдлөх явах.

• **-아야지** : (두루낮춤으로) 듣는 사람이나 다른 사람이 어떤 일을 해야 하거나 어떤 상태여야 함을 나타
  내는 종결 어미.
  Тохирох Үг хэллэг байхгүй байна
  (хүндэтгэлийн бус энгийн Үг хэллэг) сонсогч этгээд буюу өөр хүн ямар нэгэн ажлыг
  хийх хэрэгтэй буюу ямар нэгэн байдалтай байх шаардлагатай болохыг илэрхийлдэг
  төгсгөх нөхцөл.

< 대화(ярилцлага) > - 98

너 오늘 많이 피곤해 보인다.
너 오늘 마니 피곤해 보인다.
neo oneul mani pigonhae boinda.

어제 늦게까시 술을 마서 가지고 컨디션이 안 좋아.
어제 늗께까지 수를 마셔 가지고 컨디셔니 안 조아.
eoje neutgekkaji sureul masyeo gajigo keondisyeoni an joa.

< 설명(тайлбар) / 번역(орчуулга) >

너 오늘 많이 피곤하+[여 보이]+ㄴ다.
피곤해 보인다

- 너 (төлөөний Үг) : 듣는 사람이 친구나 아랫사람일 때, 그 사람을 가리키는 말.
  чи
  сонсогч нь найз буюу дҮҮ байх тохиолдолд, тухайн хҮнийг заадаг Үг.

- 오늘 (дайвар Үг) : 지금 지나가고 있는 이날에.
  өнөөдөр
  одоо болж өнгөрч буй энэ өдөрт.

- 많이 (дайвар Үг) : 수나 양, 정도 등이 일정한 기준보다 넘게.
  их, олон
  тоо, хэр хэмжээ мэтийн зҮйл тодорхой нэг тҮвшингөөс хэтэрсэн.

- 피곤하다 (тэмдэг нэр) : 몸이나 마음이 지쳐서 힘들다.
  ядрах
  бие буюу сэтгэл туйлдан хэцҮҮ байх.

- -여 보이다 : 겉으로 볼 때 앞의 말이 나타내는 것처럼 느껴지거나 추측됨을 나타내는 표현.
  Тохирох Үг хэллэг байхгҮй байна
  гаднаас нь харахад өмнөх Үг нь илэрхийлж буй мэт мэдрэгдэх буюу багцаалж буйг илэрхийлдэг Үг хэллэг.

• -ㄴ다 : (아주낮춤으로) 현재 사건이나 사실을 서술함을 나타내는 종결 어미.

Тохирох Үг хэллэг байхгүй байна

(огт хүндэтгэлгүй үг хэллэг) одоогийн хэрэг явдал буюу үнэн явдлыг хүүрнэхэд хэрэглэдэг төгсгөх нөхцөл.

어제 늦+게+까지 술+을 <u>마시+[어 가지고]</u> 컨디션+이 안 좋+아.
마셔 가지고

• 어제 (дайвар үг) : 오늘의 하루 전날에.

өчигдөр

өнөөдрөөс нэг өдрийн өмнө.

• 늦다 (тэмдэг нэр) : 적당한 때를 지나 있다. 또는 시기가 한창인 때를 지나 있다.

оройтох

тохиромжтой үеийг өнгөрөөсөн байх. мөн юмны ид өрнөх үеийг өнгөрөөсөн байх.

• -게 : 앞의 말이 뒤에서 가리키는 일의 목적이나 결과, 방식, 정도 등이 됨을 나타내는 연결 어미.

Тохирох үг хэллэг байхгүй байна

өмнөх агуулга ард нь зааж буй байдал, зорилго, үр дүн, арга барил, хэмжээ зэрэг болохыг илэрхийлдэг холбох нөхцөл.

• 까지 : 어떤 범위의 끝임을 나타내는 조사.

хүртэл

ямар нэгэн зүйлийн төгсгөх болохыг илэрхийлдэг нөхцөл.

• 술 (нэр үг) : 맥주나 소주 등과 같이 알코올 성분이 들어 있어서 마시면 취하는 음료.

архи, сархад, согтууруулах ундаа

шар айраг, сужүй,солонгос архи, зэрэг спиртлэг бодис агуулсан, уувал согтдог ундаа.

• 을 : 동작이 직접적으로 영향을 미치는 대상을 나타내는 조사.

-ыг/-ийг/-г

үйл хөдлөл шууд нөлөөлж буй тусагдахууныг илэрхийлэх нөхцөл.

• 마시다 (үйл үг) : 물 등의 액체를 목구멍으로 넘어가게 하다.

уух

ус зэргийн зүйлийг амнаас хоолойгоор оруулах.

• -어 가지고 : 앞의 말이 나타내는 행동이나 상태가 뒤의 말의 원인이나 이유임을 나타내는 표현.

Тохирох үг хэллэг байхгүй байна

өмнөх үгийн илэрхийлж буй үйлдэл буюу байдал нь ардах үгний учир шалтгаан буюу арга барил болохыг илэрхийлдэг үг хэллэг.

- **컨디션 (нэр Үг)** : 몸이나 건강, 마음 등의 상태.

  биеийн байдал

  биеийн эрҮҮл мэнд, сэтгэл санааны байдал.

- **이** : 어떤 상태나 상황의 대상이나 동작의 주체를 나타내는 조사.

  Тохирох Үг хэллэг байхгҮй байна

  ямар нэгэн төлөв, байдлын субьект, мөн Үйл хөдлөлийн эзэн болохыг илэрхийлэх нөхцөл.

- **안 (дайвар Үг)** : 부정이나 반대의 뜻을 나타내는 말.

  эс, Үл, ҮгҮй, -гҮй

  сөрөг буюу эсрэг утгыг илэрхийлдэг Үг.

- **좋다 (тэмдэг нэр)** : 신체적 조건이나 건강 상태 등이 보통보다 낫다.

  сайн, сайтай

  бие махбодын болон эрҮҮл мэндийн байдал хэвийн хэмжээнээс илҮҮ.

- **-아** : (두루낮춤으로) 어떤 사실을 서술하거나 물음, 명령, 권유를 나타내는 종결 어미.

  Тохирох Үг хэллэг байхгҮй байна

  (хҮндэтгэлийн бус энгийн Үг хэллэг) ямар нэгэн зҮйлийг дҮрслэх буюу асуулт, тушаал, зөвлөмж зэргийг илэрхийлдэг төгсгөх нөхцөл. **<дҮрслэл>**

< 대화(ярилцлага) > - 99

요리 학원에 가서 수업이라도 들을까 봐.
요리 하궈네 가서 수어비라도 드를까 봐.
yori hagwone gaseo sueobirado deureulkka bwa.

갑자기 왜? 요리를 해야 할 일이 있어?
갑짜기 왜? 요리를 해야 할 이리 이써?
gapjagi wae? yorireul haeya hal iri isseo?

< 설명(тайлбар) / 번역(орчуулга) >

요리 학원+에 가+(아)서 수업+이라도 듣(들)+[을까 보]+아.
　　　　　　 가서　　　　　　　　　　들을까 봐

• **요리 (нэр үг)** : 음식을 만듦.
  хоол хийх
  хоол унд хийх.

• **학원 (нэр үг)** : 학생을 모집하여 지식, 기술, 예체능 등을 가르치는 사립 교육 기관.
  дамжаа, сургалт, дугуйлан
  оюутан сурагч цуглуулан мэдлэг, ур чадвар, урлаг спортын чадвар зэргийг сургадаг хувийн боловсролын байгууллага.

• **에** : 앞말이 목적지이거나 어떤 행위의 진행 방향임을 나타내는 조사.
  -руу/-рүү, -луу/-лүү
  өмнөх үг зорьсон газар буюу ямар нэгэн үйлийн чиглэлийг зааж байгаа болохыг илэрхийлж буй нөхцөл.

• **가다 (үйл үг)** : 한 곳에서 다른 곳으로 장소를 이동하다.
  явах, очих
  нэг газраас нөгөө газар руу шилжиж хөдлөх явах.

• **-아서** : 앞의 말과 뒤의 말이 순차적으로 일어남을 나타내는 연결 어미.
  Тохирох үг хэллэг байхгүй байна
  өмнөх үг ба ардах үг ээлж дараагаар бий болох явдлыг илэрхийлдэг холбох нөхцөл.

- **수업 (нэр Yг)** : 교사가 학생에게 지식이나 기술을 가르쳐 줌.
  хичээл
  багш оюутанд мэдлэг, ур чадвар заажг өгөх явдал.

- **이라도** : 그것이 최선은 아니나 여럿 중에서는 그런대로 괜찮음을 나타내는 조사.
  ч болтугай
  хамгийн шилдэг нь биш ч гэсэн олон зүйлийн дундаас бас ч гэж гайгүй болохыг
  илэрхийлж буй нөхцөл.

- **듣다 (Yйл Yг)** : 다른 사람의 말이나 소리 등에 귀를 기울이다.
  сонсох, анхаарах
  бусад хүний үг, дуу авиа зэрэгт анхаарал хандуулах.

- **-을까 보다** : 앞에 오는 말이 나타내는 행동을 할 의도가 있음을 나타내는 표현.
  Тохирох Yг хэллэг байхгүй байна
  өмнөх үгийн илэрхийлж буй үйлдлийг хийх бодолтой буйг илэрхийлдэг үг хэллэг.

- **-아** : (두루낮춤으로) 어떤 사실을 서술하거나 물음, 명령, 권유를 나타내는 종결 어미.
  Тохирох Yг хэллэг байхгүй байна
  (хүндэтгэлийн бус энгийн үг хэллэг) ямар нэгэн зүйлийг дүрслэх буюу асуулт,
  тушаал, зөвлөмж зэргийг илэрхийлдэг төгсгөх нөхцөл. <дүрслэл>

갑자기 왜?

요리+를 하+[여야 하]+ㄹ 일+이 있+어?
해야 할

- **갑자기 (дайвар Yг)** : 미처 생각할 틈도 없이 빨리.
  гэнэт
  бодох ч сэхээгүй түргэн.

- **왜 (дайвар Yг)** : 무슨 이유로. 또는 어째서.
  яагаад, ямар учраас
  ямар шалтгаанаар. мөн яагаад.

- **요리 (нэр Yг)** : 음식을 만듦.
  хоол хийх
  хоол ундаа хийх.

- **를** : 동작이 직접적으로 영향을 미치는 대상을 나타내는 조사.
  -ыг/-ийг/-г
  үйл хөдөлгөл шууд нөлөөлж буй тусагдахууныг илэрхийлэх нөхцөл.

• 하다 (Үйл Үг) : 어떤 행동이나 동작, 활동 등을 행하다.

Үйлдэх, хийх, гүйцэтгэх

аливаа Үйл хөдлөл, хөдөлгөөн, ажиллагаа зэргийг гүйцэтгэх.

• -여야 하다 : 앞에 오는 말이 어떤 일을 하거나 어떤 상황에 이르기 위한 의무적인 행동이거나 필수적
              인 조건임을 나타내는 표현.

Тохирох Үг хэллэг байхгүй байна

өмнө хэлж байгаа Үг нь ямар нэг ажлыг хийх болон ямар нэг нөхцөл байдалд
хүрэхийн тулд хийх хэрэгтэй албан Үүргийн Үйлдэл буюу зайлшгүй шаардлага
болохыг илэрхийлдэг Үг хэллэг.

• -ㄹ : 앞의 말이 관형어의 기능을 하게 만들고 추측, 예정, 의지, 가능성 등을 나타내는 어미.

Тохирох Үг хэллэг байхгүй байна

өмнөх Үгийг тодотгол гишүүний Үүрэгтэй болгон хувиргаж таамаглал, урьдчилсан
төлөвлөлт, найдлага, боломж зэргийг илэрхийлдэг нөхцөл.

• 일 (нэр Үг) : 해결하거나 처리해야 할 문제나 사항.

ажил

учрыг нь олох буюу цэгцлэх ёстой асуудал, нөхцөл.

• 이 : 어떤 상태나 상황의 대상이나 동작의 주체를 나타내는 조사.

Тохирох Үг хэллэг байхгүй байна

ямар нэгэн төлөв, байдлын субьект, мөн Үйл хөдлөлийн эзэн болохыг илэрхийлэх
нөхцөл.

• 있다 (тэмдэг нэр) : 어떤 사람에게 무슨 일이 생긴 상태이다.

Тохирох Үг хэллэг байхгүй байна

хэн нэгэнд ямар нэгэн зүйл тохиолдсон байдал.

• -어 : (두루낮춤으로) 어떤 사실을 서술하거나 물음, 명령, 권유를 나타내는 종결 어미.

Тохирох Үг хэллэг байхгүй байна

(хүндэтгэлийн бус энгийн Үг хэллэг) ямар нэгэн зүйлийг дүрслэх буюу асуулт,
тушаал, зөвлөмж зэргийг илэрхийлдэг төгсгөх нөхцөл. <асуулт>

< 대화(ярилцлага) > - 100

이 옷 사이즈도 맞고 너무 예뻐요.
이 온 사이즈도 맏꼬 너무 예뻐요.
i ot saijeudo matgo neomu yeppeoyo.

다행이네. 너한테 자을까 봐 조금 걱정했는데.
다행이네. 너한테 자글까 봐 조금 걱쩡핸는데.
dahaengine. neohante jageulkka bwa jogeum geokjeonghaenneunde.

< 설명(тайлбар) / 번역(орчуулга) >

이 옷 사이즈+도 맞+고 너무 <u>예쁘(예쁘)</u>+어요.
예뻐요

- **이 (тодотгол Yr)** : 말하는 사람에게 가까이 있거나 말하는 사람이 생각하고 있는 대상을 가리킬 때 쓰는 말.

  энэ
  өгүүлэгч этгээдэд ойр байгаа зүйл ба өгүүлэгч этгээдийн бодож байгаа зүйлийг заасан үг.

- **옷 (нэр Yr)** : 사람의 몸을 가리고 더위나 추위 등으로부터 보호하며 멋을 내기 위하여 입는 것.

  хувцас
  хүний биеийг хүйтэн халуунаас хамгаалах болон өмсөж гоёход зориулагдсан зүйл.

- **사이즈 (нэр Yr)** : 옷이나 신발 등의 크기나 치수.

  хэмжээ
  хувцас, гутал зэргийн хэмжээ, хэмжээс.

- **도** : 이미 있는 어떤 것에 다른 것을 더하거나 포함함을 나타내는 조사.

  ч
  нэгэнт байгаа зүйл дээр өөр зүйлийг нэмэх буюу хамруулсныг илэрхийлж буй нөхцөл.

- **맞다 (Yйл Yr)** : 크기나 규격 등이 어떤 것과 일치하다.

  таарах, тохирох
  хэмжээ, стандарт зэрэг ямар нэг зүйлтэй таарах.

- -고 : 두 가지 이상의 대등한 사실을 나열할 때 쓰는 연결 어미.
  Тохирох Үг хэллэг байхгҮй байна
  хоёроос дээш тооны хэрэг явдлыг зэрэгцҮҮлэн холбоход хэрэглэдэг холбох нөхцөл.

- 너무 (дайвар Үг) : 일정한 정도나 한계를 훨씬 넘어선 상태로.
  дэндҮҮ, хэтэрхий, хэт
  тогтсон хэмжээ болон хязгаарыг маш их хэтэрсэн байдал.

- 예쁘다 (тэмдэг нэр) : 생긴 모양이 눈으로 보기에 좋을 만큼 아름답다.
  хөөрхөн
  царай сайхан Үзэсгэлэнтэй.

- -어요 : (두루높임으로) 어떤 사실을 서술하거나 질문, 명령, 권유함을 나타내는 종결 어미.
  Тохирох Үг хэллэг байхгҮй байна
  (хҮндэтгэлийн энгийн Үг хэллэг) ямар нэгэн зҮйлийг хҮҮрнэх, асуух, тушаах, уриалах явдлыг илэрхийлдэг төгсгөх нөхцөл. <дҮрслэл>

다행+이+네.

너+한테 작+[을까 보]+아 조금 걱정하+였+는데.
작을 까봐   걱정했는데

- 다행 (нэр Үг) : 뜻밖에 운이 좋음.
  их аз, бөөн аз
  гэнэтийн аз завшаан.

- 이다 : 주어가 지시하는 대상의 속성이나 부류를 지정하는 뜻을 나타내는 서술격 조사.
  Тохирох Үг хэллэг байхгҮй байна
  эзэн биеийн зааж буй обьектын шинж чанар, төрөл зҮйлийг тодорхойлох утгыг илэрхийлэх өгҮҮлэхҮҮний тийн ялгалын нөхцөл.

- -네 : (아주낮춤으로) 지금 깨달은 일에 대하여 말함을 나타내는 종결 어미.
  Тохирох Үг хэллэг байхгҮй байна
  (огт хҮндэтгэлгҮй Үг хэллэг) одоо ойлгож ухаарсан зҮйлийнхээ талаар ярьж байгааг илэрхийлдэг төгсгөх нөхцөл.

- 너 (төлөөний Үг) : 듣는 사람이 친구나 아랫사람일 때, 그 사람을 가리키는 말.
  чи
  сонсогч нь найз буюу дҮҮ байх тохиолдолд, тухайн хҮнийг заадаг Үг.

- 한테 : 앞말이 기준이 되는 대상이나 단위임을 나타내는 조사.

  -д/-т

  өмнөх үг хэм хэмжүүрийн тусагдахуун буюу нэгж болохыг илэрхийлж буй нөхцөл.

- 작다 (тэмдэг нэр) : 정해진 크기에 모자라서 맞지 아니하다.

  багадах, жижигдэх

  тогтсон хэмжээнээс дутаж таарахгүй байх.

- -을까 보다 : 앞에 오는 말이 나타내는 상황이 될 것을 걱정하거나 두려워함을 나타내는 표현.

  Тохирох үг хэллэг байхгүй байна

  өмнөх үгийн илэрхийлж буй нөхцөл байдал үүсэхээс санаа зовох буюу айх явдлыг илэрхийлдэг үг хэллэг.

- -아 : 앞에 오는 말이 뒤에 오는 말에 대한 원인이나 이유임을 나타내는 연결 어미.

  Тохирох үг хэллэг байхгүй байна

  өмнө ирэх үг ард ирэх үгийн талаарх учир шалтгаан болохыг илэрхийлдэг холбох нөхцөл.

- 조금 (дайвар үг) : 분량이나 정도가 적게.

  жоохон, бага зэрэг

  хэр хэмжээ бага.

- 걱정하다 (үйл үг) : 좋지 않은 일이 있을까 봐 두려워하고 불안해하다.

  санаа зовох

  ямар нэг муу зүйл болох вий гэж сэтгэл зовиурлан шаналах.

- -였- : 어떤 사건이 과거에 완료되었거나 그 사건의 결과가 현재까지 지속되는 상황을 나타내는 어미.

  Тохирох үг хэллэг байхгүй байна

  ямар нэгэн үйл явдал өнгөрсөн цагт төгссөн буюу тухайн үйл явдлын үр дүн өнөөг хүртэл үргэлжилж буй байдлыг илэрхийлдэг нөхцөл.

- -는데 : (두루낮춤으로) 듣는 사람의 반응을 기대하며 어떤 일에 대해 감탄함을 나타내는 종결 어미.

  Тохирох үг хэллэг байхгүй байна

  (хүндэтгэлийн бус энгийн үг хэллэг) сонсож буй хүний хариу үйлдэлд найдан ямар нэгэн зүйлийн талаар гайхан шагширч буйг илэрхийлсэн төгсгөх нөхцөл.

< 참고(ашиглах) 문헌(ном зүй) >

고려대학교 한국어대사전, 고려대학교 민족문화연구원, 2009
우리말샘, 국립국어원, 2016
표준국어대사전, 국립국어원, 1999
한국어교육 문법 자료편, 한글파크, 2016
한국어 교육학 사전, 하우, 2014
한국어기초사전, 국립국어원, 2016
한국어 문법 총론 Ⅰ, 집문당, 2015

HANPUK

대화로 배우는 한국어 Монгол хэл(орчуулга)

발　행 | 2024년 6월 20일
저　자 | 주식회사 한글2119연구소
펴낸이 | 한건희
펴낸곳 | 주식회사 부크크
출판사등록 | 2014.07.15.(제2014-16호)
주　소 | 서울특별시 금천구 가산디지털1로 119 SK트윈타워 A동 305호
전　화 | 1670-8316
이메일 | info@bookk.co.kr

ISBN | 979-11-410-9053-1

www.bookk.co.kr
ⓒ 주식회사 한글2119연구소 2024